Straatwaarde

ESTHER SCHENK

Straatwaarde

SIJTHOFF

In dit boek worden gebeurtenissen beschreven die echt hebben plaats-
gevonden en personen opgevoerd die werkelijk bestaan. Om de auteur,
haar familie en anderen te beschermen zijn, op een enkele uitzondering
na, de namen van personen en organisaties veranderd.

© 2009 Esther Schenk en Bert Muns
All rights reserved
Omslagontwerp: Studio Jan de Boer
Omslagfotografie: Getty Images

ISBN 978 90 218 0239 8
NUR 320

www.boekenwereld.com
www.uitgeverijsijthoff.nl

But I won't cry for yesterday
There's an ordinary world
somehow I have to find
And as I try to make my way
to the ordinary world
I will learn to survive
Ordinary World, DURAN DURAN

VAN DE AUTEUR

Waarom doe ik dit? Waarom schrijf ik *Straatwaarde* en beleef ik, uit eigen vrije wil, alles wat ik heb meegemaakt nog een keer? In elk geval om te kunnen concluderen dat ik een lange, zware weg heb moeten afleggen om op het punt te komen waar ik nu ben. Maar ik bén er wel, het is me gelukt eruit te komen en eruit te blijven. Daarnaast om mijn ervaringen te kunnen delen met al die mensen die er nu nog middenin zitten of het risico lopen erin te belanden.

Toen ik uit het diepe dal klom, heb ik mij gesteund gevoeld door tientallen mensen en instellingen, aan wie ik mijn dank wil uitspreken:

Mijn moedertje en mijn stiefvader
pa en z'n vriendin
mijn broers
Henriëtte
Alexander
Jan, Kees en Bernhard van de politie

en verder Annela, Kor, Kaartje, Bettina, Willem, Mike, Hans, Jacoline, de 2 Nelly 's, Maggie, Corry, Leonieke, Pieter, Bert;

Annemieke en Lilian van de tussenvoorziening Utrecht; Martin, mijn trainer bij de voorlichting; Stichting Arta, Vrouwenopvang Stichting Hera en De Grift

enne... natuurlijk iedereen die ik vergeten ben te noemen...

1

Nog voor ik goed en wel wakker ben, weet ik dat er iets is. Dit wordt geen dag als alle andere. Met moeite open ik mijn ogen. Maanden heb ik naar deze dag toegeleefd, me erop voorbereid, me er zenuwachtig over gemaakt. Loom sla ik het dekbed terug en zwaai mijn benen uit bed. De vloer is koud maar ik ken mezelf. Als ik het niet meteen doe, is de kans groot dat ik weer indommel en slaap tot de middag. En dan zijn alle voorbereiding, alle zenuwen voor niks geweest. Het is stil in mijn huis. Dat is het altijd en ik vind het wel best zo. Ik ben net veertig en heb voor een heel leven herrie en onrust genoeg gehad. Het lampje op mijn antwoordapparaat knippert om aandacht. Vaag herinner ik me dat ik de telefoon heb gehoord toen ik bijna ingeslapen was. Ik laat het antwoordapparaat voor wat het is en ga douchen. Douchen is een van mijn lievelingsbezigheden, op elk moment van de dag. Schoon, schoner, schoonst. Zo ben ik niet altijd geweest, maar tegenwoordig ben ik al in staat om onder de douche te springen na tien minuten fietsen. Nou ja, als dat mijn enige tic is mag ik van geluk spreken. Genietend laat ik het hete water over mijn lichaam stromen, gebruik een ongelofelijke hoeveelheid douchegel en voel hoe de warmte weldadig door mijn poriën naar binnen sijpelt. Mijn lichaam is er nog. Het kan nog voelen. Ik kan nog voelen. Ik mag echt van geluk spreken.

Ik sta eindeloos voor de kledingkast, waar zoveel in zit dat ik me tien keer moet verkleden en me nergens tevreden in voel. Zoals meestal kom ik toch weer uit op wat ik als eerste kies; spijkerbroek, blouse. En dan mijn haar, het eeuwige gezeur. Als ik me tenminste vanbuiten maar goed voel. Ik twijfel over lippenstift en stel de beslissing uit tot later. Ik moet bovendien toch nog ontbijten. Dat is iets wat ik niet over mag slaan, omdat ik, als ik het niet doe, over twee uur de kans loop om flauw te vallen of emotioneel te worden. Ik zet de waterkoker aan voor theewater en pak het brood uit de trommel. Een boterham voor nu, een om mee te nemen. Als ik het keukenkastje dichtdoe, kijk ik voor het eerst naar buiten. Het is nog donker en de straat is nat. De overbuurman stapt op zijn fiets om naar zijn werk te gaan. Dan moet het vijf voor halfacht zijn, daarvoor hoef ik niet op de klok te kijken. Zoveel regelmaat zou me toch net weer te veel van het goede zijn. We zwaaien.

Ik ga met m'n thee en m'n bordje aan de keukentafel zitten en rommel net zo lang in mijn veel te grote tas tot ik de brief gevonden heb. Hij is een beetje verkreukeld. Mijn ogen gaan over de regels. OM 09.10 UUR WORDT U VERWACHT IN LOKAAL 3.13. Dan heb ik nog tijd genoeg, denk ik, en ik neem een slok. Maar dan slaat de schrik me om het hart. Ik verslik me. Thee spat over de brief. Lokaal 3.13? We hadden helemaal geen lokalen met een punt in het nummer. En zeker geen drie verdiepingen! Zonder er verder bij na te denken ben ik ervan uitgegaan dat ik in mijn eigen, oude, vertrouwde schoolgebouw moest zijn. Maar sinds ik van school ben gegaan, is die twee of drie keer verhuisd. En ik heb geen idee waar hij nu staat! De straatnaam zegt me niks. Er is absoluut een flink stuk weg uit mijn geschiedenis. Ik zoek onder in de boekenkast naar mijn stadsplattegrond en vind alleen de buitenkant. Het binnenwerk is ongetwijfeld ooit eens ergens achtergebleven.

Ik neem de brief en mijn thee mee naar de woonkamer en pak de telefoon. Als er nu maar iemand is, om kwart voor acht. Het zweet breekt me uit als ik het nummer kies dat op de brief staat. Als ze nu maar weten wie ik ben, als ik nu maar niet... Ik word kwaad op mezelf. Wat een nonsens! Die eeuwige onzekerheid. Als ik hier al nerveus van word... Er wordt opgenomen. Een halve minuut later weet ik wat ik weten moet. Het is aan het andere eind van de stad. Eigenlijk ben ik nu dus te laat.

Het is stil op het plein voor de school als ik hijgend van mijn fiets spring. Het eerste uur is begonnen en alleen een paar leerlingen die pas het tweede uur les hebben, hangen wat rond. Ze besteden geen aandacht aan me als ik in de overvolle fietsenrekken een plekje zoek voor mijn verroeste karretje. Terwijl ik worstel met het kettingslot schiet ineens een volkomen overbodige vraag in mijn gedachten. Hoe vaak zou ik dit wel niet gedaan hebben? Mijn fiets vastgezet, in het fietsenrek van school. Niet vaak genoeg in elk geval, anders had ik mijn school wel afgemaakt. Ik begin de laatste tijd weer te denken aan vroeger, probeer me dingen te herinneren, kleine dingen die me houvast kunnen geven. Maar veel te vaak realiseer ik me dat ik er niks meer van weet. Vroeger is te lang geleden, de kloof te diep.

Mijn drie keer zo groot geworden school is gehuisvest in een imposant gebouw van lichte steen, aluminium en veel glas. Het nieuwe gebouw kan niet voorkomen dat het goeie ouwe maandagochtendschoolgevoel op me valt als een blok.

Een week zwoegen voor de boeg, zonder resultaat, onbegrepen door mijn leraren en uitgelachen door mijn klasgenoten. Onwillekeurig inspecteer ik mijn kleding. Ik heb toch niet weer het verkeerde aangetrokken? Twee jongens lopen op me af. Ik bevries onder hun blikken. Zien ze me als mogelijk slachtoffer? Nee, natuurlijk niet. Ze kijken naar me zoals je naar een voorbijganger kijkt die je nog nooit eerder in de straat hebt gezien. Langzaam ebt de spanning uit mijn lichaam weg. Voor mijn gevoel sta ik hier al uren, en zoveel tijd heb ik helemaal niet. Wat ik nodig heb, is een bord met de lokalen erop, een plattegrond, of beter nog, de conciërge. Bij ons huisde die in een rommelig kamertje waar het naar zware shag rook en waar het kopieerapparaat stond. Waar je de fietspomp kon lenen en kon uithuilen als je je wiskunde verknald had, of je eerste liefde net met een ander was weggefietst. De conciërge, zie ik, is veranderd in een receptioniste, zakelijk en veilig weggestopt achter een balie met slagvast glas erboven. De balie doet me denken aan een heel ander soort inrichting.

'Goedemorgen,' zeg ik beleefd, terwijl ik een brok wegslik. 'Ik ben Esther Schenk. Ik kom voor de voorlichtingsbijeenkomst.'

De receptioniste, een blozende, iets te dikke vrouw met kort blond haar, zet haar bril af en laat hem bungelen aan het koordje om haar nek. Haar gezicht staat op verveling, ze zit hier kennelijk al te lang. 'De voorlichting? Nou, ik denk niet dat het doorgaat, want het vrouwtje dat die zou komen geven is er nog steeds niet.' Ze kijkt met een verwijtende blik naar de klok, alsof die er iets aan kan doen. 'Maar ja. Zoiets kun je verwachten hè. Je kunt er geen afspraken mee maken.'

De beginnende glimlach bevriest op mijn gezicht. 'Ik ben het vrouwtje, mevrouw,' zeg ik afgemeten.

'Jij?'

Ik krijg wel vaker te horen dat ik er jonger uitzie dan ik ben. Kennelijk heeft de dope toch als conserveringsmiddel gediend. Ik beschouw het maar als positief.

'Ja, dat bedoel ik dus. Lekker op tijd. Ga maar gauw, dan. Derde verdieping, boven aan de trap links, lokaal 3.13.'

Even vraag ik me af of ik haar moet uitleggen dat ik geen onwillige leerling ben die met een rotsmoes te laat komt en tegen wie ze alles maar kan zeggen. Of beter nog, haar moet vragen waar ze het recht vandaan denkt te halen mij met haar vooroordelen te confronteren. Maar ik laat het erbij. Aan vooroordelen ben ik wel gewend. En in één opzicht heeft ze wel gelijk. Mijn voorlichting begint over twee minuten, en met mijn richtingsgevoel...

Zesenveertig havoleerlingen staren naar mij. Ze hebben twee klassen bij elkaar gevoegd, anders kost het te veel uren. Ze zijn stil, dat verbaast me. Ik had liever gehad dat ze allemaal door elkaar kakelden. Sneller dan ik wil loopt mijn hoofd vol met indrukken, waar ik probeer de sfeer in het lokaal uit te destilleren, dwars door mijn eigen schoolherinneringen heen. Ik heb altijd gedacht dat van alle periodes in mijn leven mijn schooltijd nog de minste indruk heeft gemaakt. Kennelijk heb ik het mis. Ik concentreer me op de klas en wat ik voel maakt me onzeker. Tegenover me staat een muur van vijandigheid, zo dik dat ik ertegen leunen kan. 'Je kunt van alles verwachten,' heeft mijn trainer gezegd. 'Sommige klassen zijn zo druk dat je er niet overheen komt, andere zijn volkomen apathisch. En dan heb je er nog die geloven gewoon geen woord van wat je zegt en weten alles beter.'

Maar toch, alle keren dat ik met hem mee geweest ben,

leek het vanzelf te gaan. Naar hem luisteren ze wel. Vaag hoor ik de docent, die mij inleidt, zeggen: 'Jongens, dan geef ik nu graag het woord aan Esther.'

Er is geen ontsnappen meer aan. Alle aandacht is nu op mij gericht. Ik heb geen spiegel nodig om te weten dat ik rood ben. Mijn wangen gloeien, mijn keel zit dicht. Nou ben ik toch die lippenstift nog vergeten, denk ik volledig overbodig. De klas is bewegingloos. De zoveelste bejaarde die denkt ons iets te vertellen over de wereld. Hé, hallo, wij zijn de jeugd, wij zijn de wereld, dus sodemieter op naar de prehistorie waar je vandaan komt en laat ons met rust. O nee, die zijn niet van plan om het me makkelijk te maken. Ze wachten tot ik afga, nog voor ik wat gezegd heb. Ik kuch.

'Goeiemorgen.' Het klinkt als een kuiken dat uit het nest gekukeld is en om z'n moeder roept. Hoe waar. De hele inleiding die ik bedacht heb en geoefend voor de spiegel is weg. Ik voel dat de paniek op de loer ligt. Ik weet helemaal niks meer, blanco, compleet blanco. De docent kijkt naar me, achterin beginnen er een paar met elkaar te smoezen. Voor mijn gevoel duurt de stilte een eeuwigheid. Ik ben blij dat ik zit, anders was ik beslist tegen de vlakte gegaan. Mijn handen zijn klam. Voor het eerst in jaren zijn mijn zweethanden terug. Een jongen, ergens halverwege het lokaal, kijkt om zich heen naar zijn klasgenoten. 'Nou eh, was dat het?' Hij maakt aanstalten om op te staan. 'Interessant!' Hij is kennelijk de gangmaker. De klas lacht. Van de weeromstuit lach ik mee.

'Misschien kan ik Esther een eerste vraag stellen,' oppert de leraar.

En dan is het alsof ik wakker word van zijn stem. 'Nee, dat hoeft niet,' zeg ik. Ik ga rechtop zitten en kijk de eerste rij aan. 'Sorry jongens, en meiden, ik wist even niet waar ik moest beginnen. Dat heb ik wel eens. Vaak eigenlijk. Dat is ook meteen waar ik het met jullie over hebben wil. Ik heb last van mijn geheugen en ik kan me moeilijk concentreren. En als je weet wat ik allemaal gedaan heb, wat ik gespoten, geslikt, gerookt en gesnoven heb, is het een wonder dat dat alles is. Dat er überhaupt nog hersencellen over zijn.' Deze inleiding heb ik schaamteloos gejat van mijn trainer. Ik ben best goed in jatten, al zeg ik het zelf. En het werkt. Langzaam zie ik vijandigheid veranderen in nieuwsgierigheid, bij een enkeling zelfs in regelrechte afschuw. Nu al.

'Wat heeft u... heb je...' Het meisje met de donkere ogen en de prachtige koffiebruine huid dat de vraag stelt, kijkt onzeker van mij naar de leraar en weer terug.

'Je,' zeg ik. 'Alsjeblieft, je. Wat ik allemaal gebruikt heb, wil je weten. Daar komen we straks nog wel aan toe, vind je het goed? Ik snap dat je het wil weten, maar eigenlijk maakt het niet uit. Of het nou pilletjes zijn, heroïne, of gekookte coke, neem van mij aan, het is echt allemaal vergif.'

Ik ga staan en kijk de klas rond. 'Wie van jullie is er verslaafd?'

Doodse stilte.

'Kom op, het hoeft niet aan drugs te zijn, aan alles.'

Nog steeds niets.

'Oké. Van jullie docent heb ik begrepen dat jullie mij alles mogen vragen, maar dan mag ik jullie ook alles vragen. Dat lijkt me een eerlijke deal.'

'Seks!'

Mijn ogen zoeken naar de spreker. Ik heb hem niet gezien, maar het was onmiskenbaar een jongensstem.

'Hij,' zegt zijn buurman, een dikke jongen achter in de klas, meer dan bereidwillig. 'Hij is seksverslaafd, echt waar.'

'Niet waar!'

In de klas rommelt het en in die tijd draai ik me om, zoek een krijtje en schrijf 'seks' op het bord. 'Dat is een begin. Nog meer verslavingen?'

Schoorvoetend komen er meer. Televisie, games, snoep, wat later sigaretten. Alcohol hoor ik niet, ze vertellen me dus nog niet alles. Dat komt wel. Ik zet de verslavingen die ze noemen onder elkaar op het bord. Het lijkt schoolmeesterachtig, maar doe het toch maar, heeft mijn trainer gezegd. Het geeft je wat te doen en ze zijn eraan gewend.

Rechts achterin zitten twee meisjes koortsachtig te overleggen, een jongen kijkt snel weg als onze blikken kruisen. De eerste vraag, en voor sommigen is het al gevaarlijk terrein, maar ik ben hier niet om het ze moeilijk te maken.

'Goed,' zeg ik. 'Dat zijn de dingen waar jullie aan verslaafd zijn. Maar wat is nou eigenlijk een verslaving?'

'Dat je iets heel graag wil.'

'Ja, dat klopt. Maar waarom wil je het? Ik wil heel graag op vakantie, maar ik ben er niet aan verslaafd. Ik vind dit ook leuk.'

Het meisje met de donkere ogen steekt voorzichtig haar vinger in de lucht. Ik knik naar haar. 'Nou, ik dacht, als je niet zonder kan.'

'Hoorden jullie dat allemaal? Je bent ergens aan verslaafd, als je er niet zonder kunt.'

'Maar hoe kan dat dan? Je kan toch altijd zonder?'

Voor ik kan reageren roept dezelfde jongen die een paar minuten geleden de klas nog wilde verlaten: 'Hoe kom je daar nou bij? Anders word je toch geen junk?'

'Of alcoholist,' vul ik aan, 'of kettingroker, pillenslikker, of dwangmatig gokker.'

'Maar hoe kan dat dan? Je hebt die pillen toch niet nodig?'

'Nee, precies. Je lichaam is zelfs een stuk beter af zonder.'

Weer kijk ik de klas rond. Ik heb liever dat ze zelf het antwoord geven. Gespannen wacht ik af of ze bereid zijn om die inspanning te leveren, om zelf te denken.

'Je denkt dat je ze nodig hebt,' zegt een meisje met rood haar en een ernstige oogopslag.

'Precies,' zeg ik, opgeluchter dan ik wil laten blijken. 'Verslaving zit tussen je oren.'

'Bij hem niet hoor,' zegt de buurman van de seksverslaafde. 'Hij heeft niks tussen zijn oren.'

'Tussen zijn benen ook niet,' giechelt een meisje. Gelijk beseft ze wat ze gezegd heeft, maar het is te laat. Haar buurvrouw schiet proestend onder de tafel en de klas barst uit in gejoel.

'Hé, hoe weet jij dat?' roept de dikke jongen.

'Jongens, even serieus,' onderbreekt de leraar geërgerd. Maar ik vind het niet erg. Als ze zulke opmerkingen gaan maken beginnen ze zich op hun gemak te voelen. Ik speel wat met mijn krijtje en kijk de klas rond, tot mijn aandacht wordt getrokken door het meisje met de koffiebruine huid en de donkere ogen. Haar uiterlijk herken ik, maar van het ene op het andere moment is ze een totaal ander meisje geworden. Net heeft ze nog een vraag gesteld en nu is ze volkomen afwezig. Ze maakt geen deel uit van het rumoer in de klas, lacht niet mee, lijkt het niet eens gehoord te hebben. Het lokaal is overvol met die twee klassen bij elkaar. Achter elk tafeltje zitten minstens twee leerlingen, maar zij zit alleen. Dat valt me nu pas op. Haar hoofd is half van me afgewend, ik kan haar gezicht niet heel goed zien. Haar blik lijkt naar buiten gericht, naar de grijze ochtendlucht, waar tergend langzaam een beetje kleur in komt, of naar haar eigen spiegelbeeld in de ruit, ik weet het niet. Waar denkt ze aan? Wat gaat er in haar om?

Razendsnel word ik teruggeslingerd in de tijd, de stemmen en gezichten vervormen, alleen het licht blijft hetzelfde: tl-licht in de klas, terwijl het buiten nog donker is, blijft altijd tl-licht, voor eeuwig. In dat licht zie ik mezelf, onnatuurlijk scherp afgetekend tegen een wazige achtergrond, waarin zich van alles afspeelt waar ik geen aandeel in heb. Een soort kameraadschap, samen optrekken, iets wat in bijna elke klas normaal is, maar wat ik niet ken. De docent schrijft formules op het bord. Ik heb geen idee waar hij het over heeft. In mijn hoofd is geen plaats voor wiskunde, nu even niet. Wat ik ook doe, in mijn gedachten speelt zich steeds maar weer dezelfde scène af. Nog steeds weet ik niet wat ik fout gedaan heb, maar de schelle stem van mijn moeder blijft onafgebroken verwijten op me afvuren. Ik kruip in mijn schulp, als altijd. Het is vast mijn schuld, mam, als er iets is wat ik wil, dan is het de sfeer in huis goed houden. Alleen, het lukt nooit, lijkt het wel. Maar wat deed ik dan? Alsjeblieft, zeg het me, dan zal ik het nooit meer doen! Ik hou van je, ik wil je geen kwaad doen! Ik druk mijn handen vertwijfeld tegen mijn oren, maar ze houdt niet op. Mijn moeder, die straks als ik thuiskom op me wacht. Of niet. Ik kijk naar buiten en voel me verlaten.

'Esther?'

De leraar komt op me af. Ik probeer een brok weg te slikken, maar het is te groot. Ik kan niet ademen. Het donkerbruine blad van mijn tafeltje is kletsnat van het zweet. Donkerbruin plastic, wie verzint zoiets? Ik probeer mijn boek eroverheen te schuiven voor iemand het ziet. Er zitten bijna dertig kinderen in de klas, die allemaal wiskunde snappen, en natuurlijk moet ik het antwoord geven. Maar ik zou met de beste wil van de wereld niks kunnen bedenken. O, ik hoor ze wel gniffelen en lachen achter mijn rug. Had ik nou vanmorgen mijn bril maar opgezet. Die vreselijke bril, waar ik mee gepest word en die ik haat met alles wat ik in me heb, dan had ik tenminste kunnen lezen wat er op het bord staat. 'Esther?!'

Het meisje met de koffiebruine huid kijkt me recht aan. Om haar lippen speelt een mysterieus glimlachje, maar haar ogen doen niet mee. Het lijkt ingestudeerd. Ik kijk ernaar en voel de kou rond mijn hart. Dit ken ik zo goed.

Met moeite richt ik mijn aandacht weer op de klas. 'Ja, waar hadden we het over?' Ik lach verontschuldigend, op een manier die ontwapenend werkt, weet ik inmiddels. Over ingestudeerd gesproken. 'Ik heb echt niet gelogen hoor, over mijn concentratievermogen. Jullie zullen het nog wel een keer meemaken, ben ik bang.'

'Hoe ben jij dan verslaafd geraakt?' vraagt het meisje met het rode haar.

Deze vraag zou komen, dat wist ik. Dat is waar de hele voorlichting in feite over gaat, dat is waarom ik het wilde doen. Maar nu moet het ook nog gebeuren. En ik heb geen trainer naast me.

'Oké,' zeg ik. Ik ga weer zitten. 'Kijk, er zijn twee grote misverstanden over drugs. De meeste mensen die er geen verstand van hebben, denken dat je na één keer gebruiken verslaafd bent. Dat is onzin. Integendeel, na één keer ben je meestal zo beroerd dat je het nooit meer aan wilt raken. Dat is ook de grote fout van de meeste voorlichting, vind ik. "Begin er niet aan want dan ben je verslaafd." Je doet het toch, en dan blijkt het niet waar te zijn. Ja, dan klopt de rest van de voorlichting dus ook meteen niet meer. Als je dat denkt, geef ik je geen ongelijk. Maar het begint pas na die eerste keer. Dat is het gemene. Dat is ook meteen misverstand nummer twee. Dat is wat alle gebruikers denken. Namelijk:

ik heb het onder controle. Als ik wil kan ik stoppen. Dat is dus echt bullshit. Psychisch zijn we allemaal anders natuurlijk, dus ik kan alleen maar vertellen hoe het bij mij gegaan is. Ik zal heel eerlijk tegen jullie zijn. Bij mij is het allemaal begonnen met onzekerheid en angst. Angst voor de gewoonste dingen, soms.'

2

Hilversum, 1983

Voor de veertigste keer loop ik door onze kleine zit-slaapka-
mer, als een gekooid dier. Ik word gek. Waar kan hij zijn?
Hij had allang thuis moeten zijn! Doodop ben ik, na een hele nacht werken, heen en weer geren met drankjes. Mijn
schedel barst bijna onder de druk van mijn stormachtige gedachten. Ik moet gaan zoeken, iemand bellen, gaan vragen...
Maar wie kan ik bellen, om halfzeven in de ochtend? Zijn
vrienden niet, die doen op z'n vroegst om een uur of drie lod-
derig één oog open. Als er echt iets was gebeurd had ik het
toch allang geweten? Ik bedoel, als hij in het ziekenhuis lag,
of... Ik zie visioenen van een lichaam onder een laken, een
rood-wit lint, een donkere vlek op de stoeptegels. Mensen
eromheen. Nee, Chris niet. Maar hoe vaak hoor je niet dat iemand gevonden wordt en ze niet weten wie hij is? Hij heeft
heus geen briefje in zijn zak waar zijn naam op staat. Hij
heeft altijd auto's, maar niet eens een rijbewijs. Er is hem
toch iets overkomen, ineens weet ik het zeker.

Aan de overkant loopt een man. Hij heeft Chris' postuur,
zijn kleur haar, en hij komt deze kant op! Ik span mijn ver-

moeide ogen tot het uiterste in. Ja, werkelijk, hij is het. Mijn hart maakt een sprongetje. Eindelijk! De man loopt zelfverzekerd voorbij, een beetje weggedoken in de kraag van zijn jas, en slaat de hoek om. Tot mijn verbijstering bespeur ik tussen de teleurstelling door heel even iets van opluchting. Stel je voor dat Chris nu binnen zou komen. Paniek overvalt me. Het is een bende in de kamer. Ik ren naar het kleine kastje, naast de kamerdeur. Ik heb mijn tas er zomaar neergegooid toen ik binnenkwam. Stom! Want als hij dat ziet... Hij is zo netjes op ons huis, dat is zijn goed recht natuurlijk. Het is maar goed dat hij er een beetje op let, want als je het huishouden aan mij moet overlaten...

Waar kan hij nou zitten? Het zal toch wel goed gegaan zijn? Chris is altijd heel voorzichtig, maar zelfs hij kan een fout maken. Wat nu als de bewoners toch thuis waren en iemand hem te grazen heeft genomen?

Met alle kracht die ik in me heb overschreeuw ik het stemmetje in mijn hoofd dat twijfel zaait. Ik haat die stemmetjes, waar ik er honderden, duizenden van heb. Die eeuwige onzekerheid! Ach, ik haal me weer wat in mijn hoofd. Hij is slim, hij is snel. Hij zal wel weer met een van zijn vrienden meegegaan zijn. Woede wint het even van de angst. Waarom belt die lul dan niet even? Hij mag alles doen, alleen dit niet! Niet mij in deze moordende onzekerheid laten. Hij zal wel meer van de kasten houden, op dit moment. Aan zijn water gevoeld hebben, of aan zijn gokkersinstinct, dat ze goed zullen geven. Waarschijnlijk is hij alles weer kwijt en het verlies aan het goedmaken. Ik haat die kasten, en wat ze met hem doen. Die betovering. Ik krijg al allergische reacties van het geluid.

Slapen kan ik niet. Ik draai me om, eerst op mijn linkerzij, een halve minuut later op mijn rechter, dan een tijdje op mijn rug, met mijn ogen wijd open. Het is koud in de kamer, maar ik heb het warm. Als ik de dekens van me af gooi lig ik na korte tijd te rillen. Het lijkt wel symptomatisch voor mijn leven. Wat ik ook kies, het is het steeds net niet. Ik sta op, rook een sigaret, kruip weer in bed en luister naar alle geluiden. De deur, ik hoor de deur! Meteen daarop hoor ik het rammelen van de fietsketting van mijn buurjongen. Hij gaat gewoon naar zijn werk. Plotseling ben ik jaloers. Een normaal leven, ja, dat wil ik. Gewoon naar school 's morgens en 's middags weer thuiskomen. Je moeder vragen wat je eet die avond, huiswerk, televisiekijken. Ruziemaken met je broertjes, in plaats van voor ze zorgen, wegdromen op een zwijmelplaat. Is dat normaal? Waarschijnlijk wel, maar in mijn werkelijkheid niet. Als Chris er is ben ik gelukkig, dan heb ik al die dingen niet nodig. Chris is alles, hij is een deel van mij, het grootste deel. Zonder hem is het leeg en ben ik niets. Maar steeds vaker ben ik alleen en dan vraag ik me soms ineens af waar het misgegaan is, die eerste negentien jaar van mijn leven. Thuis voelde niet veilig voor mij, zoveel is zeker, school al helemaal niet en ik was zo blij toen ik de vrijheid koos. Maar dit kamertje van twee bij drie, is dit het dan? Is dit vrijheid? Zorgen voor hem en gillend van angst wachten tot hij thuiskomt, hopen dat hij succes gehad heeft. Want anders... Maar toch, de lege plek in mij is groter dan de lege plek naast me in bed. Zou ik de politie bellen? Misschien dat die iets weten. Nee, geen slapende honden wakker maken. Wakker. Wakker ben ik nog steeds, maar vannacht moet ik weer werken. Ik heb geen hekel aan mijn werk. De Golden Ten is best gezellig en het verdient goed, maar het is zwaar, en de nacht duurt eindeloos als je er niet uitgerust aan begint. Weer ga ik eruit. Misschien als ik een blowtje rook, dat ik dan kan slapen. Hasj hebben we gelukkig altijd in huis. Blowen is eigenlijk niet mijn ding, ik word er onrustig van. Maar als slaapmiddel wil het gek genoeg nog wel eens helpen. Ik rook mijn blowtje in stilte, zittend in de vensterbank, terwijl ik de Kerkstraat in kijk, tot aan de contouren en de lichtreclames van Hilvertshof. Als ik licht in mijn hoofd begin te worden en de kleuren zich gaan vermengen, kruip ik terug in bed. Ik trek de dekens over mijn hoofd en kan alleen maar hopen dat de stuff in elk geval vandaag z'n best doet.

Mijn maag knort. De kamer is donker, op het binnenvallende licht van de straatlantaarn na. Het eerste wat ik doe is naast me voelen, maar zijn plek is nog steeds leeg. Ik moet toch ingedommeld zijn. Is het nog ochtend, of al de volgende avond? Geen van beide, zegt mijn wekker. Het is tegen vijven, Nederland komt thuis en ik word klaarwakker zonder dat ik uitgerust ben. Het is nog even leeg, even koud. Ik staar naar het plafond. Onmiddellijk neemt de angst weer bezit van me. Hoe weet ik dat eigenlijk, dat er niks gebeurd is? Er kan vandaag wel van alles gebeurd zijn, zonder mijn medeweten. De Derde Wereldoorlog kan zijn uitgebroken, of de Golden Ten afgefikt. In dat laatste geval hoef ik niet naar mijn werk vannacht, in het eerste waarschijnlijk nog een paar dagen, maar dan ook niet meer. Rillerig sta ik op. Snel pak ik wat ik nodig heb en glip de douche in, die we delen met nog drie bewoners. Ik haat het, als er iemand op de deur bonst en roept of ik nou nog niet klaar ben. Maar zo te horen is er nog niemand thuis. De damp van het hete water doet mijn spiegelbeeld gelukkig in een paar seconden verdwijnen. Dat wordt weer een laag mascara, want ik móét er goed uitzien. Stel je voor dat hij ineens thuiskomt... Ik douche eindeloos, schiet mijn badjas aan, ga weer terug de kamer in en begin te kwasten. Dikke zwarte lijnen, mijn haar wild, stijf van de gel, punkstijl. Zonder lang na te denken kies ik voor mijn rode leren minirokje en een zwart truitje. Hoe gek ik ook ben op kleding, vandaag schenkt zelfs het rokje me geen voldoening. Hij is nu bijna een etmaal weg, en heeft niets van zich laten horen. Ik stik hierbinnen. Ik moet eruit, naar het café, daar moet hij zijn. Dat kan niet anders.

De geur van hasj en sigarettenrook, bier en vele soorten aftershave werkt als een balsem op mijn stormachtige gevoelens, maar is bij lange na niet sterk genoeg om mijn onrust te temperen. Snel neem ik de aanwezigen in me op, maar hem zie ik niet. Het zweet breekt me uit.

'Hé *doucie*, hoe gaat het?'

Ik kijk rond waar het zangerige, Caribische geluid vandaan komt en ontdek Mike in het hoekje aan de bar.

'Waarom kijk jij niet blij?'

Ik kruip op de kruk naast hem en knik naar de barman, die ongevraagd een biertje voor me neerzet. Ik neem een grote, niet erg vrouwelijke slok. Hoe meer alcohol in korte tijd, hoe beter.

'Heb jij iets gehoord?'

'Waarvan?'

'Chris.'

Mike schudt zijn hoofd en neemt een slokje van zijn whisky. Ik heb mijn eerste glas intussen leeg en krijg automatisch een nieuw.

'Hij is vast gepakt. Ik voel het,' zeg ik.

Mike reageert niet en even zitten we zwijgend naast elkaar. Mike is een van Chris' vrienden die ik graag mag. Bij hem voel ik me op mijn gemak, dat is waarschijnlijk ook de reden dat Chris stikjaloers is als hij ons samen ziet. Maar ik neem het risico, ik moet wel. Als er iemand op de hoogte is van het reilen en zeilen binnen de Hilversumse scene, dan is het Mike. Z'n donkere ogen zijn op mij gericht en hij tuit zijn lippen.

'Relax, baby, relax.'

'Je weet wel wat!' bijt ik hem toe. Mike was mijn laatste hoop en ook hij laat me zitten. 'Zeg het dan gewoon!'

'Waarom heb jij angst?' Hij tikt tegen de zijkant van zijn hoofd. 'Angst zit hier, alleen jij kunt het wegmaken.'

'Maar dat kán ik juist niet. Als ik niet weet waar hij is... hij kan wel...'

'Hij houdt geen rekening met jou, jij alleen met hem.'

'Ja, wat moet ik anders? Je weet hoe hij is als ik er niet ben. Wie moet er dan voor hem zorgen?'

'Jij bent een mooie meid, veel te jong om je leven op te geven voor hem. Hij is niet goed voor jou, zie je dat dan niet? Jij moet zelf leven.' Mike buigt zich voorover en zijn hoofd is nu vlak bij het mijne.

Mijn glas is alweer leeg, merk ik, en met een veel te harde klap zet ik het terug op de bar. Ik heb nu alweer spijt dat ik naar binnen gegaan ben. Het laatste waar ik op zit te wachten is een preek.

'Je moet hem loslaten, meisje. Je bent veel te afhankelijk van hem!'

'Ja, en dan? Met jou mee zeker!'

Ik wend mijn hoofd af, drink mijn derde biertje en luister naar de wilde rock van Pat Benatar die door de boxen schalt. 'Love is a battlefield.' Vertel mij wat.

Op dat moment drijft een chemische, wat steriele ziekenhuislucht mijn neusgaten binnen. Ik ken die lucht, ik heb hem wel vaker geroken als Chris met een stel zat te kaarten. Natuurlijk weet ik wat het is, maar op de een of andere manier is het Chris altijd gelukt om het spul bij mij vandaan te houden. 'Het is toch veel te duur en het is niet goed voor haar...' Waarom wil toch iedereen altijd alles voor mij beslissen? Snappen ze dan niet dat ik wil delen in hun gevoel, dat ik niks liever wil dan weten wat het is? Tot nu toe heb ik me daar altijd bij neergelegd. Maar nu, nu kan ik alleen nog maar staren naar het hypnotiserend gloeiende puntje van Mikes sigaret. Hij merkt het en legt hem in de asbak.

'Wat heb jij?' Ik wijs op de sigaret. Mike trekt zijn hoofd een beetje scheef en neemt een slokje. Zijn ogen staan kalm, oneindig kalm, terwijl de mijne voortdurend zenuwachtig heen en weer gaan en alles tegelijk proberen op te nemen. Rust heb ik nodig. Eventjes vakantie van mijn gevoel, weg van die angst, dat verlangen. Even niks. Op dat moment realiseer ik me dat het medicijn waar ik onbewust al zo lang naar op zoek ben, vlak voor me ligt, in de volle asbak. En Chris is in geen velden of wegen te bekennen. Ik probeer zo veel rook op te snuiven als ik kan. Het is net of ik het al voel, maar dat is natuurlijk onzin. Om er iets aan te hebben zal ik het zelf moeten roken. Als ik dat medicijn niet binnen vijf minuten heb, sta ik niet voor mezelf in. De kroeg bestaat niet meer. De muziek verdwijnt naar de achtergrond, stemmen vervormen. Van het ene op het andere moment is mijn hele wereld gereduceerd tot één smeulend, wit staafje. Papier, tabak, een filtertje en...

'Heb jij coke?' vraag ik kortaf.

'Ho ho, niet zo hard! Meisje, dat is toch niks voor jou. Straks komt Chris terug, en dan is alles weer goed.'

'Wat weet jij daar nou van? Ik maak zelf wel uit wat goed is. Als ik het aan jullie over moet laten...'

27

'Ik heb niet meer.'

In een snelle beweging haal ik een briefje van tien tevoorschijn en hou het voor zijn neus.

'Maak een ploffie voor me.'

Mike wordt ineens heel zenuwachtig. Hij schuift op de barkruk heen en weer en kijkt schichtig om zich heen.

'Doe weg!'

'Hoezo? Jij zit hier toch ook te roken? Egoïst! Waarom jij wel en ik niet?'

'Straks hebben ze het door.'

'Wat door? De hele kroeg staat hier stijf van de dope, man. Wat lul je nou?'

Mike is onaangedaan door mijn woorden. Ik voel mezelf kwaad worden. 'Ik ben geen kind meer, Mike. Ik ga niet op mijn knieën voor je.' Ik laat hem meer geld zien. 'Hier, honderdvijftig gulden plus fooien vannacht. Ik heb er hard genoeg voor gewerkt. Nou?'

'Het gaat niet om het geld.' Weer kijkt hij om zich heen.

'Waar gaat het dán om? Kan jij misschien één keer, zonder gezeik, een plofje voor me draaien?' Ik laat me van de kruk glijden. 'Weet je? Laat ook maar zitten. Dan ga ik het wel ergens anders halen.'

Ik kom niet ver, voordat Mike me bij mijn arm pakt. 'Oké, oké. Als je er dan zo'n punt van maakt.'

Ik draai me om en ga weer zitten.

'Want je begrijpt natuurlijk wel dat dat niet zomaar hier kan.' Hij klinkt als een schoolmeester die de langzaamste leerling iets probeert uit te leggen. 'Dus je moet met me meekomen. Maar je mag er nooit, nooit, met iemand over praten.'

'Whatever,' zeg ik schouderophalend. Wat een gezever over een plofje, is het enige wat ik kan denken. Maar ja, als ik het dan tenminste maar krijg. Want de alcohol heeft mijn gevoel alleen nog maar versterkt. Waarom doe ik dit toch steeds? Niks werkt bij mij zoals bij anderen. Behalve de coke. Die gaat werken. Ik voel het, ik weet het zeker.

We rijden in zijn opzichtige amerikaan door de stad. De hele weg zit hij erover op te scheppen en op zeker moment moet ik zelfs het merk raden. Alsof me dat wat kan schelen. Ik raad het verkeerd, hij vraagt er niet meer naar. Het zijn ook meer de zenuwen, merk ik. Hij praat de tijd vol. Op de een of andere manier doet het Mike meer dan mij. Hij begint ook steeds harder te rijden tot we stoppen op de Kolhornseweg, aan de rand van de Hoorneboegse hei. De avond is stikdonker en de miezer maakt van de ruiten onmiddellijk matglas.

Mike zet de motor af, kijkt me aan en lacht. In het donker zie ik alleen zijn silhouet en het blikkeren van zijn witte tanden. Maar daar kwam ik niet voor.

'Durf je het hier dan wel?' vraag ik kortaf en een beetje cynisch.

'Jij moet het niet doen. Heus.'

'Probeer je me nu nog om te praten?'

Gelukkig heb ik het tientje nog steeds in mijn hand. 'Hé, ik betaal je gewoon, oké? Of wil je ineens geen geld meer?'

'Goed, goed,' zegt hij, terwijl hij terugzakt in zijn eigen stoel. 'Maar je mag het nooit...'

'... tegen iemand zeggen. Ik weet het. Doe nou maar...' Van de weeromstuit word ik ook zenuwachtig. Ik kijk rond en overtuig me ervan dat je door de natte ramen echt niks kan zien.

Zwijgend knipt Mike het binnenlicht van de auto aan en trekt een vakje open in de console tussen onze stoelen. Er liggen een pakje Marlboro en een aansteker in. Gebiologeerd volg ik zijn bewegingen, die precies en geroutineerd zijn. Hij pakt een sigaret en een dichtgevouwen papiertje dat onder de sigaretten in het doosje zit. Eerst vouwt hij het papiertje open. Ik slik en kan mijn ogen niet afhouden van het witte poeder. Daar ligt het, zo dichtbij. Het medicijn waar ik zo op gewacht heb. Alleen niet gaan niezen nu, denk ik. De Commodores zingen 'Easy' en zo ziet het er ook uit als Mike het filter van de sigaret draait, zonder een draadje tabak te verliezen. Vervolgens pakt hij het papiertje met het poeder, strooit ongeveer de helft ervan op de tabak, vouwt het sigarettenpapier dicht tot de sigaret weer zo'n beetje zijn oorspronkelijke vorm heeft en schuift het filter er weer overheen.

'Zo maak je een plofje.' Hij lacht er een beetje bij.

De aansteker flakkert en verlicht zijn gezicht oranjegeel, het puntje van de sigaret gloeit op. Ik zie hem genietend inhaleren en net als ik van ongeduld het plofje uit zijn handen wil trekken, geeft hij het aan mij.

Ik plaats het filter tegen mijn lippen, neem een flinke trek en voel... Ja, wat voel ik? Een explosie van geluk. Echt. Anders kan ik het niet omschrijven. Alles is licht, van het ene op het andere moment zijn al mijn angsten, mijn zorgen, mijn onzekerheid verdwenen. Tijd en ruimte spelen geen rol meer, alles valt op z'n plek. Ik wil de auto uit, voel me actief. Ik zou kunnen dansen. Mijn hoofdpijn, zelfs het effect van al die biertjes op een lege maag, waar ik zo'n spijt van had, verdwijnen als sneeuw voor de zon.

'Wow!'

In de verte zie ik Mikes gezicht. Het kan me niet meer schelen wat hij denkt, wat hij vindt. Ik voel me volkomen veilig, geborgen in een zee van geluk. Ik babbel en ik bazel, aan één stuk door. Hij moet gek van me worden, of niet, het maakt ook niet uit. Het laat me allemaal volkomen koud, alles is liefde, ik ben liefde, Mike is liefde. Chris komt pas weer in mijn gedachten terug als het eerste ploffie niet meer dan as is in het verchroomde asbakje, en een herinnering. Een hele prettige herinnering, dat wel.

'Maak er nog een voor me, Mike, alsjeblieft.' Ditmaal kruip ik naar hem toe.

'Ik heb geld, kom op, eentje nog...'

Zonder zelfs maar aan een preek te beginnen trekt hij het klepje van de middenconsole open. Onze geheime geluksvoorraad tussen de voorstoelen gaat helemaal op, die avond.

3

'Dat was dus mijn eerste kennismaking met harddrugs,' zeg ik, zakelijker dan ik me voel. Ik schud even met mijn schouders en trek mijn vest wat dichter om me heen. 'Vier heb ik er die avond gerookt. Tijd speelde geen rol meer. Niks maakt je meer wat uit, als je gebruikt. Ik heb die nacht niet meer gewerkt, ik heb me ziek gemeld. Ik kon het niet verdragen om al die getapte, keiharde gokkers hun bestellingen achterna te dragen en het aardige lieve meisje gevonden te worden, alleen om wat fooi op te halen. Normaal vond ik dat niet zo moeilijk, ik deed het m'n hele leven al, die rol spelen. Deze avond trok ik dat echt niet. En ik heb ook niet gelogen, toen ik me ziek meldde. Ik was echt niet in staat om te werken, al had ik dat dan zelf veroorzaakt.'

Ik schraap mijn keel. 'Later die avond ben ik met die jongen, Mike, nog naar een discotheek geweest, de Koch. Kent iemand die nog?'

Alleen de leraar glimlacht.

'En daar liep ik dus mijn vriendje tegen het lijf, toen ik er niet meer op rekende. Hij stond doodleuk te drinken met een paar maten. Hij was niet gepakt, hij was niet neergeschoten, hij was gaan gokken met de opbrengst van die avond. Zo zie je maar, al mijn angst was dus volkomen onterecht, maar zo zat ik dus in elkaar, ziekelijk bezorgd. Als Chris er niet was, kon je mij bij elkaar vegen. Dat was mijn zwakke punt. En om van die angst af te komen, ben ik die avond ploffies gaan roken.'

'Vind je dat niet stom van jezelf?'

Ook die vraag had ik verwacht. Desondanks kost het me moeite om mijn antwoord te formuleren. 'Achteraf, ja, achteraf wel natuurlijk. Maar dat is altijd, hè? Op dat moment leken mijn problemen zo groot dat ik er niet uitkwam. Coke was wat ik nodig had, door de coke kon ik afstand nemen van mijn gevoel. Van mijn angst vooral. En neem van mij aan, iedereen komt op een moment dat hij, of zij, niets anders wil dan even ergens helemaal weg zijn uit de werkelijkheid. Jij ook, en jij, en jij...'

'Ben je dan verslaafd?'

'Na vier ploffies?' Ik schud mijn hoofd. 'Nee, dan ben je nog niet verslaafd. Tenminste, ik niet. Ik gebruikte nog wel, maar ik kon ook zonder. Ik voelde ook dat ik er niet mee door moest gaan. Deels omdat ik die wereld... ja, het waren dan wel vrienden van me, die Mike ook, maar toch ook weer niet. Ik vond die wereld toch wel hard. En ik wist dat coke gewoon te duur was, heel simpel.'

Het meisje met het rode haar kijkt me een beetje teleurgesteld aan. 'Ben je dan wel verslaafd geweest?' vraagt ze.

Ik glimlach. 'O, jazeker. Alleen jaren later pas. Chris beloofde beterschap, dat deed hij altijd. Ik geloofde hem. Dat was het normale patroon en de eerstvolgende keer dat hij weer eens niet thuiskwam en ik weer tegen de muren opvloog, ging ik drinken, want ik was toen toch al behoorlijk aan de alcohol, of ik rookte af en toe nog eens ploffie met Mike. Zelfs heb ik af en toe heroïne gebruikt, als Chris vastzat en ik er helemaal niet meer tegen kon. Totdat de Golden

Ten, waar ik werkte, gesloten werd. Daarna leefden we van mijn uitkering, of ik had een baantje via een uitzendbureau, en van het geld dat hij binnenbracht. Dat leventje ging een tijd goed en het heeft ook meer dan drie jaar geduurd, alles bij elkaar. Hij werd wel eens gepakt en dan ging-ie voor een tijdje de bak in, maar hij kwam altijd weer terug. Natuurlijk, we hadden vaak ruzie en behoorlijk ook, maar ik gebruikte niet meer. In die tijd was mijn wilskracht nog voldoende om eraf te blijven.'

Hier stop ik even. Ik heb de volle aandacht van de klas en ik kan me de pauze permitteren om me voor te bereiden op het vervolg van mijn verhaal. Want toen Chris het eenmaal echt te bont gemaakt had en door de meervoudige kamer van de rechtbank veroordeeld werd tot zes maanden cel, zette ik een stap die op dat moment niet veel leek voor te stellen, maar die achteraf gezien bepalend geweest is voor de manier waarop mijn leven is verlopen. Ik was niet onder invloed, ik werd door niemand gedwongen, en ik deed het toch. Waarom? Misschien omdat ik een bijna ziekelijke behoefte aan aandacht had, in combinatie met een overgevoelige natuur. Daar komt bij dat Chris alles was wat ik had. Ik was twintig, kon niet op mijn familie terugvallen, vriendinnen waren vage contacten en mijn vrienden waren voor het grootste deel de vrienden van Chris. Als Chris er niet was stond ik alleen met al mijn angsten.

Chris kan heel slecht tegen het gevangenisleven. Hij wordt er angstig van, paranoïde en moeilijk te benaderen, wat het voor mij bepaald niet gemakkelijker maakt. Maar zijn welzijn is nu eenmaal mijn eerste en enige levensvervulling, dus eens in de week reis ik trouw naar het Huis van Bewaring aan het Wolvenplein in Utrecht. Ik zorg voor zijn eerste levens-behoeften: saldo op zijn rekening zodat hij iets kan kopen in het winkeltje, de huur voor zijn televisie en natuurlijk hasj. Hoewel ik bijna zeker weet dat hasj zijn angsten alleen maar verergert, durf ik niet met lege handen te komen, want o wee als ik een keer niks bij me heb. Vaak probeer ik er met hem over te praten, hem ervan te overtuigen dat het toch wel be-ter zou zijn als hij niet meer gebruikte, maar ik praat tegen een muur. Het valt trouwens niet eens mee om hasj de gevangenis in te smokkelen. Op weg ernaartoe ga ik eerst langs de cof-feeshop in de Voorstraat. Ik koop een blokje hasj, laat het stevig in plastic verpakken en stop het achter in mijn mond voor ik de gevangenis in ga. Tijdens de fouillering hou ik angstvallig mijn kaken op elkaar, glimlach en zeg niet meer dan het hoognodige. De bewaarders zullen wel denken dat ik het bezoek elke week combineer met de tandarts. Ik stik er zowat in als ik Chris eindelijk te zien krijg en het hem geef via een kus.

Hoewel ik er elke week weer naar uitkijk om hem te zien, kom ik steeds vaker met een kater thuis, want Chris veran-dert. Hij is afwezig, kijkt van me weg, als hij al in de gaten heeft dat ik er ben, luistert niet. Het vreet aan me om te moe-ten toekijken hoe zijn geestestoestand zienderogen achter-uitgaat. Wat ik ook doe, het beurt hem niet op. Ik word gek, doe alles om het contact maar te behouden, maar niets helpt. Ik besef het later pas, maar ik voel onbewust dat ik bezig ben hem te verliezen. Ik slaap er niet van, val kilo's af en het eni-ge wat mijn omgeving zegt, is: 'Kind, hij is een crimineel, wees blij dat hij een tijdje opgeborgen is. Als je slim bent pak je je spullen en ga je ervandoor nu het nog kan.' Met als enig resultaat dat ik me nog meer alleen, nog meer geïsoleerd voel. De enige met wie ik een beetje kan praten, bij wie ik me veilig voel, is mijn stiefzusje. En uitgerekend zij brengt me in contact met Therza.

Utrecht, oktober 1984

'Therza? Geen idee. Moet ik die kennen?'
'Jawel,' houdt mijn stiefzusje aan. 'Dat blonde meisje, dat toen op dat feest bij mij in de Jan van Scorelstraat nog zo vreselijk aan je bleef plakken.'
Ik haal mijn schouders op. Er is wel meer weg uit mijn herinnering en kennelijk heb ik op Therza een grotere indruk gemaakt dan zij op mij. Ik graaf in mijn geheugen. 'Therza, wacht even, was dat soms dat meisje dat op Madonna lijkt en foto's maakte?'
'Ja, die.'
'Leuke meid wel, geloof ik.'
'Ze vraagt steeds naar je.'
'Nou, ik ben benieuwd.' Dat is niet helemaal waar, maar ik grijp elke kans aan om een keer andere mensen te ontmoeten, die het nu eens niet over ruzie met andere gedetineerden, veroordelingen, dope en hoger beroep hebben. Ik ben voor mijn doen dan ook best opgewekt als ik mijn stiefzusje op een zaterdagavond vergezel naar een groot feest in café De Vriendschap aan het Wed.
Zodra ik haar zie weet ik het weer. Ze komt met open armen op me af. 'Heey, je bent er!'
'Nou weet ik weer wie je bent,' zeg ik. De gelijkenis met

Madonna is er nog steeds en brengt bij vlagen herinneringen naar boven. Positieve, maar met een nasmaak van iets dat ik niet meteen kan thuisbrengen. Een meisje met een schaduwkant.

'Hier heb ik me zo op verheugd!' zegt ze, overenthousiast. Als ik niet beter zou weten, zou ik denken dat ze verliefd op me is. Ik gooi mijn jas op de stapel onder de overvolle kapstok in het nisje naast de bar. Ik zie her en der bekende gezichten, vrienden van mijn stiefzusje voornamelijk, maar Therza gunt me geen rust en troont me mee naar de bar. We nemen jonge jenever met water, in jonge jenever zitten de minste calorieën. Ik krijg amper kans om iemand gedag te zeggen, laat staan een gesprek aan te knopen. Geen idee waarom, maar Therza is vastbesloten om mij niet uit het oog te verliezen.

De avond vliegt voorbij. We kletsen over van alles en nog wat. Dat wil zeggen, Therza kletst, bepaalt waar we het over hebben en tot hoever. Therza bepaalt alles en dat is precies wat ik me van haar herinner. Hoe lief ze ook kan zijn, dominant is ze zeker. Ik verzet me er niet tegen, waarom weet ik niet, maar dominantie heeft op mij de aantrekkingskracht die een kaarsvlam heeft op een mot. Zo lang ik me kan herinneren heb ik mijn leven willens en wetens door anderen laten bepalen. Ik wijt het aan mijn onzekerheid; zolang een ander de beslissingen neemt kan ik geen fouten maken. Dat is wel zo veilig, vooral omdat ze in een enorm tempo glazen blijft aanslepen. De jenever wordt whisky en even denk ik dat ze probeert me dronken te voeren, maar steeds heeft Therza het eerder op dan ik. Ongelofelijk, als het om drinken gaat heb ik mijn meerdere gevonden.

Natuurlijk probeer ik haar bij te houden en het eerste wat ik me herinner is dan ook de volgende ochtend. Als ik wakker word en me realiseer dat ik in Therza's kamer aan de Catharijnesingel ben, staat er een heerlijk ontbijt op me te wachten. Nog een beetje duf schuif ik aan. Na het ontbijt doet ze mijn haar en maakt me op. Ons samenzijn heeft iets heel intiems en van haar dominante kant is niets te merken. Voor het eerst in lange tijd voel ik me veilig. We praten verder waar we gebleven waren, ik bewonder haar foto's, er hangen er een paar aan de muur. Modefotografie is haar droom en ik weet zeker dat ze het kan, als ze zich ervoor inzet. Over muziek hebben we het, percussie willen we spelen zoals Sheila E. Van alles willen we. We draaien Sade, Chaka Khan, Prince and the Revolution. We dansen, we zijn allebei gek op dansen. Ik word er blij van, samenzijn met Therza is een droom.

We worden opgeschrikt uit onze droom als halverwege de dag de deurbel gaat. Toevallig komt het zo uit dat ik het dichtst bij de deur ben en als ik opendoe staat er een man van Surinaamse afkomst op de drempel. Hij negeert me en zou het liefst door me heen gelopen zijn, maar nog net op tijd ga ik opzij en maak me klein tegen de muur. Hij stampt langs me heen de gang door en de kamer in en roept gebiedend: 'Therza?!'
Ik loop achter hem aan. 'Hé, ook goeiemiddag!' snauw ik. Therza komt tevoorschijn.
'Wie is dat?' vraag ik. 'Ken je hem?' Therza geeft geen antwoord en tot mijn stomme verbazing zie ik dat ze bijna over de meubels struikelt, in haar haast om in zijn armen te vallen. Ze kussen heftig. Verbouwereerd kijk ik toe, tot de man zich omdraait en aan Therza vraagt, niet aan mij, wie ik ben.
'O, dat is Esther. Ze is een héél lief meisje. Je móét lief voor haar zijn, Eddy.'

Eddy neemt zonder een woord te zeggen kennis van mijn aanwezigheid en gaat door met waar hij mee bezig was, tot ze zonder me nog een blik waardig te keuren achter de slaapkamerdeur verdwijnen. De geluiden die daar vrijwel onmiddellijk vandaan komen laten weinig te raden over.

O, denk ik, nou ja, ook gezellig. Ik kijk om me heen of er nog wat te doen is en laat me vallen in een stoel. Ik pak een tijdschrift, probeer niet te luisteren en hou mezelf voor dat ik niet jaloers ben. Dat ik me niet buitengesloten voel. Dat ik het helemaal niet erg vind dat Therza met geen woord over zijn bestaan gerept heeft.

Om een uur of drie die middag schrik ik wakker uit een half slaapje, wat moet je anders, op zondagmiddag alleen in iemands kamer, van keiharde reggaemuziek. Ze zijn weer terug in de woonkamer, ik heb geen idee hoe lang al. Maar tegelijk valt me nog iets anders op. Een hele sterke, weeïge maar ook wat bittere geur. De geur van heroïne. Overal ligt zilverpapier. Ik probeer er niet naar te kijken en voel me ongemakkelijk in hun gezelschap, overbodig, alsof ik ongewild deelgenoot ben van iets intiems. Ik schaam me bijna voor mijn aanwezigheid en ik ben verdrietig dat datgene wat Therza en ik die ochtend nog hadden, ineens niet meer van ons is. Eigenlijk wil ik weg, maar Therza gebaart me dat ik naast haar moet komen zitten. Ik kan Therza niks weigeren. Ineens zijn de chineesjes onder handbereik. Het is niet alleen verdriet meer wat ik voel. De herinnering aan de staat van gelukzaligheid als ik gebruikt heb, weet me langzaam maar zeker te overmeesteren. Ik hoor Therza en Eddy praten. In de verte, want mijn volle aandacht is gericht op die kleine bergjes heroïne die onweerstaanbaar aanlokkelijk liggen te wezen op hun glimmende ondergrond. Het is alsof ze in cadeauverpakking speciaal op mij liggen te wachten.

'Waar wacht je op?' vraagt Therza.

'Zal ik er niet vreselijk ziek van worden?'

Eddy schudt zijn hoofd en zegt kortaf, alsof hij de autoriteit is op dit gebied: 'Je moet gewoon steeds een paar dagen niet nemen, dan word je ook niet ziek. Bovendien, dit is goeie dope, Pakistaanse. Daar krijg je veel minder snel ontwenningsverschijnselen van.'

Dat laatste is waar, weet ik. Misschien is hij echt die autoriteit waarvoor hij zich uitgeeft. Ik schuif een beetje dichter naar de tafel. 'Mag ik?'

Eddy heeft al een pijpje en een chineesje voor me gepakt en houdt de aansteker eronder. Ik erger me, misschien had ik het zelf ook wel willen doen. Maar dat is allemaal niet belangrijk meer. De heroïne heeft me in zijn greep. Gebiologeerd kijk ik toe hoe het poeder langzaam samensmelt en verandert in een borrelende massa. Dan is het zover. Genietend zuig ik de rook op. Alle schaamte en verdriet verdwijnen in het niets. Vrijwel meteen word ik verschrikkelijk misselijk. Ik ren naar de wc, nog net op tijd, en kieper mijn hele ontbijt en lunch erin. Maar het maakt niks uit, ik ben stoned en volmaakt gelukkig. Als ik, misschien wel een kwartier later, nog krom van de krampen terugkom in de kamer is Eddy ineens de liefste man van de wereld. Ik babbel honderduit. Het is het ultieme geluk, het klinkt misschien als een cliché, maar het is echt zo. Er zijn geen woorden voor. Gevoelens, ergernissen, angsten, onder invloed van heroïne worden ze allemaal satijnzacht. Overal zijn de scherpe kantjes af.

Ik kijk opzij naar Therza. Ik weet niet wat er is tussen ons, ik begrijp het niet. Ze trekt me aan en stoot me af, negeert me als het zo uitkomt. Maar nu, nu we allebei stoned zijn, is er louter liefde tussen ons, en veiligheid. Normaal ben ik bang om dichtbij te komen of iemand toe te laten, bang om dierbaren te verliezen. Nu niet. Wat wij hebben is voor eeuwig, ik weet het zeker. Nee, zelfs dat denk ik niet. Ik denk helemaal nergens aan. We zijn gewoon een grote harmonieuze wolk, zoals we daar zitten, in de invallende duisternis. Er zijn kaarsjes aan, die het overgebleven folie doen schitteren. Het lijkt wel kerst.

'Dit is zo goed,' zegt Therza. 'Dit moest voor eeuwig zijn.'

Ik knik en glimlach gelukzalig. 'Dat is het toch ook?'

'Nee,' zegt ze, 'want het is op.'

Mm. Die plotselinge nuchterheid trekt een diep spoor door mijn gelukzalige staat.

'We kunnen snel een hoop geld verdienen,' houdt Therza aan.

'Oké,' zeg ik ongeïnteresseerd. Het dringt niet tot me door wat ze bedoelt. Ze kan op dit moment tegen me zeggen wat ze wil, ik vind alles goed. Of is het gewoon mijn benevelde brein, dat nogal wat tijd nodig heeft om te bevatten wat ze zojuist heeft gezegd?

'Wat bedoel je?'

'Hé, je ziet er goed uit.' Haar hand strijkt liefdevol over mijn rug.

'Jij ook,' zeg ik.

'Dat bedoel ik,' antwoordt Therza. 'We kunnen goud verdienen, wij samen.'

Nu kijk ik haar aan. 'Je wil toch niet zeggen...' Ik schud mijn hoofd. 'Nee. Stel je voor, gadverdamme...'

'Een paar uurtjes maar. Twee of drie klanten en je kan net zoveel dope kopen als je wil.'

Nu ben ik stil. Daar heeft ze wel een punt, absoluut. Therza maakt een hoofdbeweging in de richting van het centrum. 'Het Moreelsepark is vlakbij. Meestal hoef je niet eens wat te doen trouwens.'

'Hoezo? Je moet toch wel wat met ze doen?' Het idee ver- vult me met weerzin, maar Therza wuift mijn bezwaren weg. 'Pff. Alleen als het niet anders kan natuurlijk. Vaak is een beetje praten, een beetje aandacht al genoeg. Zolang ze maar betalen, ga ik wel in die auto zitten, hoor!' 'Is het echt zo makkelijk?' 'Het gaat maar om één ding, zo snel mogelijk geld verdie- nen. Daar moet je aan denken. Je denkt gewoon aan de dope die je straks kan kopen en voor je het weet is het voorbij.' Ik denk heel even na. Zoals zij het zegt is het zó makkelijk. Op tafel liggen de resten van ons heroïnefeestje. Nu ben ik nog stoned, nog vrij en gelukkig, maar straks, als het spul is uitgewerkt, kan ik dan de wereld aan? Een tamelijk overbo- dige vraag. En er ligt alleen nog maar zilverpapier op tafel. Het is echt op... 'Ach, waarom ook niet?' zeg ik. 'Maar je moet me wel een beetje helpen.'

Het is zondagavond. De meeste Utrechters kijken sport en maken zich op voor weer een nieuwe werkweek, als ik mijn eerste schreden zet op het pad van de prostitutie. Niet dat ik van plan ben om er een erg lang pad van te maken, maar toch. Al laat het de stad onverschillig, voor mij is het een car- rièremove van betekenis. Rondom het plantsoentje van het Moreelsepark, de voortuin van het hoofdkantoor van de Ne- derlandse Spoorwegen, staat een handjevol gedaantes, vrou- welijke gedaantes, beschenen door de koplampen van lang- zaam rijdende auto's. De lucht is een beetje vochtig en de uitlaatgassen die blijven hangen geven de sfeer iets spook- achtigs. Ik mag dan stoned wezen, bang ben ik wel. Als ik op- zij kijk naar Therza, die een eindje van me vandaan staat, pro- vocerend op de rijbaan, wenkend en gebarend naar elke man die langsrijdt, voel ik me een groentje. De manier waarop ze haar begluren vervult me met walging. Het liefst wil ik haar daar wegtrekken en meenemen, terug naar de veilige intimiteit van haar kamer. Ik ben in gedachten zo met haar bezig, dat ik niet eens in de gaten heb dat ik net zo begluurd word. Ik ben niet zoals zij, of als de andere meiden. Ik sta een beetje achteraf en hoop stiekem dat ik niet gezien word. De ene na de andere auto stopt bij Therza. Ze loopt naar voren, trekt het portier open en begint de onderhandelingen. Lang duren die nooit. Meestal slaat ze al na een paar seconden met een verachtelijk gebaar de deur weer dicht. Therza is te koop, maar alleen op haar voorwaarden. Te zien hoe zij zich profileert en de baas lijkt te zijn over de situatie maakt me nog onzekerder. Ze heeft me precies verteld wat ik doen moet, maar dit zou ik nooit kunnen. Een vrij nieuwe BMW nadert. Het tafereel herhaalt zich, met één verschil. Therza stapt in. Ineens ben ik in paniek. Ik probeer een glimp op te vangen van de bestuurder, probeer het kenteken te onthouden. O, als haar maar niks overkomt. Ze kijkt me in het voorbijrijden niet aan. Pas dan, als ik de lege plek zie waar ze zo-even nog stond, komt het besef dat ik er nu helemaal alleen voor sta. Ik was hier met een reden, dat is ook zo. Wat zal ze zeggen, als ik alleen maar braaf op haar heb gewacht. Schoorvoetend doe ik een stapje naar voren, zodat een glimp van het autolicht ook op mij valt. Al na een paar minuten is het raak. Een bestelbus stopt. In de gauwigheid zie ik een paar silhouetten achter de raampjes.

'Hé, wat een lekker ding ben jij!' Als ik nog niet wakker was, dan doet de ordinaire stem wel genoeg.

'Hoeveel kost het?'

Een nieuwe golf walging zoekt zich een weg naar boven door mijn slokdarm, maar ik onderdruk het gevoel. Gelukkig heb ik na mijn kotspartij van vanmiddag niks meer gegeten.

'We zijn met z'n drieën!'

Het antwoord dat ik wil geven stokt in mijn keel. Wát? Met z'n drieën? Ik raap al mijn moed bijeen en zeg kordaat: 'Driehonderd voor een halfuur. En niet in die bus, maar op een kamer.' Nog steeds praat ik alleen met de bestuurder en ik erger me dood aan zijn manier van doen.

'Voor alle drie,' zegt hij.

'Ja, dag. Ben jij wel helemaal lekker? Kunnen je maatjes zelf niet praten trouwens?'

In mijn woede ben ik kattiger dan anders, maar dat komt eigenlijk wel goed uit. Want ik heb geen idee hoe het nu verder moet. Gelukkig is mijn redding nabij. Een autodeur slaat dicht en Therza staat naast me. In een flits zie ik drie briefjes van honderd, die ze heel even uit haar jaszak haalt. Mijn ogen worden groot.

'Twaalfhonderd,' zegt ze, na een snelle blik in de bus. 'Met z'n tweeën. Anders rot je maar op.'

Het raampje gaat omhoog zodat de scheldwoorden alleen gedempt en omfloerst tot me doordringen.

'Flikker op, zeg hé,' zegt Therza. Ze is niet eens echt kwaad. Ze is ze alweer vergeten. Ik ben dolblij dat ze er weer is.

'Heb je dat verdiend? Nu al?'

'Ja. Het gaat vanzelf, dat zei ik toch?'

'Kunnen we... niet nog wat roken eerst?'

'Vind je het eng, lieffie?'

Ik knik.

'Dan kun je beter rohypnol nemen, dan merk je niks. Anders blijf je bang. En straatarm.'

'Maar eerst iets roken?'

Therza glimlacht meewarig. 'Oké dan.'

Hoog Catharijne is maar een paar stappen ver en daar is alles te koop. Therza weet de weg. We roken samen en ze geeft me er een rohypnolletje bij. Dat stop ik weg voor later, want eerst kots ik alles eruit wat ik nog heb.

'Nee hè,' schreeuwt Therza. 'Waarom ben jij ook zo'n hypergevoelig meisje?'

Ik weet het niet. Ik moet er nu eenmaal altijd van kotsen, maar van de dope knap ik snel op.

'Luister nou maar gewoon naar mij,' zegt ze, terwijl ik kromgebogen achter een betonnen pilaar sta, 'dan komt het wel goed met jou.'

De heroïne doet z'n werk en ik geloof haar. Op weg terug naar het Moreelsepark maken we alweer plannen voor de toekomst.

'Als je naar mij luistert kun je echt bakken met geld verdienen en hebben we zó een ander leven.'

Maar zover is het nog lang niet. Voorlopig moet ik mijn eerste klant van de avond nog steeds krijgen. Ze stoppen nu wel voor me, ik durf ook iets meer, maar de een na de ander wil voor een dubbeltje op de eerste rang en dat laat ik me toch niet gebeuren. Zoveel heeft mijn vriendin me wel geleerd. Ik drentel wat heen en weer en kijk om me heen. Alle meisjes die ik zie zijn dof, levenloos en uitgeteerd. Is dat mijn toekomst? Is dat het leven dat Therza bedoelt? De angst is niet meer dan een flits. 'Als je verder goed voor jezelf zorgt,' heeft ze gezegd, en dat zal ik doen. Zo mager worden als zij, dat zit er bij mij toch niet in. Ik heb eerder de neiging om te dik te worden. Wat dat betreft is dit leven alleen maar goed voor me, niks aan de hand.

Maar de keurende, glurende blikken van al die mannen die meer zenuwachtig dan geil zijn maken me, ondanks de heroïne, toch onzekerder dan ik wil toegeven. Therza heeft intussen alweer een paar klanten gehad en ze wordt ongeduldig.

'Het moet er nu toch maar eens een keer van komen,' zegt ze drammerig. 'Ik ga nu tellen, hoor! Je kan ze niet blijven wegsturen!'

Uit mijn zak diep ik het pilletje op en stop het in mijn mond. Rohypnol zorgt er, simpel gezegd, voor dat je elk besef van de werkelijkheid verliest en geen idee meer hebt wat je aan het doen bent. Levensgevaarlijk en niet voor niets uit de handel genomen, maar op dit moment is het precies wat ik nodig heb, want ik voel het laatste restje angst uit mijn lichaam wegsijpelen.

Of het daarmee te maken heeft weet ik niet, maar de eerstvolgende auto stopt meteen. Als het raampje naar beneden gaat zie ik tot mijn verbazing een man en een vrouw zitten. De man buigt zich over haar heen naar mij toe.

'Hoeveel kost het als je mijn vrouw lekker verwent, met mij erbij?'

Ik sta perplex. De vrouw kijkt me niet aan, maar de man kwijlt nog net niet op haar schoot.

'Hoe kan je zoiets nou vragen?' hakkel ik. Ze zwijgen allebei, de man blijft me verwachtingsvol aangapen en ik moet een beslissing nemen.

'Duizend,' zeg ik.

Het werkt. Tot mijn opluchting gaat het raampje weer omhoog en de auto schiet weg. Ongetwijfeld vinden ze een ander die hun fantasie vanavond tot leven laat komen. Of die van hem, dat is waarschijnlijker.

In een ononderbroken stroom komen de auto's voorbij. Raampje open, raampje dicht. Ik word moe, kan haast niet meer op mijn benen staan. De druk van Therza's steeds kwaaiere blikken neemt toe, maar onder invloed van de heroïne en de rohypnol begint de werkelijkheid om me heen langzaam andere vormen aan te nemen. Voor het eerst zie ik mijn situatie helder en ik realiseer me dat ik lang niet de enige ben met persoonlijke problemen, met behoefte aan aandacht. Alleen is dit niet de plek om die te zoeken. In plaats van de veiligheid en de geborgenheid, waar ik zo naar snak, ben ik in deze smerige put beland. Die mannen, die wellustig naar me kijken en mij in hun fantasie vernederen, verkrachten, mishandelen, vermoorden misschien wel, zijn net zo gefrustreerd en net zo onzeker als ik. Samen zijn we op de verkeerde plaats terechtgekomen, deze verboden plaats, deze onderwereld.

Onderwereld of niet, feit blijft dat ik nog wel geld moet verdienen, en wel snel! Een blauw busje stopt en ik neem me voor dat dit hem wordt, hoe dan ook. De bestuurder is een oudere, haast wat stoffige man.

'Hoe duur is het om met jou te neuken?'

Zo. Die windt er geen doekjes om.

'Tweehonderd,' zeg ik.

Hij gooit de deur open en gebaart dat ik in moet stappen. Achter me hoor ik Therza schreeuwen: 'Een kwartier, niet langer!'

Dan gaat de deur dicht. De hele auto hangt vol sigarenrook en ik begin te hoesten.

De man kijkt opzij en zegt: 'Jij bent zeker nieuw hier?'

'Dat je dat meteen ziet,' antwoord ik. 'Dan kom je hier dus wel vaker.'

'Ja, regelmatig,' zegt hij. Hij trekt zijn portefeuille en overhandigt me zonder problemen twee briefjes van honderd. Ik stop ze snel weg en denk: ziezo, die zijn binnen. Meteen begin ik met hem te praten, zoals Therza me geleerd heeft. Nu is het de kunst voor dat geld zo min mogelijk te doen. Hij kan dan wel willen neuken, dat verlangen is niet wederzijds! Als we wegrijden vertelt hij dat hij eigenlijk op zoek was naar een ander meisje, toen hij mij in het oog kreeg.

'Maar je hebt gelijk,' zeg ik. 'Ik ben hier vanavond voor het eerst.'

Hij schudt zijn hoofd en rijdt op routine naar... Ja, waarnaartoe eigenlijk? Ik kan alleen maar hopen dat hij een plekje weet, want bij alles wat Therza me geleerd heeft, ben ik vergeten te vragen waar ik mijn klanten mee naartoe moet nemen.

'Je moet wel uitkijken daar, wijffie!' zegt hij bezorgd. 'Zoveel gestoorden daar...'

We rijden naar de Rivierenwijk.

'Heb je een vriend?' vraagt hij. Niet het eerste wat ik zou willen weten van een meisje als ik op het punt sta de liefde met haar te bedrijven, maar goed. Ik praat eromheen. Geen denken aan dat ik hem over Chris ga vertellen. Hij stopt op een stille plek en zegt: 'Er komt trouwens niet zoveel van terecht vanavond, want ik heb de hele dag hard gewerkt. Kleed je van boven maar uit, als je wilt, dan trek ik mezelf wel af.'

O, denk ik, oké. Het dringt tot me door dat ik me geen makkelijkere klant kan wensen voor de eerste keer. Als hij nu maar niet de helft van het geld terug wil. Ik kleed me half uit en hij kijkt goedkeurend. Binnen vijf minuten is het gepiept.

Hij bedankt me, ritst zijn broek dicht en ook ik kleed me weer aan. Zwijgend rijden we terug en als ik uit wil stappen drukt hij me onverwacht nog een briefje van vijftig in mijn handen. Yes! denk ik. Kassa! Maar hij kijkt me met een ernstig gezicht aan en zegt: 'Ik meen het. Jij hoort hier niet. Ga ergens anders heen. Hier is het niet goed voor je.'

Ik loop op wolkjes terug naar Therza. Tweehonderdvijftig gulden, verdiend met nietsdoen. 'Hier,' zeg ik. 'Kijk eens? En ik heb hem met geen vinger aangeraakt!'

'Dat is mijn meisje,' zegt Therza. 'Jij moet zo doorgaan. Ik zei het toch? Jij kan een hele dure hoer worden, lieverd.'

'Ja eh, dat zullen we nog wel zien, hè? Laten we dit eerst maar gaan vieren, oké?'

'Hè? Wou je nu al stoppen?'

'Ja, ik vind het wel mooi geweest, jij niet dan? Morgen weer een dag, hoor. Kom op, we gaan eerst iets kopen. Ik heb ineens zo'n zin in coke!'

We bouwen een feestje die nacht, en de volgende nachten. Ik blijf een tijdje bij Therza. De chemie tussen ons is heel sterk. Zo sterk in elk geval dat ik al mijn problemen en zelfs Chris een beetje kan vergeten. Het is een hectische tijd voor mijn gevoelsleven. Ze is goed voor me, maar tegelijk trekt ze me mee een wereld in die ik eigenlijk helemaal niet wil. Op de momenten dat ik, dankzij haar, aardig dicht bij mezelf weet te komen, voel ik dat ik die wereld nog zou kunnen verlaten en om echt ergens voor te gaan. Een dansopleiding, het zou me geweldig lijken. Ik zou er alles voor over hebben, er keihard voor willen werken. Maar ja, voor dans heb ik toch de bouw niet, als ik mijn moeder moet geloven. En die geloof ik, ik geloof iedereen die zegt dat ik ergens niet goed genoeg voor ben...

4

De klas gaapt me aan. Niemand zegt iets. Waarom weet ik niet, maar dat gebeurt altijd als ik over de prostitutie begin. Mijn laatste woorden blijven even hangen in de lucht, voor ze langzaam oplossen. Het meisje met de koffiebruine huid kijkt me broeierig en doordringend aan. Ze is er nu weer helemaal bij. Ik moet met haar praten, ik voel het. Ik weet alleen niet of zij het ook voelt en of ze het wil.

'Maar vond je vriend dat allemaal goed dan?' vraagt een jongen achterin. 'Ik zou dat echt nooit pikken, echt niet!'

'Hij wist het niet,' antwoord ik. 'Hij zat immers vast en was bovendien al behoorlijk schizofreen, zoals ik jullie verteld heb. Ik had dat toen niet door, maar achteraf gezien was hij al behoorlijk ziek.'

'Maar, hoe kan het dan dat jij dit bent gaan doen? Als hij ziek was?'

'Toch niet alleen door hem?'

Ineens komen van alle kanten de vragen los. De klas lijkt net zo opgelucht als ik, dat we het weer even over andere dingen kunnen hebben.

'Kijk,' zeg ik, 'ik zou natuurlijk kunnen zeggen dat het door hem kwam. Door zijn ziekte. Voor een deel is dat ook zo. Maar wat je doet, welke keuzes je maakt in je leven, dat is altijd een resultaat van een heleboel dingen. Mensen die zeggen dat ze één keer een rotervaring hebben gehad, toen dope gebruikt hebben en sindsdien verslaafd zijn? Onzin! Je moet echt moeite doen om verslaafd te raken. Ik werd er strontziek van, elke keer weer, maar toch bleef ik gebruiken, want dan zou het wel beter gaan. Terwijl ik om me heen de voorbeelden zag van al die meisjes die niet op tijd gestopt waren, ging ik toch door. Je eerste biertje is ook smerig, je eerste sigaret ook. Toch zet je door, in de hoop dat het beter wordt. Ik gebruikte dope omdat ik bang was om mijn situatie onder ogen te zien, om mijn problemen aan te pakken. Mijn vriend was wel mijn grootste probleem, omdat ik niet wist hoe ik hem moest helpen, maar natuurlijk waren er ook andere dingen. Dat hunkeren naar aandacht? Vanuit mijn jeugd. Geen weerstand kunnen bieden aan iemand die dominant is? Vanuit mijn jeugd. Maar begrijp me goed, ik geef niemand de schuld, hè. Want ik heb gepakt. Ik heb de prostitutie uitgeprobeerd. Niet iemand anders.'

Ik vraag me vaak af wat nu eigenlijk mijn drijfveer is geweest om harddrugs te gebruiken en of het steeds dezelfde was. Zeker is dat de situaties waar ik in terechtkom in deze periode van mijn leven voor mij ondraaglijk zijn. Waar ik ook kwam, thuis of op straat, ik voelde me altijd onzeker, angstig, bang om te falen. Als een spons zoog ik alle emoties en stemmingswisselingen van iedereen om me heen op. Het trok me helemaal leeg. En nog. Soms is het zelfs zo extreem dat niet alleen de mensen, maar zelfs de ruimte waar ik me bevind mijn gemoedstoestand beïnvloedt. Een middag in een rommelige kamer en ik kom er doodmoe vandaan. Ik gebruikte het middel dan ook als medicatie. Ik móést gewoon iets hebben om al die gevoelens te temperen, de indrukken te filteren voor ze binnenkwamen. Het klinkt paradoxaal, maar ik ben er zeker van dat als ik in die tijd het middel niet had gehad dat me later te gronde zou richten, ik er nu niet meer geweest zou zijn.

Ik was blij toen Chris vrijkwam. Ik heb hem niks gezegd en heb zo snel mogelijk mijn oude leventje weer opgepakt. Ik heb geen heroïne meer aangeraakt. Chris ook niet. We waren allebei van plan om een normaal, clean leven te gaan leiden. Hij was de gevangenis spuugzat, ik de dope, dus dat kwam goed uit. Een echt leven, als man en vrouw, samen met hem, dat is alles wat ik wilde. En ik was er vast van overtuigd dat het zou lukken. We verhuisden, juist om wat afstand te nemen van de scene. We waren echt allebei van plan om niet verslaafd te raken.

Het klinkt zo idyllisch. Twee jonge mensen, op zoek naar een plaatsje in de maatschappij, met vallen en opstaan. Er is veel meer aan de hand, maar hebben deze kinderen er iets aan om te weten dat ik om het minste of geringste in elkaar geslagen werd? Dat ik, drie maanden zwanger, van de trap gegooid werd, zodat ik geen andere keus had dan het kindje onder helse pijnen weg te laten halen, nog voor ik goed en wel besefte dat ik zwanger was? Nee, ik denk het niet. Misschien omdat het in mijn herinnering ook niet zo'n grote plaats inneemt. Je went tenslotte aan alles en het belangrijkste is dat ik, ondanks alles, van hem hield. Geloof het of niet.

Ik schraap mijn keel. Een wereld aan herinneringen is voorbijgeschoten. In een paar seconden heb ik op een stuk of vier adressen gewoond, heb ik gelachen, gevreeën, gehuild en angst gevoeld, vooral heel veel angst. Het was het eerste deel van mijn leven, maar te kort om door de klas te worden opgemerkt. Behalve het schuiven van een stoel, of een kuch, is het muisstil in het lokaal. Ik moet door, anders raak ik ze kwijt.

'De grote omslag kwam toen ik merkte dat Chris zich anders begon te gedragen. Hij had geen aandacht meer voor mij, zat soms tijden in zichzelf te praten. Als ik hem iets vertelde lachte hij afwezig. Niets drong tot hem door, helemaal niets. Natuurlijk zag ik dat in het begin allemaal niet, ik wilde het ook niet zien, het was ook bij vlagen. Pas toen hij met het verhaal aankwam dat de werklui die op het dak bezig waren, het op hem gemunt hadden, toen kon ik er niet meer omheen.'

'Hoezo?'

'Het was zondag. Er waren helemaal geen werklui.'

Hier en daar wordt voorzichtig gegrinnikt en ik zeg: 'Toen wist ik dat hij schizofreen was. Ja, en dan moet je net mij hebben. Ik moest en zou ervoor zorgen dat hij beter werd. Dat de stemmen weggingen. Maar die gingen natuurlijk niet weg, wat wist ik van die ziekte? Ik wist alleen dat ik van hem hield, nog steeds, en ik voelde dat hij uit mijn handen wegglipte. We hadden steeds meer ruzies, Chris bleef gokken, was ontzettend agressief, niet alleen tegen mij maar ook tegen anderen. Ik voelde me verschrikkelijk alleen in die tijd. Het was altijd wij tweeën tegen de rest van de wereld en dat was weg. Wat was ik helemaal? Een- of tweeëntwintig, ik wist me geen raad. Dat gevoel, dat ik niet meer bij hem kon komen, dat machteloos toekijken hoe hij zieker en zieker werd, daar ging ik vanbinnen kapot aan. Dus wat deed ik, ik vluchtte het huis uit. Ik was dan weer bij die vriendin, dan weer bij die en ik ging steeds meer drinken. Daar heb je het weer, als ik het niet meer aankon, greep ik naar middelen om het maar niet te merken.'

Alleen over de relatie met Chris zou ik al uren kunnen vertellen want zoveel van wat er in die tijd is gebeurd, is bepalend geweest voor mijn verdere leven. Maar dat is niet het verhaal waarvoor deze twee havoklassen zijn gekomen. En eigenlijk is het ook niet het verhaal dat ik wil vertellen. Ik hoop alleen dat ze de rest begrijpen, als ik hier niet even bij stilsta.

'Om een lang verhaal kort te maken, Chris was gewoon niet meer te hanteren en ik was zeker niet de aangewezen persoon om voor hem te zorgen. Ons huis waren we ook weer kwijt en we woonden toen in bij mijn oom en tante in Utrecht. En mijn tante, die zag het. Zij had door dat ik eraan onderdoor ging en dat wilde ze niet laten gebeuren. Dus op een gegeven moment kwam ze met een advertentie uit de krant, voor een baantje.'

'Een baantje?'

'Ja. Kijk maar niet zo verbaasd, dat deed ik toen gewoon weer. Baantjes.'

5

'Essen sie schmecklich!' Dilek, naast me aan het tafeltje, komt niet meer bij. Ze lacht zo hard dat ze bijna haar glas omstoot.

'Ja,' zeg ik kribbig, 'weet ik veel. Ik heb nooit Duits gehad. Doe ik een keer vriendelijk...'

'Maar die mensen aan die tafel, zag je hoe ze keken?' Ze schiet bijna onder de tafel. Annet, mijn andere collegaatje, lacht een beetje gegeneerd mee.

'Zo kan-ie wel weer hè?' Ik voel me ongemakkelijk. 'Dat ik nou geen Duits ken, zo erg is dat toch niet?' Ik heb tenminste nog *schmeck* gezegd, en geen *smack*... Smack is straattaal voor heroïne, ze moesten eens weten, de dametjes. Ik sta op, pak mijn glas.

'Heb je 'm nu alweer leeg?'

Ik kijk Annet niet-begrijpend aan. 'Ja. Hoezo alweer?'

'Ze slikt niet,' zegt Dilek. 'Ze giet het er zo in.'

De dames gniffelen en Dilek neemt een voorzichtig slokje.

'Weet je wat, ik haal wel vast, want het duurt hier uren voor ze een biertje getapt hebben. Dat doe ik sneller.'

'Ja, dat zal best.'

'Ik hoef niet meer, hoor,' zegt Dilek snel. 'Deze krijg ik al niet eens op.'

'Pff.' Zuchtend sta ik op en wurm me tussen de stamgasten door naar de bar. Ik kijk om me heen, terwijl ik wacht op mijn bestelling. Overal gezellig pratende, drinkende, lachende mensen. Tussen de gasten zie ik een paar bekende gezichten. Passagiers van ons schip. Glimlachend knik ik. Een man wenkt, zijn vrouw kijkt zuur. Al de hele week probeert hij het zo te organiseren dat hij alleen in zijn hut is als ik kom schoonmaken. Het is hem nog niet gelukt, maar zo te zien heeft zijn vrouw het haarfijn door. Ik loop maar gauw door naar de bar. '*Noch drei, bitte.*'

En dan, terwijl de barvrouw de grote glazen tapt, overvalt me zomaar vanuit het niets een gevoel van peilloze eenzaamheid. Geluiden vervormen, mijn blik vertroebelt. Dat is de rook, zeg ik dapper tegen mezelf. Maar knipperen helpt niet. Het is alsof ik hier helemaal alleen ben, tussen al die gezellige bierbuiken. Ze voelen zich hier volkomen op hun plaats, ze horen hier. Ik niet. Ik hoor nergens. O zeker, ik heb het best naar mijn zin, meestal. De meiden met wie ik op stap ben zijn oké, je kunt met hen lachen, maar toch ontbreekt er iets. Ik wil er niet aan denken, maar ik weet precies wat. Ik mis Chris. Nee, laat ik het goed zeggen. Ik mis wat we hadden, onze tijd samen, in het begin, wij tweeën tegen de rest. Daar is niet veel meer van over, tegenwoordig is het meer hij tegen mij. Wat die twee oude mensen samen hebben, zullen wij nooit beleven. Zelfs de slijtage die een relatie kan uithollen is ons niet gegund. Het ergste is dat ik het Chris niet kwalijk kan nemen, en mezelf ook niet. Maar toch doe ik dat, terwijl ik weet dat het die rotziekte is, die ik vervloek. Ik moest wel, Chris. Ik heb je oneindig lief, maar ik moest weg, snap je dat? Alsjeblieft, kun je dat begrijpen? We hadden elkaar de hersens ingeslagen als we nog langer samen waren gebleven, ik weet het zeker. Maar toch voelt het alsof ik gefaald heb, alsof ik hem verraden heb.

De barvrouw zet drie enorme glazen voor me neer en ik leg het geld op de bar. '*Danke*,' zeg ik. Dankzij mijn horeca-ervaring kom ik heelhuids terug bij ons tafeltje.

'Heb je nou toch bier voor me meegebracht?' zegt Dilek verwijtend. Ze heeft zo te zien niets meer gedronken uit het glas dat voor haar staat. Ik schud mijn hoofd.

'Als jij hem niet wilt, drink ik hem wel op.'

'Je doet het ook nog, hè?' zegt Annet.

'Zonde om het te laten staan, toch?'

'We moeten zo terug. Mevrouw Borssele is laaiend als we te laat zijn.'

'Ja,' giechelt Dilek. 'Of ze haalt de loopplank op.'

'Nee, dat doet ze niet,' zeg ik, met een blik het café in. 'Het halve schip zit hier.'

'We moeten wel om halfzes op, hè?'

Ik maak een loom gebaar. 'Ach... Het is onze laatste reis, en de laatste avond, wat maakt het uit. Doe effe gezellig!' Ik neem een grote slok en steek nog een sigaret op. De lucht in het kleine café is zo dik dat je er met een mes doorheen kunt snijden en de snee nog minutenlang blijft zien. Een sigaret meer of minder maakt niks uit. Annet steekt er ook een op en schudt haar hoofd. 'Morgen is pas de laatste avond. In Keulen.'

'Shit.'

'Heb je haast om thuis te komen?' vraagt Dilek.

'Ze wil haar vriendje weer zien,' antwoordt Annet voor mij. Allebei kijken ze me aan.

'Ja, is dat zo gek?' zeg ik. Maar als ik goed nadenk weet ik het antwoord niet. Wil ik Chris eigenlijk zien? Ja, natuurlijk, maar niet zoals hij nu is. De ene helft van mij verlangt naar hem, de andere is doodsbang voor wat ik straks zal aantreffen. Annet ziet mijn gezicht betrekken. Ze is de enige van de bemanning die mijn situatie een klein beetje kent. Ik kijk haar aan en haal mijn schouders op. Mijn glas is leeg en meteen gaat mijn hand naar dat wat ik voor Dilek heb meegenomen. 'Ga je dat echt niet meer opdrinken?'

'Nee, neem maar.'

Nog net als ik het glas aan mijn mond zet zie ik Annet wegkijken. Ik weet het, denk ik, ik weet het. Maar heb jij een betere oplossing?

Op dat moment gaat de deur van het café open en in een golf van gelach en koude lucht komen onze andere collega's binnen. 'Hé meiden...!'

Onmiddellijk weet ik: dat wordt weer niet slapen vannacht en als ik niet uitkijk een dure avond. Gelukkig krijg ik veel aangeboden als we uitgaan, want ik wil het grootste deel van mijn salaris wel mee naar huis nemen.

Het water van de Rijn is nog diepzwart en de wind voelt ijskoud als we de volgende ochtend in alle vroegte op onze te hoge hakken over de hobbelige keitjes in de richting van de *Avanti* wankelen, die aan de kade rustig deinend wacht op vertrek. Op het klotsen van de golven en het monotone geronk van de dieselgenerator na, is het doodstil. Een van de meisjes probeert de loopplank op te klimmen.

'Nee!' zeg ik. 'Niet doen.' Ik zeg het zachtjes, denk ik. 'De loopplank, dat hoort ze! We moeten springen!' Een paar meiden hebben niet op mijn aansporingen gewacht en de een na de ander zie ik met een soepele sprong vanaf de kade op het schip belanden. Dan is het een kwestie van je benen over de reling zwaaien, en binnen ben je. Niks aan de hand.

Ik ben aan de beurt, dit sprongetje heb ik tientallen keren gemaakt, ik ben nooit op tijd aan boord. Ik neem een aanloopje, maar op het moment dat ik spring besef ik dat ik alles dubbel zie. Ik moet lachen. Twee kaderanden, een stuk of wat meertouwen en boeien en, het ergste, twee relingen. Mijn god, wat ben ik dronken. Maar als ik dat doorheb is het al te laat. Ik strek mijn arm uit en grijp op goed geluk. Natuurlijk is het de verkeerde, ik grijp naar de reling die niet bestaat. Ik voel nog hoe mijn vingers het metaal raken, maar ik krijg geen grip. Ik gil als ik mezelf voel vallen. Op de kade wordt keihard gelachen, maar ik lach niet meer. Het ijskoude, gitzwarte, olieachtige water komt razendsnel dichterbij. Ik hap naar adem als mijn benen onder water verdwijnen, ik ga bijna kopje-onder! Maar op het laatste moment vinden mijn voeten ergens steun. Ik val half achteruit en kom met mijn rug pijnlijk tegen het steen van de kademuur terecht.

Met mijn armen wild om me heen slaand probeer ik wanhopig houvast te vinden. 'Doe iets! Ik verzuip hier!' roep ik. Mijn ene voet kan ik niet bewegen en ik voel hoe de paniek me langzaam maar zeker bevangt. Ik probeer mijn voet los te krijgen, maar ik kom alleen maar vaster te zitten. Eindelijk krijgen de meisjes in de gaten dat er echt iets aan de hand is. Handen worden uitgestoken en met hulp van twee of drie collega's kom ik uiteindelijk los en weet ik omhoog te klauteren.

'Hé, je kan ook gewoon springen hoor, kijk maar!' Met gemak wipt Dilek over de leuning en staat naast me in het gangboord.

'Ssst!' waarschuw ik, maar ik kan mijn lachen ook niet inhouden. Ik giechel van de zenuwen. De pijn en de kou voel ik amper, ik ben een schoen kwijt, maar wat geeft het. Als dronken indianen sluipen we het schip op, voor ons gevoel doodstil, maar met ons gestommel moeten we zo'n beetje alle opvarenden gewekt hebben. Vaag registreer ik de geur van koffie. Goh, zo laat al? Op de tast probeer ik mijn hut te vinden voor ik ontdekt word. Maar dat had ik gedacht. Halverwege de gang doemt een onneembare hindernis op.

'Zo dames, zijn jullie daar eindelijk?!' De zware, doorrookte stem van de eigenaresse doet het schip trillen alsof de scheepsdiesel gestart wordt.

'Sorry mevrouw Borssele, ik probeerde ze nog mee te krijgen, maar ja, ze...' Afgezien van mijn lachbui praat ik voor mijn gevoel heel normaal.

'Wat? Vind jij het om te lachen? Je bent dronken en je druipt! Dit is je laatste reis met ons! Jullie moet ik nooit meer hebben. Schiet op! Omkleden, over een kwartier moet het ontbijt geserveerd worden!'

'Ja mevrouw.' Ik ben niet erg onder de indruk van de preek. De laatste reis, ja ja. Als ze ons nog een keer kan misbruiken tegen een hongerloontje, zal ze het echt niet laten. Proestend strompel ik mijn hut binnen en wurm me zo snel als ik kan in mijn tuniek. De witte blouse en donkere rok zijn bepaald niet mijn stijl en behoorlijk truttig, maar ik hoef me tenminste niet af te vragen wat ik aan moet. Half struikelend stap ik in de rok die zich om mijn benen kringelt als het vangnet van een stroper. Ik val om en stoot me aan de wastafel. Die laatste had ik misschien toch beter niet kunnen nemen. Of de laatste twee, misschien...

Natuurlijk ben ik de laatste die zich in de eetzaal meldt. En ik was nog wel zo snel...

'Wat? Wat is er?' vraag ik, als ik Dilek zie kijken.

'Je...' Haar blik gaat naar beneden, langs mijn kleding, maar ze kan haar zin niet afmaken.

'Esther Schenk!' Ik krimp in elkaar onder het donderende stemgeluid. 'Kun je niet tellen, ben je kleurenblind, of gewoon dom? Op even dagen donkerblauw, op oneven dagen donkerrood.'

Ik kijk naar mijn rok. Stijfjes en keurig zie ik eruit, in mijn donkerblauwe uniform. Maar ik ben wel de enige. De anderen dragen allemaal donkerrood.

'Hoe vaak moet ik het nu nog zeggen?!'

Nog één keer, denk ik, hooguit. Maar ik hou mijn mond en excuses mompelend haast ik me terug naar mijn hut om de goede kleur aan te trekken. Twee kleuren! Waarom maken ze het ook zo ingewikkeld?

De rest van de dag verloopt redelijk normaal. Terwijl het uitzicht langzaam vernederlandst, veeg ik de bergen ontbijtkruimels bij elkaar, maak ik voor de laatste keer de salades op voor de lunch, dek de tafels en koester mijn kater. Gelukkig zit ik vandaag in de bediening en niet in de schoonmaak. Ik bedoel, als je te dronken bent om de wc nog te halen, kun toch tenminste proberen om het op te ruimen? Of ben ik daar goed genoeg voor?

Ik vraag me sowieso af waar het morele besef van veel mensen blijft zodra ze aan boord stappen en zich onbespied wanen. De Kegelclub, bijvoorbeeld. Op de kade nemen ze kussend en zwaaiend afscheid van partners en geliefden en we zijn amper los van de kant, of alles en iedereen zit aan elkaar. Ik word er vies van. Nog erger is het als die kerels een paar dagen later ook aan mij proberen te plukken. Ik blaas van me af als een kat met jongen zodat ze het niet in hun hoofd halen, maar ik blijf op m'n qui-vive. Het liefst slaap ik 's nachts met mijn ogen open.

Maar ook tijdens het buffet spelen zich onvoorstelbare taferelen af. Keurige mensen van middelbare leeftijd, je ouders of de buurman die verzekeringen verkoopt, veranderen in een kudde wilde beesten zodra er voedsel verschijnt. Je kunt maar beter niet al te gehecht raken aan de salade die je met veel liefde hebt opgemaakt, want binnen vijf minuten is het een slagveld. Alsof ze nooit iets te eten krijgen. Je zou denken dat ze ooit genoeg hebben, maar op de laatste dag van de reis is het nog net zo erg als op de eerste. Deze dag is geen uitzondering.

Die avond zetten we met veertien meiden de binnenstad van Keulen op stelten. We drinken onze frustraties van ons af, dansen, en de andere meiden flirten met wat jongens die ons de hele nacht zo'n beetje blijven achtervolgen. Ik hou me op de achtergrond, maak me zo klein mogelijk. Als ik ook maar het idee heb dat een man contact met mij zoekt, breekt het klamme zweet me uit.

Alleen als er serieuze pogingen worden ondernomen om Dilek alsnog aan de man te helpen doe ik mee. Zolang de aandacht maar van mij afgeleid is. Hoe het kan weet ik niet, maar ik sta weer twee keer zo vaak aan de bar als de anderen. Er zit een soort redelijkheid in; als je twee keer zo snel drinkt, moet je ook twee keer zoveel halen. Ik hou mezelf voor dat ik er plezier van heb, maar dat is een leugen. Zodra ik me dat realiseer ga ik nóg meer drinken, om dat besef weer kwijt te raken. Want de werkelijkheid is anders. Hoe dichter ik bij huis kom, hoe nerveuzer ik word. In mijn gedachten gaat het zich allemaal opnieuw afspelen. De ruzies met Chris, zijn agressie en onredelijkheid en mijn onmacht om hem te helpen. Of ik wil of niet, ik zie zijn handen op me afkomen, voel de pijn waar hij me raakt. Zomaar, om niks, omdat ik voorstel om iets leuks te gaan doen, omdat ik heel voorzichtig vraag of hij vanavond niet wil gaan gokken. Chris, mijn Chris, die ik liefheb, die alles is wat ik heb, maar die mijn kleren kapotknipt tot ik echt niets meer heb. Zelfs nu, terwijl ik weet dat hij honderden kilometers ver weg is, wordt de herinnering werkelijkheid en het kost me moeite om niet onder tafel te duiken om hem te ontwijken. En hier kan ik niet even vluchten naar Utrecht, naar Hoog Catharijne, om een pakje bruin te scoren, zodat ik het tenminste niet zo erg voel als hij me weer eens lens slaat. Hier moet ik een glas onder handbereik hebben, anders grijpt het me naar de keel. Dat is normaal, ja echt, ondanks mijn tweeëntwintig jaar is dat al normaal voor mij, en omdat dit de laatste reis van het seizoen is komt daar nog een praktisch probleem bij. Waar moet ik morgen slapen? Mijn moeder, dat is geen optie. We hebben elkaar al in geen eeuwen meer gesproken en dat is niet voor niks. Het idee dat ik bij haar aan zou moeten bellen bezorgt me nachtmerries. Mijn vader dan. Ja, als het maar niet te lang duurt. Tot nu toe kon ik tussen twee bootreisjes in wel even bij hem pitten, maar nu moet ik toch iets voor langere tijd hebben.

'Hé!'

Ik schrik op en kijk recht in het gezicht van Annet.

'Jij was een eind weg met je gedachten.'

'O, ja, was ik dat?' antwoord ik luchtig. 'Heb ik iets gemist?'

'Nee,' zegt Annet. 'Tenminste, niet meer dan anders. Wat ga je nu doen, als we terugkomen in Nederland?'

'Weet ik veel, ik zie wel. Eerst naar het huis van mijn tante, denk ik, Chris opzoeken. Het zal wel beter met hem gaan.'

'Ja, dat denk ik wel,' zegt Annet zonder veel enthousiasme. Ik ben te optimistisch. We weten het allebei, maar geen van beiden kunnen we de woorden vinden om erover te praten. Het gesprek gaat over Chris en mijn hersens werken niet meer, ik blokkeer. Zijn ziekte en mijn onmacht hebben me uitgehold. Chris moet hulp hebben, als hij het ooit nog wil redden, maar juist dat weigert hij categorisch. De laatste keer dat ik het erover probeerde te hebben met hem lachte hij afwezig, maakte dwangmatige kauwende bewegingen, terwijl zijn mond leeg was, tot hij zomaar begon te slaan. Ik geloof niet eens dat ik iets zei, maar ik kreeg een klap. En toch moet ik hem zien. Klappen horen er kennelijk bij. Af en toe zou ik wel eens willen vragen aan andere vrouwen of zij dat ook hebben, maar ik durf het niet. Ik probeer het af te lezen uit hun blik, maar ik kom niet verder. Mijn situatie verandert het toch niet. Bij het idee alleen al voorgoed afscheid van Chris te nemen, sla ik volkomen dicht. Ik kan niet zonder hem. Maar zover is het nog niet. Utrecht is nog ver en de nacht nog lang.

'Biertje? Het is *Feierabend!*' zeg ik, geforceerd lachend. Ik wacht Annets antwoord niet af en steek mijn hand op als ik de serveerster zie kijken. Ik ben te moe om op te staan en naar de bar te lopen.

Moe voel ik me nog steeds, als ik de volgende middag op Utrecht Centraal uit de trein stap, maar er heeft zich ook een soort verwachtingsvolle opwinding van me meester gemaakt. Hij is vast blij om me te zien, net zoals ik blij ben. Dat moet wel, we houden immers van elkaar. Uit gewoonte gooi ik mijn reistas in een bagagekluis en stap in de bus met alleen een tasje vol kleding en toiletspullen die ik in Duitsland voor Chris gekocht heb. Nog even en ik kan ze hem laten zien. Ik geef hem graag mooie dingen. Uiterlijk is zo belangrijk voor hem en als ik er iets aan kan doen om het voor hem wat makkelijker te maken, zal ik het zeker niet laten.

Ik haal diep adem en bel aan. Het duurt even voor ik beweging zie in de gang. Mijn nichtje doet open. 'Hai! Ben je er al weer? O ja, het is zaterdag hè? Goh, wat gaat dat toch vlug. Hoe was het? Je reis bedoel ik. Ja, nee, niet dat je denkt...'

'Nou, wel goed,' onderbreek ik haar. 'Dit was de laatste keer, hè. Ik heb afscheid genomen van het zeemansleven.' Ik ben een beetje overdonderd door de woordenvloed, die meteen weer verdergaat, en probeer het af te doen met een grapje. Wat ik zeg maakt niet zoveel uit. Het is duidelijk dat mijn belevenissen haar niet echt interesseren, maar waarom vraagt ze er dan naar? Er is iets, ik voel het. Waarom blijft ze anders onwrikbaar in de deuropening staan, zodat ik er niet langs kan?

'Is Chris er?' vraag ik, als ze even pauzeert om adem te halen.

Haar mond, die net weer openging voor kennelijk een nieuwe woordenstroom, klapt dicht. Mijn alarmbellen gaan nu harder tekeer. Zie je wel, er is iets.

'Mag ik misschien binnenkomen?'

'Eh, ja, nou, kijk...' Ineens kijkt ze me niet meer aan. Het liefst zou ze weer naar binnen gaan en mij daar laten staan, maar zover durft ze niet te gaan.

Ik word zenuwachtig van haar gedraai. 'Mirjam, wat is er?'

'O... ik vind het echt heel rot voor je...'

'Wat, Mirjam? Wat vind je rot? Waar is hij?'

Met zachte drang werk ik haar naar binnen toe en even later zitten we aan de keukentafel.

'Het ging gewoon echt niet meer. Na die laatste keer, weet je wel?'

Ik knik. Natuurlijk weet ik het nog. Ik moest de kamer uitvluchten, anders had hij me in elkaar geslagen.

'Mijn vader probeerde hem die avond weer te overtuigen

dat hij hulp moest zoeken en toen heeft hij hem een glas thee naar zijn hoofd gegooid.'

'Nee! Chris?'

Ze knikt.

'O, wat erg. Het is mijn schuld, ik had hem ook nooit...'

'Nee Esther, dat moet je niet zeggen. Het is jouw schuld niet.'

'Ik had hem gewoon moeten helpen, ik had... Ja, weet ik veel.'

'Ach, jij kon niks doen, en wij ook niet.'

'Wanneer was dat dan?'

'Jij was net weg. Voor mijn broers was de maat vol enne... nou ja, Chris heeft eieren voor zijn geld gekozen.'

Paniek overvalt me. 'Is-ie de straat op? Nee toch?' In gedachten zie ik hem al zwerven. In zijn toestand houdt hij dat geen week vol, tot hij tegen de verkeerde aanloopt en een serieus pak rammel krijgt, als het daar al bij blijft. Maar Mirjam legt geruststellend een hand op mijn arm.

'Nee, ze hebben hem niet zomaar weggestuurd. Hij kon terecht in een opvanghuis in Hilversum. In De Vluchtheuvel. Ik heb hem gebracht, met mijn vader samen.'

Dat laatste hoor ik al haast niet meer. Eén gedachte blijft hinderlijk achter in mijn hoofd spoken en dringt zich steeds weer op. Ik heb gefaald, ik had hem nooit in de steek mogen laten, ik had nooit mogen kiezen voor mezelf, voor mijn tien reisjes naar Basel en terug. Als ik er nog aan denk, ik feestend en drinkend met de meiden terwijl Chris hier steeds verder achteruitging.

'Nou ja, weet je,' zegt ze, 'je mag blij zijn dat het zo afgelopen is. Jij bent ervan verlost, moet je maar denken.'

Ik kijk haar aan. Mijn oren klapperen. Ze schrikt van mijn blik en bindt iets in.

'Je bent het toch met me eens dat het zo niet langer kon?' probeert ze nog. 'Ze hebben gezegd dat je hem altijd mag bezoeken. En verder ben je natuurlijk altijd welkom hier. Jij kunt hier altijd logeren, tot je iets gevonden hebt.' Het is de nadruk die ze legt op het woordje 'jij', waardoor er iets in me knapt.

Uiterlijk beheerst sta ik op. Koel, koeler dan ze verdient waarschijnlijk, zeg ik: 'Nee, dank je wel. Ik vind mijn weg wel weer. Net als altijd.'

Mijn gedachten zijn een janboel, in de trein op weg naar Hilversum. Waarom snapt niemand mij? Waarom begrijpt niemand dat ik van hem hou? Hoezo, 'je bent van hem verlost?' Ik ben boos over zoveel onbegrip, ik had me de thuiskomst zo anders voorgesteld. Tranen branden achter mijn ogen. Alles gaat stuk, wat ik ook doe. Ik ben woedend, voel me onbegrepen en bang. Bang omdat ik niet weet hoe ik hem zal aantreffen en al helemaal niet wat ik tegen hem moet zeggen. Maar ik moet naar hem toe, hoe dan ook. De Vluchtheuvel ken ik wel. Een vriendin van mij heeft er een tijdje gewoond, toen ze nergens anders meer terechtkon. Het is een goed huis, maar biedt niet de begeleiding die Chris nodig heeft. Hij heeft mij nodig, en juist nu ben ik er niet. Ik hou van hem, tenminste, dat zeg ik, steeds maar weer. Maar wat voor vriendin ben ik, als ik hem nu niet eens kan helpen? Maar misschien is het nog niet te laat. Hoewel hij tegen mij vaak agressief is, krijg ik hem nu, nu hij eenmaal hier woont, misschien wel zover dat hij echte, professionele hulp gaat zoeken. Hij zal wel moeten, ik bedoel, wat is het alternatief? Als hij me maar niet haat omdat ik weggegaan ben. Nee, natuurlijk niet. Naar mij zal hij wel luisteren.

Een halfuur later is die hoop vervlogen. Telkens als ik naar hem kijk kan ik nog niet bevatten wat er in die korte tijd met hem is gebeurd. Chris, de pijnlijk nette Chris, die knappe jongen die zo op zijn uiterlijk gesteld was dat hij zelfs zijn haar deed en schone kleren aantrok voordat hij ging inbreken, diezelfde Chris ziet eruit als een zwerver. Zijn haar is lang en vettig, hij is ongeschoren, zijn spijkerbroek ziet eruit alsof hij er ook in slaapt. Afwezig lachend kijkt hij me aan, maar zonder me te zien. Voortdurend maakt hij weer die vreemde kauwbewegingen, die me tot razernij drijven.

'Maar hoe kan dit nou?' vraag ik, met een snik in mijn stem. 'Je ging goed!' Hij haalt zijn schouders op, alsof hij zich erbij neergelegd heeft dat dit het leven is.

'De bajes, weet je. Ik kan er niet tegen, gewoon.' Het lachje verdwijnt geen moment van zijn gezicht, terwijl ik weet dat hij toch over een van de moeilijkste ervaringen van de laatste jaren vertelt. Hij kon niet tegen de gevangenis, dat weet ik. En hij heeft op het laatst heel wat gezeten.

'Het is trouwens jouw schuld.'

'Hè?'

'Ja. Die laatste keer dat jij hasjiesj voor me meenam, die was helemaal niet goed, weet je. Toen is er iets gebeurd in mijn hoofd, ik weet niet... Sindsdien, ja...'

Zijn ogen draaien weg, hij vervalt weer in de apathische kauwbewegingen. Ik weet niet wat ik moet zeggen. Hij bedoelt het vast niet zo, hij wil me vast niet echt de schuld geven, maar de opmerking treft me als een dolkstoot. Er was er niet één die zoveel bezoek kreeg in de bak als Chris, en dat meen ik.

Ik haal diep adem en zeg: 'Nou, gelukkig hoef je daar niet meer heen, hè? Je bent nou hier. Nu kun je beter worden, toch? We gaan gewoon samen naar een dokter.'

Uit niets blijkt dat hij me begrepen heeft, of zelfs maar gehoord. Ik zet me over de penetrante lichaamslucht heen en buig me naar hem toe om hem te kussen, maar hij reageert niet. Hij zit onbeweeglijk. Alleen zijn kaken gaan maar op en neer, onafgebroken.

'Heb je me niet een beetje gemist dan?' vraag ik.

Hij kijkt dwars door me heen, lijkt het wel.

'Ik jou anders wel.' Langzaam trek ik mijn spijkerjasje uit en laat me languit achterover op het bed vallen, zijn armen naar hem uitgestrekt. 'Kom es...'

Chris staat met houterige bewegingen op van zijn stoel, maar in plaats van naar mij toe te komen loopt hij als een zombie de kamer uit. Mijn armen vallen langs mijn lichaam op het bed. Ik sluit mijn ogen. Een minuut of vijf lig ik daar, maar hoe moe ik ook ben, ik val niet in slaap.

6

Ik ken het oude gebouw behoorlijk goed, uit de tijd dat ik mijn vriendin hier regelmatig bezocht. Als ik erdoorheen dwaal valt me op dat het er veel gezelliger uitziet dan ik me herinner. Of het is enorm opgeknapt, of mijn geheugen laat me in de steek. Ik zou er bijna zelf willen zitten, maar de kans dat ik door de intake kom is niet groot. Hoe beroerd en in de war ik me ook voel, ik ben lang niet hopeloos genoeg voor een opvanghuis. Ik loop wat door de gangen, rook een sigaretje in de tuin, en ga weer naar binnen. Chris zie ik nergens. Vaag hoor ik muziek. 'Walk like an Egyptian,' sporen de Bangles me aan. Zover ga ik niet, maar mijn humeur gaat meteen een paar puntjes omhoog en ik ga op het geluid af. Het is de radio in de keuken. Bij het aanrecht staat een blonde jonge vrouw. Het eerste wat me opvalt als ze zich omdraait om te zien wie er binnenkomt zijn haar staalblauwe ogen. Ze staan vrolijk.

'Hé, hai! Jij moet Esther zijn, toch?'

Geen idee hoe ze dat weet.

'Ik heb veel over je gehoord. Wat leuk om je te zien.' Ze komt met uitgestoken hand op me af. 'Carlin. Maar zeg maar Car, hoor. Dat doet bijna iedereen.' Ze trekt met veel kabaal een stoel tot bij de keukentafel. 'Kom effe zitten. Ik ben net thee aan het zetten. Jij ook?'

Ze pakt mijn hand opnieuw en trekt me bijna op de stoel. 'Eh, ja, graag.' Ik ben een beetje overdonderd door zoveel vriendelijkheid, maar ik kan niet ontkennen dat ik dat goed gebruiken kan, op het ogenblik. Ze schenkt thee in en met een dankbare blik omvat ik het dampende theeglas met beide handen. Het is helemaal niet koud, maar opeens merk ik dat ik me tot op het bot versteend voel.

'Jij bent de vriendin van Chris, toch? Ja, zie je wel. Hé, vertel, waar kom je vandaan?'

'Bedoel je nu, of in het algemeen?'

Carlin lacht. 'Begin maar met nu.'

'Van de boot.'

Carlin kijkt me verwonderd aan en ik vertel over mijn werk op de *Avanti*. Ze vindt het geweldig en al snel zijn we in een geanimeerd gesprek gewikkeld. Het is of we elkaar al jaren kennen. Ik wil net een slok nemen van mijn tweede kop thee, als ik van achteren besprongen word door een exacte kopie van Carlin, maar dan een paar maten kleiner.

'Ze mag je,' zegt Carlin lachend. 'Maar ik had ook niet anders verwacht. Zeg eens "hallo", Consuela,' vermaant ze.

'Hallo,' papegaait het meisje braaf.

Ik trek haar op schoot.

'Wie ben jij?' vraagt ze.

'Esther.'

'Woon jij hier?'

'Nee. Maar ik ken iemand die hier woont.'

'Ik wel,' zegt ze, terwijl ze zich van mijn schoot laat glijden. 'Met mama.' En net zo snel als ze gekomen is, verdwijnt ze weer.

Carlin staat op. 'We gaan er maar achteraan. Ga je mee?'

Ik loop met haar mee naar de kamer die ze deelt met Consuela. Het is de grootste kamer in het huis en zodra ik er binnenkom vult een bekende lucht mijn neusgaten. De restanten van een pregnante geur, die op volle sterkte haast misselijkmakend is. Maar nee, dat zal toch niet? Nee, niet hier, in De Vluchtheuvel, in de kamer waar ook Consuela slaapt. Ik verbeeld het me vast, ik ga nu ook al dingen zien en ruiken die er niet zijn.

'Nou, welkom in mijn paleis,' zegt Carlin sarcastisch. Ik ruk me los uit mijn herinneringen. 'Niet slecht, toch?' Met die opmerking heb ik onbedoeld het startsein gegeven voor haar hele levensverhaal. Ze vertelt dat ze met Consuela heeft moeten vluchten voor haar ex, die een alcoholprobleem had. Ik blijf luisteren, veel keus heb ik ook niet. Consuela heeft net zo lang achter mijn benen zitten wroeten tot ze ergens onder het bed een stapel papier en wat potloden vandaan tovert. Terwijl haar moeder mij haar treurige geschiedenis uit de doeken doet, kleurt ze heel stil grote vlakken geel, blauw, rood en groen. Primaire kleuren, fel en agressief. Ik ben doodmoe maar toch blijf ik luisteren en als Carlin uitverteld is, gebeurt het ongelofelijke. Als vanzelf begin ik te praten. Waar anders mijn brein op slot gaat zodra alles te dichtbij komt, doe ik tegenover deze vrouw, die ik pas een paar uur ken, mijn hele geschiedenis met Chris uit de doeken. Waarom? Waarom juist tegen haar? Geen idee. Is het de rust die ze uitstraalt, de kracht, het gemak waarmee ze vertelt over de moeilijke beslissingen die ze heeft moeten nemen? Meer waarschijnlijk omdat het water me tot aan de lippen staat. Ik weet niet meer wat ik moet doen en ben vermoedelijk in staat mijn hart bij iedere willekeurige voorbijganger uit te storten. Maar ik voel heel duidelijk dat Carlin niet, zoals al die anderen, zal zeggen dat ik beter af ben zonder hem. Carlin heeft de kracht gehad haar dochtertje op te pakken en met niet meer dan een paar spulletjes te vluchten voor de man van wie ze ooit had gehouden. Als er iemand is die mij de weg kan wijzen uit deze situatie, dan is zij het.

'Goh,' zegt ze, als ik uitgepraat ben. 'Die Chris. En wat ga je nu doen?'

'Kweenie. Misschien weer terug naar m'n pa. Voor een tijdje kan dat wel. En ik zal weer ergens een baantje moeten.'

'Met Chris, bedoelde ik.'

'Als hij nou gewoon verstandig was en hulp ging zoeken,' roep ik uit. 'Ik kan hem niet helpen, Car. Maar ik wil hem ook niet kwijt.'

'Arme schat.' Ze kijkt op de klok. 'Het is al laat. Blijf je eten?'

Eten. Daar heb ik nog niet bij stilgestaan.

'Graag,' zeg ik. Consuela zit nog steeds braaf te kleuren, ik weet niet hoe lang al. 'Je dochter is wel een schatje,' zeg ik.

Carlin lacht. 'Ja. Maar dat heeft ze niet van haar vader. Kom, we gaan naar de eetzaal.'

Chris is me nog niet helemaal vergeten. Dat zie ik aan de verbaasde en bijna afkeurende blik, als ik met Consuela aan mijn hand achter Carlin de eetzaal binnenkom. Niet alleen heeft hij me meteen in de gaten, maar zijn ogen staan ook een stuk helderder dan eerder die middag. Ik werp hem een vragende blik terug. Hij is 's middags de kamer uit gelopen, niet ik. Carlin zoekt een plekje schuin tegenover Chris en Consuela klimt vrolijk op de stoel naast haar. Ik kan nog kiezen uit een stoel vlak naast Chris, of eentje aan het hoofd van de tafel. Die neem ik. Carlin ziet het onmiddellijk, maar ze zegt gelukkig niets. Ik zit nog niet of Chris staat op en komt naar me toe.

'Hé, waar was je nou?'

'Waar was ik nou? Waar was jij, kan ik beter vragen. Ik kom voor jou helemaal hierheen en jij loopt weg. Wat is dat nou?'

'Ja, nee, ik moest gewoon even weg, weet je. Maar ik kan ook niet zonder je.'

'Ja, hallo...'

Kennelijk zijn ze hier wel wat gewend want er kijken niet eens veel mensen naar ons. Maar die paar die dat wel doen, maken me behoorlijk nerveus. Ik schaam me, nog meer voor hem dan voor mezelf. Te zien hoe hij zich, met zijn verwarde, zieke brein, voor al die mensen te kijk zet doet me onuitsprekelijk veel pijn. 'Ga nou maar zitten,' zeg ik. 'Dan praten we straks wel verder.'

'Ik zie 's nachts dingen. Daar ben ik bang voor.'

Ik kijk voor me uit en zwijg.

'Misschien als ik niet zo alleen ben...'

Mijn keel voelt droog aan en ik slik moeizaam. Ik weet waar dit op uitdraait.

'Wil je bij me blijven slapen?'

'Dat kan toch helemaal niet.'

'Ja,' zegt hij snel. 'De leiding vindt het goed. Ze zeggen dat het goed is voor mij.'

'O,' zeg ik. Een vlaag van woede welt in me op. De leiding vindt het goed. Hij heeft het al overlegd, alles is alweer geregeld. En ik? Heeft iemand eraan gedacht om te vragen wat ik van het plan vind? Maar dat zeg ik allemaal niet. Zoals zo vaak sla ik volkomen dicht. Ik voel dat ik rood word tot achter mijn oren. Mijn woede is nog even groot, maar ik doe wat ik altijd gedaan heb. Ik zeg ja.

Heimelijk hoop ik op een aparte kamer, maar dat zit er helaas niet in. Ik slaap die nacht bij Chris, dat wil zeggen, ik lig met mijn ogen open. Hij doet geen enkele poging om me aan te raken en ik moedig hem niet aan. Kennelijk valt het met zijn angsten wel mee, misschien helpt mijn aanwezigheid daadwerkelijk, want ik hoor hem regelmatig ademhalen. De hele nacht, want ik doe geen oog dicht. Wat wil ik toch? Ik hou van hem en kan niet leven met de gedachte dat ik hem kwijtraak, maar zoals hij nu is, is de wetenschap dat hij in dezelfde kamer slaapt voldoende om mij te verlammen van angst. Angst, waarvoor? Voor hem? Voor de toekomst? Ik weet het niet. Het enige wat ik doe is hopen dat het snel ochtend wordt en hij blijft slapen tot het zover is.

Om halfzes hou ik het niet langer uit. Zwetend en trillend van de zenuwen glip ik uit bed, de kamer uit en ga op blote voeten op zoek naar de douche. Mijn spieren doen zeer en ik ben stijf, alsof ik zo op de houten vloer heb gelegen, in plaats van in een echt bed.

Zo gaat het twee dagen en nachten, en dan ben ik emotioneel op. Volkomen op. Het is maandagochtend en ik weet niet meer wat ik moet doen. Chris neemt me volkomen in beslag, zuigt mijn energie op met een tempo dat ik onmogelijk bij kan houden. Hoewel ik het niet wil toegeven, heb ik een geweldige afkeer van hem ontwikkeld. En toch hou ik van hem. Het scheurt je in tweeën, te weten dat je iemand van wie je houdt los moet laten. En dat weet ik, in mijn onderbewuste.

'Mens, wat is er met jou?' is het eerste dat Carlin tegen me zegt, als ik haar in de gang bij de douches tref.

'Beetje slecht geslapen,' zeg ik, gemaakt nonchalant. Ik vermoed wel wat ze aan me gezien heeft, en anders zegt haar geschokte reactie wel genoeg, maar ik wil het niet weten. Ik kijk om me heen of er een spiegel is, maar de enige die ik zie is beslagen.

'Je ziet eruit als een geest,' zegt ze. 'Ga maar gauw douchen en dan kom je bij mij langs, oké?' Braaf knik ik.

Een kwartier later help ik haar spulletjes voor Consuela klaar te leggen, die straks naar school moet. Intussen heb ik de kans gekregen in de spiegel te kijken en ik heb gezien dat Carlin niet overdreven heeft. Eerlijk gezegd ben ik me rot geschrokken. Geen idee dat het zo erg was. Twee nachten bij Chris en ik zie er beroerd uit. Hologig, grauw. De spanning is van mijn gezicht af te lezen. Tranen staan in mijn ogen. 'Hij zuigt me volkomen leeg, Car. Zelf doet hij helemaal niks, er gaat niks van hem uit. Hij kamt zijn haar niet eens meer. En hij was echt een knappe gozer, hoor.'

'Ik geloof je.'

'Van alles neem ik voor hem mee. Scheerspullen, luchtjes, shampoo, allemaal uit Duitsland, dingen waar hij normaal gek op is. Hij kijkt er niet eens naar! Hij hoeft niet op zijn knieën van dankbaarheid maar een heel klein beetje aandacht, is dat te veel gevraagd? Ik word gek, ik word echt krankjorum op die manier.'

'Ga je zo mee, Consuela naar school brengen?'

'Ja, graag,' zeg ik, blij verrast. Alles om er even uit te komen.

'Dan moeten we zo gaan.'

'Ik loop nog even langs Chris, om te zeggen dat ik weg ben, oké?'

'Als jij dat nodig vindt. Laat toch liggen.'

Chris ligt natuurlijk nog in bed als ik de kamer in stap. Het maakt me zo kwaad als ik hem zo zie liggen. Ik pak zijn hand en zeg: 'Kom op, je moet je even opfrissen. Dit kan niet zo. Ik ga met Carlin mee en als ik terugkom ben jij gedoucht en geschoren.'

Met een knal gooi ik de deur dicht.

Consuela gaat graag naar school, dat zie ik aan alles. Ik klets even met de juf, terwijl Carlin nog wat zaken regelt, en als de deur van de klas dichtgaat gaan we weer naar buiten.

'Hé, ik moet iemand bellen. We gaan even op zoek naar een telefooncel, goed?'

'Ja, best, ik weet er wel een.'

Hilversum ken ik op mijn duimpje en moeiteloos breng ik mijn nieuwe vriendin naar de telefoon. Het is nog fris, in de morgen, als ik sta te wachten. Carlin komt opgetogen naar buiten. 'Goed nieuws!' roept ze. 'Ik heb misschien een kamer, ga je mee kijken?'

We sjouwen door Hilversum en bekijken een veel te dure, veel te kleine etage, in het huis van een oude dame. Maar Carlin is vastbesloten om met Consuela weg te gaan uit De Vluchtheuvel en neemt de etage, ook al heeft ze nog geen flauw idee hoe ze die gaat betalen. En over een weekje kan ze erin... Ik kijk met verbazing, bewondering en zelfs afgunst toe hoe ze heel voortvarend alles regelt wat nodig is. De mevrouw van de sociale dienst is geen obstakel van betekenis voor haar. Een lening? Voor een jonge alleenstaande moeder? Natuurlijk, geen probleem. Nieuwe inboedel op krediet, Carlin kletst alles voor elkaar. Ik voel me klein worden. Carlin is sterk, slim, weet wat ze wil en kan de hele wereld aan, zo lijkt het. Daar sta ik dan naast. Chris, die nota bene een dak boven zijn hoofd heeft en bovendien zijn eigen keuzes moet maken, is mijn grootste probleem. Verder heb ik met niemand wat te maken en ik heb geen flauw idee wat ik moet beginnen.

'Ik weet niet hoe je dat doet,' zeg ik, als we de laatste zaak uitlopen.

'Gewoon, vragen,' antwoordt ze simpel. 'Nee heb je...' Ze kijkt er triomfantelijk bij. 'En het is wel mooi gelukt, hè? Nog een week, Es, dan zeg ik "dag dag" tegen dat stelletje. O, die kleine zal zo blij zijn!' Ze pakt mijn arm. 'Weet je, we gaan het vieren! Ga je mee?'

'Mee waarheen?'

'Feestje vieren.'

'Oké, goed, leuk.' Zonder me af te vragen wat voor feestje je op maandagmiddag in Hilversum kan vieren, loop ik met haar mee. Ik mag haar, vertrouw haar en ben al blij dat er iemand is die me aandacht geeft. Zover ben ik al.

Consuela is dolblij me te zien. Het doet me zo goed, die kleine meid die in korte tijd zo op me gesteld is geraakt. Misschien, als de situatie tussen Chris en mij wat gezelliger en stabieler was geweest... Ik schud de bittere gedachte van me af. Ik kan al niet eens voor mezelf zorgen, nee, het is beslist beter zo. En nu? We lopen een eindje met z'n drietjes tot ik Marokkaanse muziek hoor, die uit een langzaam rijdende auto komt. Carlin kijkt om, de bestuurder, een vrij magere onmiskenbaar Marokkaanse jongen, draait zijn raampje omlaag. Hij rijdt voorbij, maakt aan het eind van de straat een rondje, tot hij naast ons stopt en het portier openhoudt. Zonder zich om ons te bekommeren, zo lijkt het, stapt Carlin in de auto. Pas als ze bijna zit zegt ze: 'Kom, stap in.'

Consuela loopt zonder aarzeling naar de auto en trekt het achterportier open alsof ze nooit anders doet. Ze laat zich op de achterbank vallen en schuift door, om plaats te maken voor mij.

In de auto is het lekker warm. De jongen achter het stuur

draait zich om naar mij en steekt zijn hand uit. 'Samir,' zegt hij.

'Esther,' antwoord ik waarheidsgetrouw. En daarmee is onze conversatie beëindigd. Samir rijdt weg en is meteen in gesprek met Carlin. Ik kijk wat om me heen en luister met een half oor naar de verhalen die Consuela me vertelt over haar schooldag.

'Wie is zij?' vraagt Samir.

'Esther, een vriendin van mij. Ken haar van De Vluchtheuvel,' antwoordt Carlin in mijn plaats. Ik vind het best, sterker nog, ik ben haar dankbaar. Nu pas, nu ik zit, merk ik hoe moe ik ben. Twee nachten bang zijn en piekeren, in plaats van slapen, de warmte en de bezwerende, mysterieuze klanken van de Marokkaanse muziek werken als een deken en ik wikkel me erin. Even niets, heerlijk.

Carlin is in een geanimeerd gesprek verwikkeld met Samir. Ik heb geen idee wat hun relatie is, maar uit de manier waarop ze met elkaar omgaan leid ik af dat ze elkaar meer dan vluchtig kennen. Af en toe vang ik flarden op van hun gesprek, ze hebben het over vakantie in Marokko. Het blijft bij flarden. Ik doe ook geen moeite om hun gesprek te volgen, het lukt me toch niet, vechtend tegen de vermoeidheid en met Consuela naast me die me nog steeds in beslag neemt. Wat ik wel merk is dat Carlin er blij van wordt. Het doet me goed en iets van haar blijdschap brengt ze ook over op mij. Ineens zie ik de toekomst, zij het heel voorzichtig, ook weer wat zonniger in.

We rijden een eindje en dan stopt de auto. Consuela kijkt nog steeds nergens van op, en mijn nieuwsgierigheid wordt pas geprikkeld als ik het geknisper van aluminiumfolie hoor, en vlammetjes zie flakkeren. In een mum van tijd is het interieur van de auto gevuld met de doordringende geur van heroïne. Diezelfde geur, die ook in Carlins kamer hing. Dus toch... Kennelijk is er op de voorbank een deal gesloten, maar daar heb ik dus helemaal niks van meegekregen. Dat is het feestje dus toch! Ik had het kunnen weten. En hier zit ik, met haar dochter op de achterbank en Carlin is doodgemoedereerd aan het gebruiken! Kennelijk niet voor het eerst ook, want Consuela verblikt of verbloost niet. Dat schokt me nog het meest. Dat kind, die schattige exacte kopie van haar moeder. Ik mag Carlin heel graag en ik denk dat ze een betere moeder is dan ik ooit geworden zou zijn, maar toch hoop ik van harte dat de gelijkenis tussen moeder en dochter tot de buitenkant beperkt zal blijven.

'Hé Es...' zegt Carlin na een tijdje. Haar stem is anders. 'Wat praat je gek!' Ik giechel zenuwachtig.

'Wil je ook een chineesje?'

Ik zie de rust in haar ogen en ineens wil ik niets liever. Even totale rust, even vakantie van mijn gevoel. Die term heb ik me al aardig eigen gemaakt, maar het idee maakt me desondanks doodnerveus. 'Ja, jeetje, ik kan toch niet hier... naast jouw dochter, gaan zitten gebruiken?'

'Dat geeft niet. Ik ben open tegen mijn dochter, ze weet wat ik doe, hè Con?'

Het meisje knikt braaf, maar ik ben nog niet overtuigd. 'Maar ik heb geen geld bij me.'

'Krijg je van mij. We moeten toch vieren dat mijn woning rond is? Kom op!'

Carlin ziet mijn aarzeling, maar ze houdt aan. 'Wacht,' zegt ze, 'dan ruilen we van plek, is dat goed? Dan kom jij voorin zitten.'

Al zou ik willen, ik kan aan de verleiding geen weerstand bieden. Nog nooit ben ik er zo dichtbij geweest en wat ben ik eraan toe. En eentje kan geen kwaad. Zeg ik tegen mezelf.

Carlin stapt al uit en we wisselen van plaats. Voor ik het weet zit ik naast Samir.

'Je moet haar wel een beetje helpen, Samir,' spoort Carlin hem aan. Weet zij veel... Niets houdt me nog tegen en ik doe daar ook geen enkele moeite voor. Als er ooit een moment is, dan is het nu. Samir heeft geen aansporing nodig. Met indrukwekkend gemak vouwt hij een nieuw folietje, strooit er de heroïne op en geeft mij een pijpje. Zijn gezicht is vlak bij het mijne als hij met zijn aansteker het poeder verwarmt. Ik zet mijn mond aan het pijpje en adem in. Gulzig. Te gulzig. En dan de flash. Het onbeschrijfelijke gevoel, dat je in één keer van alles verlost. Binnen een seconde is er van al mijn problemen, al mijn angsten, mijn onzekerheid niets meer over. Uiteensgespat en opgelost in een wolk van geluk.

Mijn geluk duurt niet langer dan een seconde of twee. Dan word ik misselijk. Of het is hele sterke heroïne, of ik ben het gewoon ontwend, in elk geval is het erger dan alle keren die ik me herinner. Zo misselijk ben ik nog nooit geweest. Er helpt niets meer tegen. In paniek grijp ik naar de hendel van het portier. Als ik het niet heel snel open heb, kots ik de auto onder. Samir reikt voor me langs en weet net op tijd het portier open te gooien. Ik val half naar buiten, klap dubbel en gooi alles eruit. Maar het deert me niet. Ik voel me niet vies, niet ziek, ben zelfs te stoned om de gal te proeven. Als ik helemaal leeg ben kruip ik weer in de auto. Gek genoeg ben ik al die tijd helemaal helder. Zelfs nu, twintig jaar later, weet ik de details nog. Ik kijk in het spiegeltje en zie dat mijn ogen heel lichtblauw zijn. Veel lichter dan anders, met pupillen niet groter dan speldenknopjes. Mijn geluk is letterlijk van mijn gezicht af te lezen. Ik weet ook ineens wat ik wil, ik wil naar Chris.

'O man... Willen jullie echt geen geld van me hebben? Hier moet ik toch voor betalen?'

Carlin buigt naar voren. 'Geniet ervan, meid, het is een cadeautje.'

Ik pak haar hoofd met beide handen beet en geef haar een dikke kus. 'Je wist precies wat ik nodig had. Wat een heerlijk gevoel. Dank je wel.'

'Weet je, het is pas goed als je het kan delen. Ik ben zo blij dat ik dit met jou kan delen, Es.'

Die nacht heb ik er minder moeite mee dat Chris me wakker houdt. Weer probeer ik seks met hem te hebben, hij wil niet. Ik weet niet wat hij wel wil. De eerste uren maakt het me niet zoveel uit, maar dan begint de flash uit te werken en zie ik de normale, grimmige contouren van de wereld van alledag. Die werkelijkheid is Chris, en als ik zie hoe hij daar ligt en me aankijkt, vreemd afwezig, kauwend op zijn onzichtbare kauwgom, word ik razend. Met tranen in mijn ogen sleur ik hem uit zijn bed, trek hem zijn shirt en onderbroek uit en zet hem eigenhandig onder de douche. Hij blijft staan, sullig, stomverbaasd over mijn doldrieste actie en in de tijd dat hij doucht zoek ik zijn mooiste kleren uit. Na een tijdje word ik rustiger. Ik ga terug naar de douche, draai de kranen dicht en bijna liefdevol help ik hem met afdrogen en aankleden. Met een punt van de handdoek veeg ik de wasem van de spiegel en dwing hem te kijken naar zijn spiegelbeeld. 'Dit ben jij, Chris. Kijk dan naar die jongen in de spiegel. Zo was je ooit, zo kun je weer zijn. Alsjeblieft, doe het voor mij. Word alsjeblieft weer die jongen waar ik verliefd op was, toe...'

Ik merk aan niets dat hij me gehoord heeft. Hij is zo ver weg. Als hij me aankijkt met diezelfde, gekmakende afwezige lach, ontsteek ik weer in woede. 'Chris!' gil ik. 'Je maakt mij kapot, je maakt alles kapot! Ik kán dit niet!'

Al mijn frustratie en machteloosheid zoeken in één keer een uitweg. Ik ben een vulkaan die uitbarst. Voor ik weet wat ik doe heb ik hem met mijn vlakke hand een keiharde klap in zijn gezicht gegeven. Ik vlucht weg, sluit me op in zijn kamer en pak mijn spullen in. Ook ik trek mijn leukste kleren aan, overdrijf een beetje met make-up. Waarom weet ik niet, maar vandaag wil ik niet dat iemand iets van mijn ellende ziet.

Ik bereik de eetzaal zonder dat ik Chris tegenkom. Carlin zie ik wel, ze zit samen met een ander meisje aan de tafel in het midden en drinkt koffie. Ik heb haar de afgelopen dagen wel vaker gezien, maar nooit aandacht aan haar besteed. Ze knikt even ten teken dat ze me gezien heeft. Ik knik terug. Pas als het meisje haar kopje oppakt en ermee wegloopt, komt Carlin naar me toe. Aan de manier waarop ze omkijkt, alsof ze zeker wil weten dat het andere meisje weg is, merk ik meteen dat er iets is.

'Dat is Ingrid,' zegt ze ongevraagd. 'Heeft iets met Chris, wist je dat?'

Ik voel de grond onder mijn voeten wegzakken. Wát? denk ik.

'Nee,' zeg ik en ik schud mijn hoofd. 'Nee.'

Carlin knikt. Ik voel iets knappen, vanbinnen. Letterlijk, als een elastiekje. Alles voel ik tegelijk. Woede, verraad, afwijzing, haat zelfs. Alles buitelt door elkaar heen in mijn hoofd. Zie je wel, dat dacht ik al. Zij, die labiele trut, zij krijgt de goede, charmante kant van Chris te zien. De schizofrenie bewaart hij voor mij, om over te tobben.

Ik voel een hand op mijn arm. 'Ik ga straks naar Utrecht, wil je mee?'

'Daar wou ik sowieso naartoe,' zeg ik mat. Ik heb het zwaar onderschat. Ik kan en zal het nooit winnen van die vreselijke ziekte die schizofrenie heet.

'Hier heb ik niks meer te zoeken. Maar ik ga ook een baantje zoeken, Car.'

'Dan gaan we eerst de uitzendbureaus af,' zegt Carlin. Praktische, doortastende Carlin. Mijn steun en toeverlaat.

7

Utrecht, november 1986

Hoe het kan, ik heb geen idee, maar zodra onze rondgang langs de uitzendbureaus in Hilversum mij een tijdelijk baantje bij een kledingzaak heeft opgeleverd, bevinden we ons zomaar ineens in Utrecht. We lopen vanaf het station Hoog Catharijne in; die monsterachtige betonkolos met lichtreclames in plaats van daglicht, zoevende roltrappen en metershoge spiegelruiten die er een ietwat misplaatst air van grandeur aan geven, en die op dolende zielen zoals ik een haast nog grotere aantrekkingskracht lijkt te hebben dan op het winkelend publiek. Maar hé, ik ben toch winkelend publiek? Kopen en verkopen, daar gaat het om. Alleen is datgene waar ik naar op zoek ben niet in de normale winkels te koop, maar in de holen en gaten waar de meeste mensen nooit komen en die het domein zijn van dealers en junks, de naar pis stinkende nissen bij de parkeergarages en achter betonpilaren. De plekken die Carlin feilloos weet te vinden, zodra ik het woord 'feestje' heb laten vallen.

Net voor de taxistandplaats zitten twee jongens, ongeveer zo oud als ik, tegen een muurtje. Een van hen springt op zodra hij ons in de gaten krijgt. Hij begroet Carlin als een oude vriendin. Meteen daarna steekt hij zijn hand naar mij uit, die ik een beetje verbouwereerd vastpak.

'Jij bent Esther,' zegt hij.

Ik verschiet. Hoe weet hij dat? Om de een of andere reden vind ik het vervelend dat hij mijn naam kent, en die uitspreekt op een manier alsof hij nog veel meer van me weet. Ik wil niet dat hij iets van me weet, en al helemaal niet dat ik hier regelmatig kom.

'Carlin heeft over jou verteld,' zegt hij.

Dat heeft ze dan snel voor elkaar gekregen, denk ik nog, maar eigenlijk ben ik er met m'n gedachten op dat moment al niet helemaal meer bij. Mijn ogen worden als door een magneet getrokken naar de andere jongen. Ik moet naar hem blijven kijken, of ik wil of niet. Is het zijn uiterlijk? Ja, hij is absoluut de mooiste jongen die ik in lange tijd, nee correctie, in mijn hele leven gezien heb. Z'n slanke, atletische lichaam, soepel, zuidelijk en vol van beloften, en dan die ogen, die ogen! Maar er is meer. Er hangt iets om hem heen, een uitstraling, een gevoeligheid waar ik verlegen van word maar waardoor ik nog meer tot hem aangetrokken word dan tot dat hele Hoog Catharijne. En dat is wederzijds, dat merk ik aan de manier waarop hij opvallend onopvallend niets tegen me zegt. Hij lacht een beetje, ook verlegen, alleen niet naar mij maar naar Car. En toch, steeds als hij denkt dat ik het niet doorheb, zie ik hem naar mij kijken, zoals ik ook naar hem kijk. Mijn lichaam gloeit helemaal. Omdat ik niet weet wat ik ermee moet probeer ik hem te negeren. Ik concentreer me weer op het gesprek met de andere jongen. Of hij iemand weet die... Ja, die weet hij wel. Tien tellen, dan is hij terug. Tien tellen, oké? Wacht hier. Zo snel kan dat gaan en hij houdt woord. In no time is hij terug en neemt ons mee naar een van de vele trappenhuizen. Hij geeft ons allebei wat, ik wilde Carlin trakteren maar we hoeven niks te betalen. Folie knispert, het wordt warm, we roken. Als het op is wil Carlin vrij snel weg. Ik niet. Ik wil terug naar dat muurtje. Of wil ik niet terug naar De Vluchtheuvel? Nee, dat helemaal niet. Zeker niet nu ik me net lekker voel. Ik heb nog geld, ik blijf. Carlin maakt er geen punt van. Ik blijf met de jongen achter. We babbelen over van alles, roken nog wat. Ik voel me goed, ik voel me veilig. Als we terugkomen bij het muurtje is de andere jongen verdwenen. We nemen afscheid en spreken af elkaar hier weer te treffen. De volgende dag moet ik werken, mijn eerste dag in de confectie. Ik besluit te overnachten bij mijn nicht, die vlakbij woont. Ik hoef niet zo nodig weg uit Utrecht, liever niet zelfs. Trouwens, waar moet ik heen?

Zonder dat ik het weet is een nieuwe, beslissende periode in mijn leven begonnen. Ik werk overdag en ontmoet mijn nieuwe maatje in Hoog Catharijne als ik klaar ben. Nu moet ik wel betalen, maar het geld dat ik met mijn uitzendbaantje verdien is genoeg voor dope voor ons allebei. Hij wil altijd graag met me roken, maar dat vind ik niet erg. Ik heb geld en het is gezelliger dan alleen. Vaak zitten we in parkeergarages of trappenhuizen, maar meestal in de wc's. Zelfs als we met z'n tweeën in zo'n krap wc-hokje zitten is hij niet lastig. Hij probeert niet aan me te zitten, hij laat me in mijn waarde en is als een broer voor me. We roken en kletsen. Hij heeft een verhaal, wordt heen en weer geslingerd tussen twee culturen, voelt zich nergens thuis en dat is iets waar hij niet mee om kan gaan. De heroïne is zijn ontsnapping uit de onzekerheid, uit het gevoel nergens thuis te zijn. Bij mij is het niet anders. Als ik hem vertel over mijn jeugd en over mijn relatie met Chris, merk ik dat we in hetzelfde schuitje zitten.

Hij weet de weg en komt altijd met goed spul terug. Dat is een geluk. Daardoor ga ik er ondanks mijn gebruik, of misschien wel juist daardoor, steeds beter uitzien en ben ik 's morgens zo helder dat op mijn werk niemand doorheeft dat ik hard op weg ben om een junk te worden. Als ik het niet al ben. Nee, zeg ik tegen mezelf. Ik niet. Ik verzorg mezelf tenminste, ik gebruik omdat ik het graag wil, omdat het lekker is en ik ervoor kies. Ik ben niet als die junks, die ik overal om me heen zie, en die niet anders kunnen. O nee, ik niet.

Zo hou ik mezelf voor dat ik aan het opkrabbelen ben, dat het beter met me gaat, zonder Chris en de constante druk van onze relatie. En het lukt nog aardig ook, om mezelf te besodemieteren. Tot ik hem op een middag in Hoog Catharijne zomaar tegen het lijf loop. Ik schrik me kapot. Zelfs die laatste keer in De Vluchtheuvel, voor ik hem onder de douche zette, leek hij een fotomodel vergeleken met nu. Ik sta perplex en weet niet wat ik moet zeggen, maar ontlopen kan ik hem niet, want zodra hij me in het oog krijgt begint hij tegen me te schreeuwen.

'Vuile trut, je hebt me in de steek gelaten! Dit is allemaal jouw schuld.' Het is zaterdag en razend druk. Ik voel me opgelaten als ik tientallen mensen naar ons zie kijken. Ik kan niet anders dan hem bij zijn mouw pakken en meetrekken naar een hoekje waar we tenminste niet zo opvallen.

'Hoezo?' zeg ik. Zelf word ik ook kwaad. 'Denk je ooit wel eens aan mij? Heb jij enig idee hoe ellendig ik me voel?'

'Je had niet weg mogen gaan!'

'Ik wou je helpen, Chris, maar je hebt nooit naar me geluisterd. Nooit!' Tranen van woede en wanhoop springen in mijn ogen. Ik pak hem bij zijn schouders en rammel hem door elkaar, alsof ik hem daarmee eindelijk wakker kan schudden. Mijn maatje probeert me te sussen maar ik ben door het dolle heen. Alles gooi ik eruit, al mijn frustratie en angst gooi ik Chris in zijn gezicht.

'Elke keer als je weg was, nachten achter elkaar, was ik ziek van ongerustheid. In de bajes heb ik je achternagelopen met van alles en nog wat. Alles wat ik verdiende heb je gewoon vergokt. En wat kreeg ik als dank? Nou? Klappen kon ik krijgen! Je bent gewoon een ondankbare, egoïstische klerelijer, weet je dat? Tot op het laatst heb ik het geprobeerd, heb ik van je gehouden. Iedereen zei dat ik ervandoor moest gaan als jij vastzat, maar ik hield vol dat het wel beter zou worden.'

Hij staat er schaapachtig bij, ik praat tegen een muur en als ik klaar ben vraagt hij: 'Heb je wat geld voor me?'

'Zeker weer om in die klotekasten te gooien!' bijt ik hem toe. Ik, die zelf dope gebruik.

'Nee, echt niet. Ik moet ergens slapen, weet je. Ik zit niet meer in De Vluchtheuvel.'

'Dat verbaast me niks.' Chris kijkt me trouwhartig aan en ik voel dat ik weer ga verliezen.

'Je gaat er echt niet mee gokken?'

'Nee, echt niet...'

Oké dan, vooruit maar weer. Mijn medelijden wint het van mijn woede. Alweer. Hij is ziek, zeg ik tegen mezelf, hij kan het niet helpen. Zeur niet zo, Esther, wees nu maar lief voor iedereen en help waar je kan. Ja ma, ja pa. Ik geef hem wat ik kan missen. Hij loopt ermee weg zonder iets te zeggen.

'Snap je het nu?' zeg ik tegen mijn maatje, als hij weg is.

'Dat je het zo lang hebt volgehouden,' antwoordt hij. We gaan op zoek naar heroïne en roken ons die avond een versuffing. Wat ben ik blij dat er een medicijn bestaat tegen dit leven.

De wereld is te klein om je in te verbergen of om zelfs maar het geringste te doen zonder dat iemand het merkt, en Utrecht helemaal. Het duurt geen week voor ik via via te horen krijg dat Chris met het geld dat hij van mij heeft gekregen, linea recta naar de gokhal is gegaan. Hoewel ik het eigenlijk had kunnen weten, had móéten weten, breekt mijn hart als ik het hoor. Kennelijk was er nog een heel klein beetje gevoel over, ergens in mijn aangevreten ziel, en een restje vertrouwen. En dat doet me nu de das om. Ik weet niet of ik kwaad moet zijn of verdrietig en daarom ben ik het allebei. De volgende zaterdag, op Hoog Catharijne, zie ik hem weer. Deze keer ben ik het die met schreeuwen begint. Ik maak hem uit voor alles wat mooi en lelijk is. Chris staat erbij en kauwt zijn onzichtbare kauwgom. Gék word ik van hem. Ik schreeuw dat het nu definitief uit is tussen ons. Uit, voorgoed, en dat ik hem nooit meer wil zien. Het doet me ongelofelijk veel pijn om dat te zeggen en als hij daar zo staat, moet ik me ondanks al mijn woede inhouden om hem niet in mijn armen te nemen. Hoe kan iemand die me zoveel pijn gedaan heeft, geestelijk en lichamelijk, zoveel bij me losmaken? Maar zelfs dat zal hij niet begrijpen. Mijn woorden druipen van hem af, als water van de veren van een eend. Niets wat ik zeg raakt hem, laat staan datgene wat ik niet zeg, mijn gevoel. Ik raak hem niet aan, daarvoor ben ik té boos en bovendien is mijn maatje erbij. Ik draai me om en laat Chris daar staan. Hij hoeft niet te zien dat ik om hem huil.

Even later voel ik een arm om mijn schouders. 'Kom,' zegt mijn maatje zacht en begrijpend. 'Laten we gaan.'

Snikkend knik ik. Mijn maag doet zeer als ik met hem meeloop, maar ik kijk niet om. Nooit zal ik meer naar Chris omkijken. We lopen door Hoog Catharijne, waar de winkels nog open zijn. Het is druk, het is altijd druk. De mensen om me heen zijn een grote deinende massa, die op me afkomt en dan weer weggaat, zonder dat ik afzonderlijke gezichten kan onderscheiden. Mijn hoofd is te vol en mijn blik is wazig door de tranen. Mijn maatje neemt me mee naar een dealer en koopt medicijn voor me, het enige medicijn dat nu kan helpen. Zomaar ergens, tussen de winkels die nog open zijn, gaan we zitten. Mensen kijken, meewarig of vol afschuw. Het kan me niks schelen. Laten zij het maar eens proberen, mijn leven en dan zonder dope. De heroïne doet zijn werk en langzaam zak ik weg in mijn eigen wolkje van zorgeloosheid. Het voelt heerlijk, ik ben licht, ik kan alles, de wereld is goed.

En dan, plotseling, is hij er weer. Dezelfde mooie jongen, van wie ik mijn ogen niet af kon houden en die ik geprobeerd heb te vergeten, omdat ik hem toch nooit meer zou zien. Maar hij heeft lang niet dezelfde uitstraling waar ik zo door gebiologeerd was. O nee, hij is kwaad, praat geagiteerd tegen mijn maatje, zijn woorden onderstrepend met wilde handgebaren. Dat temperament, die fonkelende ogen, mijn god, hij is nog mooier dan ik me herinner. Hun ruzie maakt me niet bang, niks kan me op dit moment bang maken. En hoewel ik geen woord versta van wat ze zeggen, begrijp ik dat ze het over dope hebben. En over mij. Ik begin te lachen.

'Hé, maken jullie ruzie om mij?'

De jongen kijkt mij verstoord aan.

'Wie is hij toch?' vraag ik mijn maatje. Nu wil ik het weten ook.

'Mijn broer.'

'Je broer is kwaad op je,' merk ik koeltjes op, maar mijn hart gaat tekeer en ik durf de jongen op slag niet meer aan te kijken.

'Hij wil niet dat ik met jou rook. De vorige keer ook al, toen hij zag dat jij met Carlin was.'

'Carlin is niet goed voor jou,' zegt de jongen. 'Jij hoort hier helemaal niet thuis. Je moet niet meer komen, echt niet. Dat is toch zonde? Jij bent zo'n mooie vrouw.' Hij klinkt allang niet meer boos, eerder bezorgd.

Ik slik en probeer niet te laten merken dat er zojuist een bom is ontploft in mijn ziel. Hij, de mooiste jongen op aarde, vindt mij een mooie vrouw en maakt zich zorgen om mij. Ik kijk hem aan en verdrink in zijn ogen.

'Hé, Esther, als je dan toch wil roken, kom dan naar mij. Dan krijg je tenminste de hoeveelheid waar je voor betaalt. Dynamite, en geen gemalen Stophoest of van die versneden troep, oké? Maar niet roken is het beste.'

'Het is...' Ik piep helemaal, kan geen woord uitbrengen en schraap mijn keel. 'Ik vind het heel lief en attent van je, dat je zo om me denkt. Maar...' waar vind ik je dan?' voeg ik er verlegen aan toe.

'Vraag maar aan hem, hij weet het wel. Ik ben niet zo vaak op Hoog Catharijne.'

De teleurstelling moet van mijn gezicht af te lezen zijn. Shit! Niet op Hoog Catharijne? Dat gaat een hele toer worden. De aantrekkingskracht tussen ons is bijna voelbaar. Dope hoef ik al niet eens meer, als ik hem maar heb.

En hier moet ik noodgedwongen het verhaal even onderbreken. Al een paar bladzijden heb ik het over 'mijn maatje' en 'de mooie jongen', en nog steeds weet u hun namen niet. Laat ik u meteen uit de droom helpen. Die komt u ook niet te weten, net zomin als het land waar ze vandaan komen, waar ze wonen en wie hun familie is. Dat heeft een reden. Ik vertel mijn verhaal open en eerlijk, zoals het zich heeft afgespeeld, zonder een blad voor mijn mond te nemen. Zelfs als het over de dingen gaat waar ik me nog altijd voor schaam en die ik vóór dit moment nog nooit aan iemand heb verteld. Dat doe ik omdat ik wil dat u weet welke gevolgen mijn keuzes gehad hebben voor mijn leven, tot op de dag van vandaag.

Het is heel duidelijk niet mijn bedoeling om wie dan ook, en zeker hem niet, alsnog in moeilijkheden te brengen of te beschadigen. Wat hij ook met mij gedaan heeft, ik heb het allemaal zelf laten gebeuren. Ik moet toegeven, het heeft lang geduurd, maar ik heb het hem vergeven. Daarom wil ik niet dat wie dan ook, nu nog, na zoveel jaren, met mijn boek in de hand naar hem op zoek gaat en het hem voor de voeten gooit. Een fictieve naam is daarom in dit geval niet genoeg. Alle verwijzingen naar zijn identiteit blijven verborgen en als u meent er toch één te ontdekken, geloof me, die is vals.

De mooie jongen, dus. Dat was hij. Maar omdat ik hem niet het hele boek door zo kan blijven aanduiden, noem ik hem 'Z'.

Z neemt in no time Chris' plaats in mijn gedachten over. Ik hou mezelf voor dat ik niet zo snel verliefd word, of althans niet meer, en dat het de chemie tussen ons is, zijn uitstraling, zijn aura, zijn... Ik ben dus gewoon verliefd. Ik zweef en ik onderdruk mijn heftige gevoelens met extra heroïne.

Maar Z laat zich niet eens meer zien. Onuitstaanbaar onweerstaanbaar. Het duurt tot het eerstvolgende weekend voor ik hem weer zie. Ik ga met zijn broer naar een coffeeshop waar we wel vaker komen en daar zit hij. Op slag begeven mijn knieën het. Ik weet me geen houding te geven en het liefst zou ik door de grond zakken. Juist nu heb ik niets op en ook niets bij me. Dat is echt een ramp. Hoe moet ik dit doen, nuchter, op eigen kracht? Zelfs gevoelens als verliefdheid en verlegenheid kan ik zonder een beetje hulp niet meer aan. En nog altijd geef ik niet toe dat ik verslaafd ben. Natuurlijk doe ik mijn best om zo cool mogelijk over te komen, maar ik voel dat het een jammerlijke mislukking is. Mijn hart klopt in mijn keel en mijn lichaamstaal... nou ja, je moet wel stekeblind zijn om die niet te begrijpen.

'Hé, wat doe jij hier?'

'Had je dat niet verwacht?'

'Nee, eigenlijk niet, nee. Ik zie je hier anders nooit.'

'Zo vaak kom ik hier ook niet, dat klopt dus wel.' Z knikt in de richting van zijn broer. 'Alleen om hem in de gaten te houden.'

Mijn blik gaat naar zijn hand. Tussen zijn vingers zit een dikke joint.

'Oké,' geeft hij toe, 'en af en toe een jointje te roken.'

Ik ga erbij zitten. Z kijkt me aan. Ik smelt. 'En jij? Hoe gaat het met jou?' vraagt hij. Ik voel zijn blik langs me glijden. 'Je ziet er goed uit.'

'Dank je.' Mijn wangen kleuren, ik voel het. Ik haat het. Een ongemakkelijke stilte volgt. Wat moet ik tegen hem zeggen? Niet wat ik denk, dat is zeker.

Z lost het op door te zeggen: 'Er speelt een goeie band vanavond, in Rasa. Als je tijd hebt kunnen we misschien wel samen gaan.'

Mijn hart maakt een sprongetje. Als ik tijd heb? Al moest ik bij de koningin op bezoek. Die kon wachten!

'Tja, ik weet niet,' zeg ik. 'Welke band dan?'

Z geeft geen antwoord op mijn vraag. Wat kan het me ook schelen welke band er speelt. Het was zomaar een vraag, want ik mag vooral niet te gretig lijken.

'Maar zonder mijn broer, hoor,' zegt hij.

'Hoezo?'

Z kijkt afkeurend en schudt zijn hoofd. 'Soms als hij drank op heeft, en pillen, is-ie eh, niet zo gezellig. En hij zou jaloers kunnen worden.'

'Jaloers op wie?' vraag ik verbaasd. 'Ik heb toch niks met hem?'

'Dat is juist zijn probleem,' zegt Z. Hij houdt zijn hoofd een beetje schuin en kijkt me aan. Om zijn mond speelt een glimlachje. 'Maar hij voelt wel dat er tussen ons iets zou kunnen gebeuren.'

Een moment is het helemaal stil om me heen. De wereld staat stil, als om mij de gelegenheid te geven dit even te verwerken. Als ik weer iets hoor, is het het bonken van mijn hart.

'Misschien is het er al wel,' zegt Z, meer in het algemeen dan tegen mij. Hij neemt een lange teug van zijn joint en maakt hem uit. Even gaat hij verborgen in een grote rookwolk. 'Of niet?' Als de rook is opgetrokken kijkt hij me weer aan. Ik ben rood tot achter mijn oren.

'Nou ja, ik weet het niet. Je doet me wel wat, dat heb je wel aardig door ja. Ik word tamelijk zenuwachtig als jij in de buurt bent.'

Z lacht. 'Ik ben blij dat je dat zegt. Dat heb ik ook bij jou.'

Ik trek een stoel bij en ga zitten. Dit gaat me allemaal veel te snel. Het is zo mooi, hij is zo mooi, maar als ik nu iets begin, met wie dan ook, is het gedoemd te mislukken.

'Laten we het maar gauw vergeten,' zeg ik. 'Je hebt niks aan mij nu.'

'Waarom zeg je dat?'

'Ik zit zo in de shit, jongen, daar heb je geen idee van. Daar ben ik voorlopig nog niet uit.'

Z boort zijn ogen in die van mij. Er is geen ontsnappen aan. Ik blijf hem aankijken, of ik wil of niet.

'Niet alleen, nee,' zegt hij. 'Maar samen kunnen we jouw pijn verlichten. Samen komen we er wel uit.'

Dat is precies wat ik wilde horen. Weer ontmoet ik een jongen die precies de goede dingen zegt, op het goede moment. Dit is precies zoals mijn relatie met Chris begon. Wij tweeën tegen de rest. Datzelfde gevoel roept Z nu ook bij me op. Veiligheid, warmte, samen. Net nu ik het zo nodig heb. Mijn hart is reddeloos verloren en Z weet het.

'Maar ga je nu mee naar Rasa?' vraagt hij, een beetje ongeduldig. Ik kijk om me heen en zie dat zijn broer niet meer in de zaak is.

'Oké,' zeg ik. 'Maar ik moet eerst een beetje bruin scoren. Kun jij me niet even naar een dealer brengen? Jij weet vast wel een goeie.'

Hij schudt zijn hoofd en glimlacht vergoelijkend. 'Misschien koop ik wel wat voor je en roken we samen.'

Opnieuw ontploft er een bom. Hij ook al? Uitgerekend hij, zo'n sterke, evenwichtige persoonlijkheid? Hij die rust uitstraalt en overwicht over de situatie, in alles wat hij doet? Hij heeft toch zeker geen heroïne nodig? Ineens bekijk ik hem met andere ogen, maar gek genoeg voel ik ook iets van saamhorigheid. Nog iets dat we samen delen, denk ik. Ik voel me sterker nu ik dit weet, maar ergens, diep in mijn hart, ook een beetje kouder.

Z moet het aan mijn gezicht kunnen zien, want hij zegt: 'Ja, ik gebruik eigenlijk alleen maar met anderen hoor, voor de gezelligheid.'

Dat stelt me gerust. Ik zou ook werkelijk geen andere reden weten waarom hij zou moeten gebruiken.

Die avond in Rasa is er een om nooit te vergeten. De muziek is goed, al zou ik nu niet meer weten welke band er speelde, maar daar gaat het ook niet om. Er is sfeer. Overal zie ik blije mensen en dat voelt zo goed. Z heeft alleen maar oog voor mij. We zijn echt samen en als het aan mij ligt gaat dat nooit meer veranderen. We roken met z'n tweeën op de wc, we kussen voor het eerst en alle beloften die ik in hem had gezien blijken stuk voor stuk waar. De enige domper is dat zijn broer het ook ziet en het niet kan verkroppen. Als ik op een gegeven moment boven de muziek uit ruziënde stemmen hoor en omkijk, zie ik dat hij stampij staat te maken. Hij schreeuwt tegen Z en geeft hem een duw. Z heeft gelijk gehad, zijn broer is jaloers. Hoewel ik overduidelijk het onderwerp van hun meningsverschil ben, besluit ik me er niet in te mengen. Ik heb geen zin om mijn stemming te laten bederven en bovendien zou ik het alleen maar erger maken. Z probeert hem te kalmeren, maar hij wordt alleen maar kwader. Andere mensen gaan zich ermee bemoeien en proberen zijn broer met zachte drang naar buiten te bewegen voor het uit de hand loopt. Het lijkt erop dat hij gaat, maar dan ineens komt hij op mij af. Ik schrik en kan zo gauw geen kant meer op. Hij staat al voor me. Zijn gezicht is vlak bij het mijne, als hij zegt: 'Pas op voor mijn broer.'

'Maar... Waarom?'

'Pas gewoon op, oké?'

'Hé! Wat bedoel je?'

Hij steekt waarschuwend een vinger op en kijkt me doordringend aan. En dan is hij weg, opgeslokt door de dansende menigte.

8

Warme wind omspoelt mijn hoofd. De zee ruist. Ik voel me vreemd. Aan één kant beter dan ik me in lange tijd gevoeld heb, dat komt ongetwijfeld door de omgeving. Maar die omgeving en de mensen hier, doen ook iets anders met me. Iets wat ik niet kan verklaren, maar waardoor ik soms niet meer weet wie of wat ik ben. Langzaam, in gedachten verzonken slenter ik door het hete zand. Ik zou blij moeten zijn, ik ben op vakantie! De laatste keer in het buitenland was toen ik op de boot werkte. De laatste vakantie? Die kan ik me niet eens meer herinneren. Dus ben ik blij, al was het maar omdat ik vind dat ik dat verplicht ben ten opzichte van Z en zijn familie.

Misschien is het allemaal te snel gegaan, achteraf gezien, en had ik hier beter niet kunnen zijn. Maar ja, achteraf is alles duidelijk en overzichtelijk en weet je precies welke kant je op moet. Hoe anders is dat als je er middenin zit. En sinds die eerste avond in Rasa *zit* ik er middenin. Z is overal en altijd in mijn gedachten, vierentwintig uur per dag. Hij is temperamentvol, expressief, fel en teder tegelijk. We vrijen dat de stukken ervan afvliegen en ik vind het heerlijk. Z laat me delen van mezelf ontdekken waar ik het bestaan niet van wist. Als we elkaar een paar uur niet gezien hebben worden we allebei, tegelijk, onrustig. Voor hem loop ik naar het eind van de wereld, zonder heroïne, en weer terug.

Natuurlijk ben ik allang vergeten dat ik van plan was het na Chris rustig aan te doen en niet meer zomaar ergens in te stappen. Al helemaal niet in een relatie. Maar het is zo mooi, zo veilig, en zo gezellig vooral. Hij laat me kennismaken met zijn familie, schatten van mensen bij wie ik me binnen de kortste keren helemaal thuis voel. Zijn familie is het gezin dat ik nooit gekend heb, waar ik mezelf kan zijn en niet de hele tijd op mijn tenen hoef te lopen, bang dat ik niet aan de verwachtingen voldoe. Eindelijk begint mijn jeugd. Avonden, nachten, zitten we te kletsen, Z, zijn broers, zijn zus en ik. We roken een blowtje, ik, die eigenlijk niet tegen hasjiesj kan. Daarnaast gebruiken we wel heroïne, maar niet zoveel. Van dit gevoel hoef ik geen vakantie te nemen, liever niet zelfs.

De relatie zuigt me op en ik geef me er moeiteloos aan over. Ik maak weer ergens deel van uit. Dat brengt echter ook een praktisch probleem met zich mee. Z woont bij zijn ouders in Utrecht en met z'n tweeën kunnen we niet elke avond bij mijn nichtje aankloppen, waar ik tijdelijk woon, of bij mijn vader pitten als het zo uitkomt. Ik moet een plekje voor mezelf hebben en huur een piepklein kamertje in Hilversum, veel te klein voor ons tweeën, maar wel een eind bij Hoog Catharijne vandaan. Bewust, want weer ben ik van plan er nu toch echt mee te stoppen. Z is het helemaal met me eens, hij ook. 'We moeten hieruit, Es.' O ja, in theorie weten we het zo goed. Maar hoe ver kom je met theorie, als je vriend elke middag in de stad zwerft en er altijd dope in de buurt is? Als je het idee hebt dat je je tussen junks en dealers meer op je plek voelt dan in die andere, 'normale' wereld. Als je aan het afglijden bent, zoals ik.

Ondanks mijn gebruik werk ik nog steeds in de kledingzaak. Z slaapt vrijwel elke nacht bij mij en als ik eruit moet om naar mijn werk te gaan ligt hij nog in een diepe coma. Dus sluip ik elke morgen heel zachtjes de kamer uit, wat niet nodig is want zelfs een kanon zou hem niet wakker maken, maar toch. Z slaapt meestal tot een uur of vier 's middags, voor hij opstaat om zijn methadon te halen. Z gebruikt dan al een tijd methadon, voor mij op dat moment een onbekend middel en als hij zijn bekertje medicijn achteroverslaat ben ik zo'n beetje klaar met mijn werkdag. Altijd tref ik hem na mijn werk in de stad. Een veilige, vertrouwde, rustgevende routine. Bijna zoals een gewoon werkend stel. Behalve dan dat dag en nacht naadloos in elkaar overgaan en Z niet werkt, maar wel altijd geld op zak heeft. Ik zie het aan, ik neem het voor lief, maar in mij groeit de onrust. Mijn god, ik voel weer precies dezelfde angst die ik had als Chris weer eens een nacht niet thuiskwam. En Z is er nog trots op ook. 'Kijk schatje, wat ik vandaag voor ons bij elkaar verdiend heb.' Verdiend, ja ja. Net als die schrammen en builen, als hij net niet op tijd heeft kunnen wegkomen? Net als die keer dat de beveiliging toch iets sneller was en Z op het politiebureau belandde?

Maar dit is zijn wereld en als ik echt van hem hou moet ik die accepteren, zeg ik tegen mezelf. Hij is in zijn eer aangetast als ik er iets van zeg, als ik hem probeer uit te leggen dat ik gek word van angst, dat ik die onrust niet meer aankan.

'Ga dan met me mee,' zegt hij. 'Dan hoef je niet meer zo hard te werken, de hele dag voor een hongerloontje.'

Mee? Ik met mijn lompe lijf, die overal tegenaan loop en over struikel? En nog meer stress omdat ik alleen maar een blok aan zijn been ben? Geen goed plan. Als wij samen op pad gaan, zitten we al bij de eerste de beste klus in de cel.

'Nee,' zeg ik. 'Kijk om je heen, naar al die junks, die weirdo's. Zo wil je toch niet worden? We zijn verhuisd om niet meer zo dicht bij Hoog Catharijne te zijn, en waar zitten we elke dag? Dit gaat zo niet langer, Z.'

Hij is het met me eens. Natuurlijk is hij het met me eens, maar als hij niet gebruikt, wordt hij ziek. Dus gebruikt hij, en ik doe vrolijk mee.

Vakantie is wel het laatste wat ik voor mogelijk had gehouden. Vakantie? Voor mij? Ik kan het niet geloven maar het is echt waar. Elk jaar gaat Z's familie voor vier maanden naar het land waar ze vandaan komen en ik mag mee.

'Natuurlijk ga je mee. Ik zou trouwens zonder jou niet gaan,' zegt hij.

Het is zo lief, zo gemeend. 'We gaan er nu echt iets van maken, Es. Ik wil er ook van af en dope is daar toch niet te krijgen. Als we terugkomen zijn we clean.'

Hoewel Z nooit over zijn verleden praat, zie ik aan hem dat hij veel heeft meegemaakt en net als zijn broer heeft ook hij het gevoel dat hij nergens thuishoort, dat hij heen en weer geslingerd wordt tussen twee culturen. Hij is langer verslaafd dan ik, erger. Ik zie het aan hem, 's avonds als hij slaapt zie ik de stipjes onder zijn ogen, de kringen.

Dat heb ik allemaal niet. Integendeel. Tegen mij zeggen mensen die me een tijdje niet gezien hebben: 'Meid, wat zie je er goed uit.' Ik voel me ook goed. Zoals anderen kunnen verlangen naar een biertje of een glas wijn na een dag hard werken, zo verheug ik me op het geluksmoment van de flash. Veel heb ik ook niet nodig. Van een of twee chineesjes ben ik zo stoned als een aap en ik word niet ziek als ik een keer niks heb, zoals hij. Nee, voor Z zal het stukken moeilijker zijn om eraf te komen dan voor mij. Maar dat zeg ik niet.

Want ik geloof blindelings in hem, in ons, in de toekomst en ga, vol vertrouwen en opgewonden als een kind, het nieuwe avontuur tegemoet.

Nu ben ik hier en ik denk na, terwijl de warme zeewind mijn huid streelt en ik de kruidige geur opsnuif die van de winkeltjes en eethuisjes komt, langs de boulevard. Het is heet, veel heter dan thuis, maar daar kan ik goed tegen. Beter dan tegen de Hollandse kou en de regen in elk geval. Hier wordt het 's nachts ook koud, maar toch is het anders. Alles is anders. De kleuren, de geuren, de feesten die we bijwonen en de muziek. Overal is muziek, lijkt het wel. We hebben de auto en trekken er vaak op uit. Z is trots op zijn land en laat het me graag zien. Ik geniet en ontmoet nieuwe mensen, elke dag weer, vrienden van Z en familieleden. Langzaam trekken ze me een nieuwe wereld in, die me overrompelt, waar ik me heel snel thuis voel, maar die me vreemd genoeg ook het gevoel geeft er niet bij te horen. Met mijn blonde haar val ik op als een vuurtoren in de nacht en overal word ik nieuwsgierig, soms zelfs argwanend bekeken. Ik behoor ineens tot de minderheid en dat doet me pijnlijk denken aan mijn jeugd. Dat gevoel ken ik te goed.

Desondanks heb ik hier geen enkele behoefte aan drugs. Gelukkig maar, want hier is geen dope en geen methadon. Mijn drang om te scoren was al na een paar dagen weg en hier, ver van alle bekende dealers en de plekken vol verleiding, loop ik ook niet de kans er weer aan te beginnen. Nee, als we ooit een mogelijkheid krijgen om samen opnieuw te beginnen, zonder die troep, dan is het nu.

Maar er is iets waar ik geen rekening mee heb gehouden.

Zoals ik wel verwacht had, heeft Z meer moeite met afkicken dan ik. Waar ik van schrik is de bijna obsessieve manier waarop hij voortdurend op zoek is naar pillen, om de leegte op te vullen. Als ik 's morgens wakker word is hij het huis al uit en loopt hij alle apotheken en koffieshops af en stopt wat hij krijgen kan in zijn mond. Of het afkickver- schijnselen zijn, of zijn worsteling met twee culturen, daar kom ik niet achter. Soms vraag ik me af of hij er eigenlijk wel van af wil, of dat hij gewoon probeert de tijd door te ko- men, tot er weer drugs zijn.

Zijn pillengebruik werpt een schaduw over onze vakantie. Ik durf er ook niet over te beginnen, want ik heb geen idee wat hij allemaal naar binnen werkt en wegspoelt met alco- hol. Dat laatste mag niemand weten, maar ik ben niet gek. Bovendien heb ik op zijn verzoek in Nederland zelf de whis- ky gekocht en ingepakt, vlak voordat we vertrokken.

Die hele apotheek die hij naar binnen gooit kan natuur- lijk niet zonder gevolgen blijven. Langzaam wordt het in zijn hoofd net zo'n bruisende, borrelende bende als in zijn li- chaam. Z wordt paranoïde, krijgt angstaanvallen en is vol- komen onberekenbaar. Zijn donkere kanten ken ik wel, daar ben ik al haast aan gewend, maar nog nooit heb ik hem mee- gemaakt zoals hier. Z is opvliegend, jaloerser dan ik hem ooit heb gezien en ongeïnteresseerd. Alsof het onbehoorlijk is om je te bekommeren om je vriendin, met wie je op vakan- tie bent.

Al snel loop ik de hele dag op mijn tenen, omdat ik nooit weet hoe zijn stemming zal zijn. De kleinste opmerking kan een woede-uitbarsting tot gevolg hebben. Ik leer mezelf zinnetjes die van pas komen als hij zo heftig reageert. De hele dag dreun ik ze op, als een kind dat aap-noot-mies leert.

Nee, ik begin niet over zijn pillen. En dus doet niemand het.

Maar ja, intussen zie ik Z en onze relatie in snel tempo veranderen. Ik moet met hem mee naar het koffiehuis. Daar voel ik me trots als hij met me pronkt bij zijn vrienden. Dan krijg ik aandacht en word ik gezien, tenminste, dat denk ik. Maar die trots duurt maar even, want het kan hem niks schelen als ik er de rest van de dag stil en teruggetrokken bij zit, omdat hij niet één keer de moeite neemt mij bij hun gesprek te betrekken, of tenminste iets voor me te vertalen. Maar als ik dan een keer op het strand een gesprekje aanknoop met een jongen die een wereldreis maakt, zijn de rapen gaar.

'Denk je dat ik blind ben? Ik zie wel wat je doet! Met je ogen, met je lichaam...'

'Wat doe ik dan?'

'Je praat Engels met hem! Weet je wat, als je dat zo graag wil, zonder mij, ga dan maar.' Hij kijkt me aan en wuift me weg. 'Toe maar, ga maar weg. Kijk maar hoe lang je het redt hier, zonder mij!'

Iemand met meer karakter dan ik had het waarschijnlijk gedaan, maar ik niet. Als altijd sta ik erbij als verlamd en weet ik niet wat ik moet zeggen. Ik heb een jongen gedag gezegd, en ben even blijven kletsen omdat ik het leuk vond weer even Engels te praten, met iemand die voor de verandering eens geen zwart haar heeft. Meer is er niet gebeurd, maar Z heeft het gezien en onwillekeurig voel ik me betrapt. Weer komt dat verstikkende, verlammende schuldgevoel naar boven, waarvan ik diep vanbinnen weet dat het nergens op gebaseerd is. Maar ook daar twijfel ik over. Heeft hij niet toch een beetje gelijk? Z zegt in wezen niets anders dan zoveel mensen voor hem hebben gedaan. 'Het is jouw schuld, Esther. Kijk nou eens wat je gedaan hebt. Door jou is het misgegaan... Dát kun jij toch niet, luister nu maar naar mij want ik weet het beter...' Ja ma, ja Z... Je hoeft het tegen mij maar een paar keer te zeggen en dan geloof ik het al. Ik kan immers niks, ben immers niks...

's Nachts lig ik wakker, na snelle, ongeïnteresseerde en vaak ruwe seks, want ook dat is aan het veranderen tussen ons, en pieker over mijn verleden, mijn eeuwige schaduw die me achtervolgt als een jakhals en me steeds weer onverwachts bespringt. Is dat waar ik afstand van probeer te nemen? Is dat waar ik de dope voor nodig heb? Dat zou kunnen verklaren waarom ik juist hier zo gevoelig ben voor Z's stemmingen en voor alles om me heen, want hier is geen dope, hier komt alles binnen, ongefilterd en ongecensureerd. En net als ik, is ook Z een product van zijn verleden, dat juist hier in dit land vol tradities, waar hij omringd wordt door vrienden en familieleden die nog volgens die tradities leven, extra sterk naar boven komt. Want dit is zijn wereld, zijn terrein. En dat laat hij merken ook.

'Hier leef je volgens mijn regels,' zegt hij letterlijk tegen me. En ik gehoorzaam, luister naar hem, geloof hem. En als ik moet veranderen, doe ik dat voor hem met liefde. Contacten met andere mannen kan ik missen, ze zijn toch niet meer dan oppervlakkig, vriendschappelijk. Ik hoor bij Z, ben een deel van hem en iets anders wil ik niet.

Mijn onvoorwaardelijke liefde voor Z houdt me op de been, maar vervreemdt me van mezelf, in een beangstigend snel tempo. Ongemerkt ga ik steeds meer gebruiken van het land overnemen. Ik ga me anders kleden, een beetje zoals zijn zus en zijn moeder, en hou mezelf voor dat ik het fijn vind dat ik onopvallend over straat kan, dat niet iedereen me kan zien zoals ik ben. Niet dat veel mensen me zien, want Z heeft bepaald dat ik het huis niet meer uitkom als hij er niet bij is.

Heel af en toe krijg ik toestemming om thee te drinken met een vrouw die een eindje verderop woont. De mensen die ik op straat tegenkom als ik naar haar huis loop, kijk ik niet aan. Ik loop gebogen, mijn blik naar beneden gericht. Ze is leuk, spontaan en we denken over veel dingen hetzelfde. Eindelijk heb ik weer iemand gevonden met wie ik mijn gevoel kan delen. Die theemiddagen vormen dan ook een welkome afwisseling in mijn eentonige bestaan, maar ze zijn al snel afgelopen, want als Z merkt dat ik het goed met haar kan vinden en er altijd heel vrolijk vandaan kom, steekt hij ook daar een stokje voor.

Zo wordt de wereld om me heen kleiner en donkerder. Dagen en nachten rijgen zich aaneen, als een lang lint routinematige gebeurtenissen en kleine klusjes, die ik scharrelend door het stof volbreng. Hoe lang we hier al zijn weet ik niet, en ook niet hoe lang we nog blijven.

Nog steeds ga ik soms met hem mee, boodschappen doen, bij zijn vrienden op bezoek, of op pillenjacht. Meer omdat ik niet kan weigeren dan omdat ik het leuk vind.

Op de dagen dat Z weg is doe ik mijn best om de taal te leren. Ik lees wat ik te pakken kan krijgen, maar dat is niet veel. De meeste tijd voel ik me opgesloten in mijn gedachten.

Binnen de familie speelt van alles, er zijn spanningen en ik, met mijn supergevoelige natuur, neem het allemaal op zonder het bij iemand kwijt te kunnen. Vaak probeer ik erover te praten met zijn moeder en zijn zus, maar ook dat geef ik op als ik merk dat ze me op afstand houden. Wat is er toch gebeurd met de gezellige familie die me opnam als de verloren dochter en waar ik kon doen wat ik wilde? Waar ik plezier had en geborgenheid vond. Word ik echt gek, of verbeeld ik me dat ze bang zijn om met me te praten? Zijn zij veranderd, of ben ik het? Ik zou het niet weten. Alles is immers hetzelfde. Binnen een maand is mijn tropisch paradijs veranderd in een gevangenis. Ik heb geen referentiekader meer, geen ijkpunten om te bepalen wie van ons verandert en in welke mate. Het lijkt of ik de enige ben die het merkt. In elk geval ben ik de enige die het er moeilijk mee heeft. Maar vechten is zinloos, er is niets om tegen te vechten. Ik zou willen praten met Z, hem willen vragen hoe het zit met ons, met onze droom, met onze toekomst. Maar Z zie ik alleen nog 's avonds, in het donker, als we vrijen, op zijn voorwaarden. Langzaam maar zeker voel ik mijn ziel ontsnappen, maar ik ben te moe, te apathisch om erachteraan te gaan. Voor het eerst begin ik serieus te denken over de dood.

Precies op het moment dat ik denk dat het niet erger kan worden, grijpen de goden in. Meedogenloos, rigoureus, zoals alleen goden dat kunnen.

Het is 30 juli en brandend heet, als we in de auto stappen om in een plaats zo'n twintig kilometer verderop iemand te ontmoeten met wie Z iets moet regelen. Ik vermoed dat het over pillen gaat, want alles gaat over pillen. Z wil dat ik meega en ik spreek hem niet tegen. Bovendien grijp ik elke kans om even het huis uit te komen met beide handen aan.

We rijden langs de kust en komen in een mooie omgeving. Ik herinner me tenminste een tuin vol kleurige bloemen en een fontein die voor verkoeling zorgt, waar ik me vermaak terwijl hij doet wat hij moet doen.

De middag loopt op z'n eind, maar het is nog licht als we terugrijden. De lucht boven het plakkerige asfalt trilt. Het is vrij druk op de tweebaansweg die zich in lange, soepele bochten tussen de heuvels doorslingert. Z staat stijf van de medicijnen en heeft een paar biertjes op, maar ik maak me geen zorgen. Hij is een goede chauffeur en hij kent het hier op z'n duimpje. Voor het eerst in lange tijd voel ik me zelfs weer een beetje ontspannen, vooral omdat hij in een goede bui is. Zijn gesprek is goed gegaan.

We draaien ons lievelingsbandje van Bob Marley en zingen luidkeels mee, als we in een flauwe bocht worden ingehaald door een ziekenwagen, zonder zwaailicht of sirene, maar met hoge snelheid. De bestuurder heeft zich kennelijk een beetje verkeken op de bocht, of wordt verrast door een tegenligger want nog voor hij ons helemaal voorbij is, komt hij plotseling naar rechts. Z probeert hem te ontwijken maar het is te laat. De achterkant van de ziekenwagen raakt de neus van onze auto en drukt die opzij. Voor ik maar kan beseffen wat er gebeurd is, tolt de wagen als een stuurloos projectiel over de weg, tot hij gelanceerd wordt, over de kop slaat en in de berm terechtkomt. Maar dan zijn Z en ik er al uitgeslingerd en liggen als afval op het wegdek.

Na de klap is het doodstil. Het asfalt is brandend heet en ik heb overal pijn. De lucht is dik en stroperig en heel even weet ik niet waar ik ben. Ik lig voorover met mijn gezicht op de straat en kijk naar de wereld als een kikker. Het eerste wat ik zie als ik mijn hoofd een beetje optil is een strakblauwe lucht, verder niets. Zachtjes hoor ik Bob Marley en het duurt een paar seconden voor ik weet waar ik ben en me realiseer dat de cassette in de auto moet zijn blijven lopen. Daardoor kom ik weer een beetje bij mijn positieven en ik kijk om me heen. Ik zie mijn vriend nergens! Z, waar is hij? Paniek ligt op de loer, maar mijn gekwetste lichaam dwingt me om rustig te blijven. Intussen stoppen de eerste auto's. Mensen springen eruit. Ik hoor opgewonden stemmen, maar ze dringen niet tot me door. Ik moet Z vinden. Ik richt me half op en zie hem midden op de weg liggen, bewegingloos. Met moeite krabbel ik overeind en strompel naar hem toe. Hij beweegt nog steeds niet. Nu raak ik wel in paniek, pijn of geen pijn.

'Z, nee! Nee!'

Ik val naast hem op mijn knieën maar durf hem niet aan te raken. Zijn kleren zijn van hem afgestroopt, net als de huid eronder. Hij ligt open van zijn rug tot zijn benen, alles is rauw en bloederig, vol met grind en zwarte stukjes. Mensen komen aanrennen, knielen bij hem, bij mij. Ze roepen van alles tegen me maar ik versta er niks van.

'Doe dan iets,' roep ik. 'We moeten hulp hebben!'

Z is lijkbleek, nu pas zie ik hoe uitgeput hij is. Hij kon al weinig meer hebben en op dat moment weet ik zeker dat hij doodgaat.

Ik kijk om me heen en zie onze auto als een verkreukeld pakketje in de berm liggen. Overal glinstert glas in de zon. De ziekenwagen die ons heeft aangereden is in geen velden of wegen meer te bekennen. Omstanders beginnen aan Z te plukken. Hij kreunt als ze hem omdraaien. Er moet iets gebeuren maar ik weet niets van verpleging en heb geen idee of het goed is wat ze doen. Zelf zit ik ook onder het bloed, maar daar hou me niet mee bezig. Niemand eigenlijk. Alle aandacht gaat uit naar Z, maar ik kan hem niet helpen. Ik ben machteloos, ik wil hem niet kwijt, mijn god, wat moet ik zonder hem? Maar wat kan ik doen? Het wordt zwart voor mijn ogen. De kracht vloeit uit mijn ledematen, ik zak in elkaar, terug op het verzengend hete asfalt. Nog net voor ik het bewustzijn verlies hoor ik sirenes.

Ik zit voor in de ambulance, naast de bestuurder, die tevens de eigenaar is en de arts van de kliniek waar we naartoe op weg zijn. Z ligt op de brancard, achterin. We hebben geen contact. Om mijn hoofd zit een groot wit verband, als in de film. Afgezien van talloze verwondingen door het glas en schaafwonden van het asfalt, waardoor ook ik van top tot teen onder het bloed zit, ben ik er goed van afgekomen.

'Jullie hebben geluk gehad,' zegt de arts.

'Maar leeft hij dan nog?' vraag ik.

'Ik ga proberen er nog wat van te maken,' antwoordt hij.

Ik weet niet of dat betekent dat er nog hoop is maar ik durf niet verder te vragen. Zodra ik mijn ogen dichtdoe zie ik hem weer liggen, voor dood op het asfalt, dus probeer ik ze open te houden. Het is snikheet. De loeiende sirene verdooft me en smoort alle gedachten in de kiem. We rijden idioot hard, in de richting waar we vandaan kwamen. In een ziekenwagen. Net zo een als waardoor we een halfuur geleden van de weg gereden werden. Absurd.

9

Het ongeluk is het begin van een van de eenzaamste perio-des uit mijn leven. Op het moment van de klap was ik gees-telijk al aan het eind van mijn Latijn en dit doet mijn toe-stand geen goed. Z blijft twee dagen in de kliniek, wat veel te kort is, maar ons laatste spaargeld is net genoeg voor de ambulancerit, de eerste zorg en wat medicijnen. Dus verlaat ik het ziekenhuis al de volgende dag en Z de dag daarna.

En nu is hij thuis. Ik verzorg hem, samen met zijn zusje, en elke dag komt er een verpleegster om zijn verband te ver-wisselen. Behalve op de dagen dat ze zomaar ineens niet komt. Dan gaat het stinken, verkleuren, en komen de vlie-gen. Het is geen goede omgeving voor open verwondingen.

Je zou misschien denken dat Z en ik weer een beetje tot el-kaar komen na dit trauma dat we samen gedeeld hebben, of dat zijn familie me opvangt, maar het tegendeel is waar. Zo alleen als in deze tijd heb ik me nog nooit gevoeld. Licha-melijk herstel ik goed, maar ook dat werkt tegen me. Z's fa-milie verwijt mij dat ik er met lichtere verwondingen af ben gekomen dan hij en hoewel het zo idioot is dat ik er met m'n verstand niet bij kan, krijg ik steeds meer het gevoel dat ze mij de schuld geven van het ongeluk. Mijn vermoeden wordt bewaarheid, als zijn vader mij op een gegeven moment deelgenoot maakt van zijn overtuiging dat ik de bestuurder van de andere auto afgeleid heb, met mijn blauwe ogen. Terwijl ik hem niet eens gezien heb! En Z, tot overmaat van ramp, is kwaad op me omdat ik Engels heb gepraat met de artsen en verplegers in de kliniek. Zelfs toen hij meer dood dan levend in zijn ziekenhuisbed lag, kreeg hij het voor elkaar om jaloers te zijn.

In die sfeer moet ik me zien staande te houden, terwijl ik zelf nog aan het bijkomen ben van wat ons is overkomen. Ik durf niet naar buiten, maar hou het binnen niet uit. Ik verlies mijn verstand, mijn identiteit, mezelf. Ik weet niet meer wie ik ben. Ben ik Esther, een mooie Hollandse meid met karakter en een paar probleempjes waar ik aan moet werken? Of ben ik een van hen? Dienstbaar, bescheiden en onherkenbaar, maar daardoor juist onkwetsbaar, naar het schijnt.

Ik breng zo veel mogelijk tijd met Z door. Uren zit ik aan zijn bed, ik kan gewoon niet van hem weg. Ik durf niet, ik mag niet, ik wil niet, ik weet niet wat ik wil.

Op een middag, in de week na het ongeluk, zit ik bij het open raam, als ik ineens Bob Marley hoor. Er is altijd muziek, iedereen heeft de ramen open, maar nooit Bob Marley.

'Hé,' zeg ik blij. 'Luister eens?'

Z doet zijn ogen open. We luisteren samen. Het is vreemd om dezelfde muziek weer te horen, die in mijn oren en mijn hoofd zat toen de wereld op z'n kop stond en het maakt me weemoedig. Net alsof alles vlak voor die fatale klap wel goed was... Maar het wordt nog veel vreemder, als ik dezelfde fout in de opname hoor, die ook op ons lievelingsbandje stond, dat we in de auto draaiden. Uit een van de nummers is een stukje weg, waardoor je een rare overgang krijgt. Maar we hebben het bandje zo vaak gedraaid, dat het hikje deel van de muziek geworden is, als een tik in de plaat die altijd op hetzelfde moment komt. Onbewust zat ik er al op te wachten en daarom dringt de betekenis ervan niet eens meteen tot me door. Maar het kan niet anders, dan dat dit ons bandje is. Iemand moet het gepikt hebben uit het wrak. Z draait zijn hoofd om. Hij heeft het ook gehoord en ik zie de walging in zijn ogen, als hij zegt: 'Zie je nou? Ze jatten onze muziek, Es. Zo verrot is dit land. Ik wil hier weg.'

Dat is de eerste verstandige opmerking die ik hem in tijden hoor maken. Hij wil weg? Wat dacht je van mij! Liever vandaag dan morgen wil ik terug naar Nederland. Maar dat gaat zomaar niet. Het is uitgesloten dat Z de reis per auto maakt. Hij zal moeten worden overgevlogen en daarvoor moet eerst het hele ongeluk met de verzekering zijn afgewikkeld. Maar of die zal uitbetalen is nog allerminst zeker. De ziekenauto is doorgereden en voor zover ik het begrijp, zijn er geen mensen die voor ons kunnen getuigen.

Maar wat dan? Wat nou als ze niet betalen en ons nooit meer laten gaan? Hardnekkige visioenen van een oude, gerimpelde, doodongelukkige vrouw die verborgen in lange kleding anoniem door de straatjes scharrelt, op weg naar niets anders dan de dood, grijpen me bij de keel om niet meer los te laten.

'Denk erom,' waarschuwt Z. 'Zeg nooit dat we verslaafd zijn. Dan krijgen we helemáál niks!' Ja, hallo, alsof er iemand is die dat nog niet weet. Zelf kan ik het me niet herinneren, maar ik heb gehoord dat Z, toen hij op de weg lag, nog een joint tussen zijn lippen had. Wie belazert wie hier eigenlijk? Maar ondertussen is er dus weer iets waar ik mijn mond over moet houden. Weer kan ik niet vertellen, niemand deelgenoot maken van mijn gevoel. Weer moet ik liegen. Dat wil ik niet meer, dat kan ik niet meer.

Terwijl de dagen korter worden wacht ik met smart op het bericht dat het vliegtuig klaarstaat en Z terug kan. Want eerder kan ik ook niet. 'Ga je niet mee met me?' vraagt hij. Maar dat kunnen we simpelweg niet betalen. Hij zal alleen met het vliegtuig moeten en als hij vertrokken is rij ik terug met zijn broer, met de auto.

Mijn ongeduld groeit met de dag, maar behalve dat we regelmatig bezoek krijgen van allerlei functionarissen die van alles van plan zijn behalve uitbetalen, gebeurt er niets. Zoals altijd kan ik niets volgen van de gesprekken en ik wilde dat ik wat beter m'n best had gedaan op de taal, waar ik nog steeds niet meer dan een paar woorden van ken. Augustus gaat voorbij, het wordt september en het blijft onveranderd heet. De dagen duren eeuwen. Z gaat lichamelijk niet vooruit, ik word er geestelijk niet beter op. Nog steeds is de zaak niet opgelost, maar van de details word ik niet op de hoogte gehouden. Nieuws wil ik, maar ik kan vragen tot ik een ons weeg.

Eindelijk komt het verlossende woord. De verzekering betaalt de vliegreis naar Nederland. Eerst ben ik opgelucht. Nu komt het goed, in Nederland zal hij verzorging krijgen en beter worden. En ik? Ik kan hier weg. Maar ik ben te moe en te apathisch om blij te zijn. Bovendien is er niemand om te delen in mijn blijdschap. Je kunt je toch niet voorstellen dat iemand weg zou willen uit dit paradijs? En er is nog een reden om voorzichtig om te springen met al te uitbundige vreugde. Hoe vaak heb ik de afgelopen tijd al verwachtingsvol bij de deur gezeten, als er weer iemand van de verzekering kwam? En steeds werd ik weer teleurgesteld. Nee, eerst zien en dan geloven.

Maar een paar dagen later arriveert er dan toch echt een ziekenwagen om Z op te halen. We pakken zijn spullen in en hij wordt op een brancard naar buiten gedragen. Ik ga niet mee naar het vliegveld en druk hem nog snel een kus op de lippen voor de deuren van de auto dichtgaan.

'Dag lieverd,' zeg ik, 'ik zie je gauw in Nederland.'

Maar het is een holle frase. Want als ik erover nadenk besef ik dat ik me daar nauwelijks meer een voorstelling van kan maken. Nederland? Z en ik samen in Nederland? Z en ik samen?

Dat ik daaraan twijfel voelt bijna als godslastering. Zou ik dat echt kunnen, hem in de steek laten nu hij ziek is? Voor het ongeluk was ik ertoe in staat, maar nu? Ik druk de gedachte uit alle macht weg, maar zonder dat er een andere voor in de plaats komt. Veel gedachten heb ik niet meer. Niet over vroeger en al helemaal niet over de toekomst.

Vier maanden ben ik nu weg. Dat is niet eens zo heel lang, maar in die vier maanden is er zoveel met me gebeurd dat ik niet eens meer weet wie ik zelf ben of waar ik thuishoor. Er is een deel van mijn persoonlijkheid weg en daarmee ook mijn herinnering aan vroeger, aan thuis. Gelukkig staat mijn eigen reis voor de deur en moet ik zorgen dat ik daar klaar voor ben. Dat kan ik nog wel, simpele, praktische dingen met een reikwijdte van hier tot de deur. Verder niet, alsjeblieft.

Utrecht, oktober 1987

In die toestand, verdoofd en verdwaasd, kom ik een paar dagen later diep in de nacht in Nederland aan. Het is herfst, koud en nat. Maar het weer heb ik langzaam zien veranderen, naarmate we dichterbij kwamen. De natte straten zijn weliswaar iets van vroeger, maar niet de grootste cultuurschok. Het weerzien met Nederland is dat wel. De auto's, de gladgeplaveide wegen met witte strepen, die je de illusie geven dat het niet verkeerd kan gaan, als je ze maar volgt. De mensen, vrouwen met losse haren en strakke broeken. Een benzinestation langs de snelweg met meer licht dan de hele stad waar Z's familie woont. Dit is mijn land, maar als ze me op Mars hadden afgezet had de overgang niet groter kunnen zijn. Ik hoor hier niet. Maar als ik hier ook al niet hoor, waar dan wel?

We rijden naar de flat die ik zo goed ken en ik kijk ernaar alsof het een volkomen vreemd object is waarvan ik niet weet wat ik ermee moet. Dit is het moment waar ik al die tijd als een kind naar uitgezien heb. Waar ik me al die maanden zo op verheugd heb. Misschien heb ik mezelf kapotverheugd, ik weet het niet, maar nu ik hier ben voel ik niets. Nederland is niet mooi. Het is beangstigend en beklemmend in zijn ogenschijnlijke netheid en ik voel me er zeker niet vrij, zoals ik gehoopt had, verwacht misschien wel. Opgelucht moet ik zijn, dat ik weer in mijn spijkerbroek rond kan lopen. De moderne jonge vrouw, die ik ooit was, lang geleden. Maar dat ben ik niet meer en ik voel geen opluchting, geen vrijheid. Ik voel me hier net zo opgesloten als in het land waar ik net vandaan kom en ik kan net zo goed in mijn lange kleding blijven lopen. Dan ziet tenminste niemand me. Ik doe niets, ik kan niets, ik wil niets.

Ik slaap een paar uur in de kamer waar Z en ik nog wel eens de liefde bedreven als er niemand thuis was, maar het brengt geen herinneringen boven.

Als ik wakker word drukt de nieuwe dag als lood op mijn borst. Mijn hoofd maalt van indrukken en gedachten, die ik geen van alle kan pakken. Ik voel me niets, minder dan niets. Hoe kan ik dit ooit nog aan? Leven, hier? Was er maar iemand die me kon zeggen wat ik moet doen. Z. Ik ben hulpeloos zonder Z. Het idee dat ik de straat op moet beneemt me de adem. Alles om me heen is monsterachtig groot, overweldigend, bedreigend.

Ik wil maar één ding. Dood. Dat is trouwens eenvoudig hier. Ik kan naar het balkon lopen, op het randje klimmen en dat was dat.

Ik overweeg het serieus, maar dankzij het feit dat het me niet lukt om verder dan twee minuten vooruit te kijken, laat staan beslissingen te nemen voor de eeuwigheid, doe ik het niet. In plaats daarvan drink ik een kop thee en ga Z opzoeken in het ziekenhuis.

De verpleegster monstert me en doet haar best haar argwaan te bedwingen, vanwege het feit dat de vrouw in het lange gewaad zo goed Nederlands praat. Ze is me duidelijk liever kwijt dan rijk.

'Je mag even bij hem, maar dan moet je eerst dit kapje op,' zegt ze, als ze geen geldig excuus weet te bedenken om me de toegang te weigeren.

'Waarom?'

'Jouw vriend, jongedame, ligt geïsoleerd. Hij heeft een vreemde bacterie meegenomen en we kunnen het risico niet lopen dat hij anderen besmet.' Ze mag hem niet, dat is duidelijk, en in mij heeft ze iemand gevonden om dat op af te reageren.

'Nou, dat zal-ie leuk vinden.'

Ik gris het kapje uit haar handen. Waarom weet ik niet, zij kan het tenslotte niet helpen, maar toch ben ik boos op haar. De verpleegster wacht ongeduldig, maar steekt geen hand uit om me te helpen met het kapje. Gelijk heeft ze. Zou ik ook niet doen. Eindelijk ben ik zover en ze wijst me de kamer waar Z ligt. Ik ga naar binnen. Z ligt alleen op een kamer en is nog kwader dan ik.

'Ze willen mij niet bij de anderen! Nu word ik helemaal gediscrimineerd.'

'Ja, hé, je bent gevaarlijk. Je bacterie dan.'

'Ach! Het is een smoes, een smoes.'

'Maar gaat het wel goed met je?'

'En het eten is smerig.'

Dat is zo'n beetje onze hele conversatie. De verpleegster kijkt raar op als ik na twee minuten alweer langs de zusterpost loop en in het voorbijgaan het kapje op de balie gooi.

Ik sta buiten en weet niet wat ik moet. Ik voel nog steeds niks. Ik ben niet blij dat ik Z weer heb gezien, ik ben niet boos dat het zo gelopen is, niet verdrietig. We hebben niet gezoend, dat mocht niet met m'n kapje en zijn bacterie, maar ik mis het niet. De akelige waarheid is dat het weerzien met Z me niets heeft gedaan, maar zelfs dat dringt nauwelijks tot me door. Ik sta apathisch midden op het fietspad. Een fietser rijdt me bijna omver en scheldt wat, maar zijn woorden glijden langs me heen. Het enige wat ik me afvraag is wat het volgende stadium is na krankzinnig. Want dat ben ik al.

Lang kan ik dit niet volhouden, dit schemerachtige bestaan zonder doel, zonder toekomst, maar met een enorm schuldgevoel, want ik kan de gedachte dat ik hem in de steek laat toch niet van me afzetten. Alleen daarom ga ik steeds weer terug naar het ziekenhuis, nagenoeg onzichtbaar in mijn djellaba. Al snel ligt hij niet meer geïsoleerd, dat zou het contact makkelijker moeten maken, maar dat doet het niet. Ik

zit een tijdje naast hem, we praten wat, niet veel. Deels omdat hij te zwak is en onder de medicijnen zit, deels omdat ik
niet weet wat ik tegen hem moet zeggen. Eén keer kruip ik
stiekem bij hem in bed. Als de verpleegster op de kamer
komt verberg ik me met kloppend hart onder de deken. Ze
merkt niks. Z slaapt nog als ik me in alle vroegte uit het bed
laat glijden en zachtjes de deur van de kamer achter me
dichtdoe.

10

Hoe het kan weet ik niet, maar ik heb mijn weg naar het station gevonden en zit in een trein. Wat er ook met mij aan de hand is, sommige dingen veranderen nooit. De trein maakt alle vertrouwde geluiden en bewegingen en brengt me waar ik zijn wil. Nou ja, waar ik een kwartier geleden nog dacht te willen zijn, want mijn wispelturigheid is het ergste. Binnen vijf minuten kan ik tien keer van idee veranderen. Ik word gestoord van mezelf. Maar nu zit ik hier in mijn lange kleding en kijk naar de herfstkleuren en naar de bomen die langsflitsen. Ik kan er toch niet uit, dus ik kan mijn reis net zo goed voortzetten. Misschien stap ik straks wel uit, wacht op de volgende trein en spring ervoor. Dat is ook nog een mogelijkheid. Geen moment ben ik bezig met het leven, met de toekomst. Alleen met de dood, en nog het meest met de vraag wat nu de beste manier is. Ik wil alleen niet te veel mensen belasten met mijn einde, dus van de flat springen, midden tussen al die spelende kinderen, of voor een trein, valt eigenlijk al af. Tot het laatste moment blijf ik me verantwoordelijk voelen voor anderen. Ik ben vanmorgen voor de laatste keer bij Z geweest in het ziekenhuis en heb hem gevraagd om een shot bij mij te zetten. Gespoten heb ik nog nooit, dus zo'n optater kan mijn lichaam onmogelijk verwerken. Voor de laatste keer met één gigantische flash afscheid nemen van de hele klerezooi. Dat lijkt me wel wat. Z kan shotten, ik niet, ik ben een kluns. Z weigerde. Ik heb mijn schouders opgehaald en ben weggegaan.

Ik vind het huis van mijn vader op de automatische piloot. Zijn vriendin doet open en laat me binnen. Ze moet bijna flauwgevallen zijn toen ze mij daar zo zag staan, een zombie in een lang gewaad, maar ze heeft er nooit iets over gezegd. Mijn vader evenmin. Ze laten me binnen alsof ik even boodschappen ben wezen doen. We praten die avond veel. Mijn vader kent Z. Hij heeft hem al eerder ontmoet, voor we op reis gingen, en op een bepaalde manier mogen ze elkaar ook nog. We halen de goede herinneringen op. Dat is prettig. We gaan uit eten, dat is ook prettig, maar niets is in staat de warboel in mijn hoofd te verdrijven. Ik slaap bij hen, maar ik word niet rustiger.

Als ze merkt dat ik platzak ben, regelt mijn vaders vriendin zelfs een baantje voor me bij Albert Heijn. Ik ga erheen, zo gek als ik ben, maar ik ben niet in staat opdrachten uit te voeren. De bedrijfsleider is dan ook niet echt blij met me en bij de koffie bekijken mijn collega's me of ik van een andere planeet kom, omdat ik na een paar dagen nog steeds in mijn djellaba loop, met het blauwe Albert Heijnjasje eroverheen.

'Ik trek het zo niet, ik wil weg,' zeg ik tegen mijn vader, als ik binnen een week weer werkloos bij hem op de bank zit.

'Zou je niet een tijdje tot rust willen komen in Italië?' oppert hij. 'Bij je oom en tante?'

Italië, goh. Nooit aan gedacht.

'Ja, dat is goed.' Als hij Groenland had gezegd had ik het ook goedgevonden.

Italië is geen succes. De omgeving is prachtig, dat wel, maar mijn djellaba en ik zijn nog altijd onafscheidelijk en ik bid naar het oosten, wat voor mijn oom en vooral voor zijn streng katholieke echtgenote een gruwel moet zijn. Voor de rest doe ik niets. Helemaal niets. Ik lig op bed of op de bank. Dat is de enige afwisseling.

Maar mijn kordate tante heeft zich ten doel gesteld mij te redden, te beginnen met mijn kleding. De djellaba verruil ik, om haar niet meteen voor het hoofd te stoten, voor een lange jurk in Italiaanse stijl. Ik voel me er niet prettig in. Mijn hoofd is onbedekt en hoewel de jurk weinig korter is dan het gewaad dat ik droeg, voel ik me er naakt in en bekeken. Nu pas merk ik hoe grondig ik ben gehersenspoeld.

Ze voert lange gesprekken met me, waarin het geloof centraal staat, maar wat ze zegt stuit op een muur. Haar geloof is het mijne niet, als ik tenminste weet wat ik geloven moet. Hoe dan ook, al zou ik het willen horen, het lukt me eenvoudig niet om het in me op te nemen. Maar mijn tante is niet voor één gat te vangen. Als het met praten over het geloof niet lukt, dan toch zeker met eerlijk handwerk. Ze levert me af bij de poort van het kasteel even buiten het dorp, waar altijd wat te doen is en waar ik tot taak krijg groente schoon te maken en de geiten te hoeden. Bij de dieren voel ik me op m'n gemak. Die oordelen niet, verwijten me niet dat ik Z en zijn familie in de steek heb gelaten, zoals ik zelf wel doe, die nemen me zoals ik ben. Het is koud in de bergen, maar ik scharrel hele dagen met die beesten over het landgoed, tot ik met mijn warrige hoofd een paar keer te vaak het hek open laat staan en de baron het zat wordt om steeds weer zijn veestapel bij elkaar te moeten zoeken.

Ik weet niet wie er meer gefrustreerd is, mijn oom en tante omdat al hun pogingen op niks uitlopen, of ik, omdat ik erachter kom dat ik Z ontzettend mis, maar feit is dat de situatie niet langer houdbaar is.

'Ik wil terug en ik gá terug!' roep ik op een avond.

'Nou, dan doe je dat maar!' voegt mijn oom me toe. 'De geitenhoedster wordt weer varkenshoedster. Ga terug naar je vriendje, ga maar weer tippelen op Hoog Catharijne!'

Ik sla dicht. Tot op de dag van vandaag weet ik niet waar die opmerking vandaan komt, maar hij slaat in als een bom die tussen mijn ogen explodeert. We wisselen geen woord meer en ik vertrek de volgende dag.

Van de periode die nu volgt herinner ik me slechts flarden. Weer sta ik bij mijn vader op de stoep, de arme man. Het komt niet in me op om naar de flat te gaan, of naar Z. Hij zal inmiddels wel uit het ziekenhuis zijn, maar zeker ben ik daar niet van. Ik verkeer in een soort schemertoestand en ben nog steeds een zombie in djellaba. Maar met nog net genoeg besef van mijn eigen situatie om in te zien dat ik het zonder hulp niet red.

Mijn vader is het met me eens. Hij heeft zelfs al navraag voor me gedaan en ik kan terecht in de Hiërarchisch Therapeutische Gemeenschap in het Oolgaardthuis in Arnhem. Negen weken breng ik door in de detox, het afkickcentrum. Negen eindeloze weken, waarin ik me afvraag wat ik daar in vredesnaam doe. Iedereen om me heen is normaal, zo lijkt het wel, behalve ik. Tussen al die vlotte, goedgebekte meiden op de slaapzaal voel ik me kwetsbaar en verloren. Ik durf niet op te staan met de anderen en doe meestal net of ik ziek ben. Ik sta overal buiten, neem niet deel aan activiteiten. 'Tekenen? Ik ga niet tekenen, ik kan niet eens tekenen.'

Alleen in de keuken ben ik graag. Als er koffiegezet moet worden voor de staf en de medebewoners ben ik er als de kippen bij om voor iedereen te zorgen. Koffiezetten, bedienen, schoonmaken. Als ik maar aardig gevonden word.

Negen weken detox is lang. Veel langer dan gebruikelijk, en helemaal omdat ik al zo lang niet meer gebruik dat het gif mijn lichaam allang verlaten heeft. Maar ook de staf van het Oolgaardthuis weet niet wat ze met me aanmoeten en daarom laten ze me maar zitten, totdat iemand in een helder moment besluit dat ik misschien beter naar een echte psychiatrische kliniek kan.

Een staflid brengt me met de auto naar een instelling in Apeldoorn, maar ik heb de pech dat ik juist op de dag dat ik daar aankom een van mijn zeldzame heldere momenten heb. De psychiater kijkt me onderzoekend aan, merkt op dat ik nog heel goed kan vertellen wat er allemaal met me aan de hand is en besluit op basis daarvan dat ik geen geval voor hem ben. Ik, die zo gek ben als een deur en bij wie nog steeds regelmatig de overtuiging leeft dat zelfmoord toch echt de beste oplossing is, ik ben te goed voor de psychiatrie. Ik kan gaan.

'Misschien weet ik nog wel een betere oplossing,' zegt mijn vader. 'Je hebt van die pilletjes, die neem je in en dan word je gewoon niet meer wakker.'

Ik leef op. 'Echt? Bestaan die?'

Mijn liefhebbende vader maakt een grapje, als hij zijn eigen dochter een zelfmoordpil aanbiedt. Hij meende het niet, ik wel. Ik, die door de psychiatrie niet geholpen kan worden, leef zo in die overtuiging dat ik het idee van een zachte dood met graagte omarm.

'Nee kind, die bestaan niet. Maar misschien weet ik wel iets anders. Alleen, als je dat ook verpest weet ik het niet meer. Dit is je laatste kans.'

Ik zwijg en kijk hem aan. Ik heb al zoveel laatste kansen gehad.

'We kunnen Arta proberen,' zegt hij. 'Arta is een afkickcentrum, een therapeutische leefgemeenschap eigenlijk, op antroposofische basis.'

Bij dat laatste kan ik me niet zoveel voorstellen en het woord therapeutisch is, na mijn ervaringen van de afgelopen weken, niet echt een lokkertje meer, maar oké, prima. Al zullen ze net zoveel voor me kunnen doen als de reeks therapeuten die ik al voorbij heb zien trekken, ik vind het best. Ik kan tenslotte zo niet doorgaan.

Het is eind september, als een buurman van mijn vader me met de auto naar Hamingen brengt, een buurtschap tussen Meppel en Staphorst, waar een van de centra van Arta is gevestigd. Het heeft net geregend en de lage zon doet zijn best dunne mistflarden boven eindeloze akkers te verdrijven. Het landschap is betoverend mooi. Als de motor is gestopt, is er alleen nog stilte en op het moment dat ik uitstap en gretig de frisse buitenlucht opsnuif, krijg ik even het idee dat het leven, heel misschien, toch nog iets kan worden.

Beer, de teamleider, staat in spijkerpak met lange wapperende haren in de deuropening.

'Zo, kom erin, *be yourself*.'

Hij gaat me voor naar een kamertje, waar een bureau staat en twee stoelen. Een nogal stijve, zakelijke inrichting, waar Beer niet zo goed in lijkt te passen.

'Nou,' zegt hij als we zitten, 'vertel het maar.'

Daar was ik al bang voor. Dit is dus wat ik niet kan, mijn eigen situatie onder woorden brengen. Maar hij straalt rust en vertrouwen uit en ik begin als vanzelf te praten. Tot mijn verbazing lukt het me om te vertellen dat ik me heel rot voel.

Dat heb ik nog nooit toegegeven en nu begin ik ermee, tegenover deze man die ik pas een kwartiertje ken. En dan vertel ik over mijn verslaving, de trauma's van de reis, mijn angsten en dat ze me in het Olgaardthuis Orap hebben gegeven, een antipsychoticum.

De oude hippie luistert aandachtig en als ik ben uitgepraat zegt hij: 'En wat kom je hier doen?'

Pff. Dat is ook een confronterende vraag. Daar is hij toch voor? Of moet ik ineens gaan bedenken wat ik eigenlijk wil? Ik bedenk al jaren niet meer zelf wat ik wil.

'Ja eh, rust denk ik,' zeg ik aarzelend. 'En dat ik weer een beetje bij m'n gevoel kan komen.'

Meteen zinkt de moed me in de schoenen. Kon ik nu echt niks beters verzinnen? Het is niet makkelijk om bij Arta binnen te komen, weet ik inmiddels. Je moet echt gemotiveerd zijn om iets te willen met je leven, anders hou je dit zware programma ook niet vol. En daar kom ik aan, met m'n beetje rust en 'bij m'n gevoel kunnen komen'. Lekker gedaan, Esther. Volgens mij word je met zo'n vaag verhaal binnen de kortste keren weer buitengezet. Maar in plaats daarvan zegt Beer: 'Kom. Dan laat ik je de boerderij zien.'

We lopen langs de keuken, de douches, de slaapkamers en een grote ruimte waar 's morgens koffiegedronken wordt en waar de groepsgesprekken worden gehouden. Ik voel me er meteen thuis, maar als ik de tuin zie en de grond om de boerderij heen, word ik pas echt iets dat lijkt op enthousiast. Ik wou dat ik gewoon kon zeggen 'enthousiast', maar tot dat soort heftige emoties ben ik nog lang niet in staat. Maar ik wil hier wel blijven, zoveel is zeker.

'Je bent hier met jezelf bezig en met de aarde,' zegt Beer, als hij met een weids armgebaar de grote moestuin laat zien. 'Hier verbouwen we onze eigen groenten. Je werkt in ploegen, een ploeg in de keuken, één voor het onderhoud en een ploeg voor de tuin. Om beurten. En soms kun je met de boer mee het land op. Al dit land is niet van ons, zoals je zult begrijpen.' Hij wijst naar de bosrand in de verte. 'En als het nodig is kun je je agressie afreageren op die bomen daar, onder leiding van de boswachter.'

Er gaat een wereld voor me open. Al die natuur, die weidsheid, die rust. Ik wist niet meer dat het bestond. Wat me overkomt weet ik niet, maar nog nooit heb ik mijn toekomst zo helder voor ogen gezien. Als ik ergens beter kan worden dan is het hier. O, ik hoop zo dat ik hier terechtkan. Natuurlijk zou hij me dit niet allemaal laten zien om me daarna weg te sturen, maar toch. Het leven heeft me wantrouwig gemaakt en ik ben pas echt gerust als hij zegt dat ik een paar dagen later kan worden opgenomen.

Hamingen (Overijssel), 1988

Veel te veel troep sleep ik met me mee, op de dag van de opname. Een tas vol kleding, voor een deel nog van mijn tante uit Italië, waar ik mijn traditionele lange kleding stiekem tussen gefrommeld heb, omdat ik niet wil dat mijn vader ziet dat ik die mee heb. M'n djellaba denk ik overigens niet te gaan dragen, maar helemaal zonder kan ik ook nog niet.

De groep bestaat uit elf personen, ouwe garde, kun je gerust zeggen, doorgewinterde gebruikers en stuk voor stuk zo gek als een deur. Henkie bijvoorbeeld, met haar tot op z'n heupen en compleet doorgedraaid van de speed, een andere ouwe junk die de hele dag met z'n gebit kleppert en een meisje dat ik nota bene ken uit de scene van Hilversum. Ik ben met m'n drieëntwintig jaar veruit de jongste en niet eens de meest gestoorde, maar desondanks voel ik me in deze club meteen op m'n gemak. We hebben allemaal hetzelfde meegemaakt en wat belangrijker is, we delen de overtuiging dat we niet thuishoren in een maatschappij die drijft op macht, status en diploma's en die geen plaats overheeft voor mensen die op dat terrein toevallig iets minder bedeeld zijn. Mensen zoals wij dus.

In Hamingen heerst discipline. Het programma is gericht op regelmaat, zelfdiscipline, onthouding en bewustwording van jezelf en dat betekent regels. Heel veel regels, waar je je maar aan te houden hebt want anders word je onherroepelijk op de eerste trein naar huis gezet. Ook de dagindeling is strikt en laat weinig ruimte voor eigen initiatief. Gelukkig maar, want daar komt in mijn geval toch maar ellende van. Elke dag begint stipt om zeven uur en er is geen kans dat ik me nog een keer omdraai omdat ik toevallig geen zin heb in mensen om me heen. Om halfacht ontbijten we namelijk met z'n allen, en dat betekent ook met z'n allen. Maar ik vind het niet erg, want er is elke dag vers en stevig boerenbrood, met zelfgemaakte jam en honing en tal van andere dingen die te gezond zijn om op te noemen. En aangezien ik het van de ene op de andere dag moet doen zonder drank en sigaretten en met niet meer dan één kopje koffie per dag (ja, de regels zijn echt streng!) smaakt en ruikt alles tien keer lekkerder dan voorheen. Eén kopje koffie, geen drank, geen sigaretten; geen wonder dat ik me al snel aanwen om veel te veel te eten. En ik had al een neiging tot dik worden...

Ik moet me trouwens haasten als ik veel wil eten, want om acht uur staat het volgende onderdeel alweer op het programma. De wandeling. De omgeving is prachtig en de wandeling, met de hele groep en een begeleider, is voor mij een van de hoogtepunten van de dag. Onder het lopen kun je praten met leden van de groep of met je begeleider, maar als je niets te zeggen hebt is er niemand die je dwingt.

En dan moet de dag eigenlijk nog beginnen, want na de wandeling komen we bij elkaar in de grote ruimte, voor de dagopening, die traditioneel begint met een antroposofische spreuk, zoals: *Als je een doel voor ogen hebt, is geen weg te ver, voel je pijn, angst en vermoeidheid niet, en draag je getrouw je ster.*

'Nou Esther, wat voel je hierbij?' vraagt Beer.

Ik heb het gevoel dat hij het altijd aan mij vraagt. Ik slik. Ook al voel ik me thuis in deze groep, ik vind het nog steeds moeilijk om mijn gedachten onder woorden te brengen. Maar Beer neemt geen genoegen met zwijgen, of een half antwoord. De groep trouwens ook niet. Ik kijk naar buiten, en zeg: 'Het is mooi weer vandaag. Ik sta weer in de tuin en ik voel me weer wat beter.'

De groep knikt instemmend. Gelukkig vragen ze niet door, want verder dan deze opmerking kom ik waarschijnlijk niet. Later wel trouwens, hoe vaker ik hem hoorde en hem mijzelf vertelde, hoe meer steun die spreuk mij gaf.

Mijn verblijf hier in Hamingen doet me goed en langzaam, heel langzaam word ik weer een beetje mens. Ik praat met mijn medebewoners, Beer lijkt tevreden en ik doe de dingen die ik moet doen. Ik word ook te dik, maar ja, wat wil je, zonder sigaretten en met al dat gezonde voedsel dat nog smaakt ook. Maar toch knaagt er iets, ver weg aan de achterkant van mijn gedachten. Het besef dat ik ergens vandaan kom, dat ik Z heb achtergelaten. Ooit, in een individueel gesprek met Beer heb ik wel eens iets verteld over mijn verleden met hem, maar nooit in de groep. Iets houdt me tegen, datzelfde iets dat me steeds belet volledig open te zijn.

De groep reageert, aarzelend, op mijn opmerking. Niemand is erg praterig vanmorgen, maar één jongen lijkt zich helemaal afgezonderd te hebben. Hij kijkt onverstoorbaar naar zijn schoenen.

Beer ziet het, zoals hij altijd alles ziet.

'Michel, wat vind jij ervan?'

'Niks,' bromt Michel, 'helemaal niks.'

Henkie schudt zijn hoofd. Zijn lange haren vegen over zijn knokige knieën. 'Hoe kun je nou niks vinden, jongen?'

'Ik vind niks, dat kan toch?'

Ik hoor de discussie die hierop volgt aan, maar zonder eraan deel te nemen. In mijn hart moet ik Michel gelijk geven. Ik weet hoe hij zich voelt, of althans, ik denk het te weten. Ik vind ook niks, maar gelukkig weet ik altijd net genoeg te zeggen om de aandacht voor even van mij af te leiden.

'Ik ga gewoon terug,' hoor ik Michel zeggen.

'Waarheen terug?' vraagt het meisje dat ik ken uit Hilversum.

'Gewoon terug, de scene in. Wat kan het jullie allemaal schelen?'

Ik kijk hem belangstellend aan.

'Wil je dat echt?' vraagt Beer. 'Je zou de groep ernstig teleurstellen.'

'Nou en? Wat heb ik hier te zoeken?'

'Jezelf,' zegt iemand.

'Daar heb ik wat aan.'

'Hé, kom op zeg,' hoor ik mezelf zeggen. 'Je bent zo'n end, man. Je gaat nou toch niet terug?'

Michel kijkt op. Ik herken onmiddellijk de angst in zijn ogen en ik schrik ervan. 'En dan kom ik hieruit. Clean of wat dan ook. En dan? Wat moet ik dan?'

Een beklemmende stilte volgt. Michel heeft feilloos de vinger op de zere plek gelegd. Het dilemma van iedereen die afkickt. Het moet fantastisch zijn om zonder dope te kunnen leven, maar diezelfde dope is wel jarenlang de enige pijler van je bestaan geweest. Een verslaafde leeft voor dope. Daar draait alles om. Je staat ermee op – als je geluk hebt, anders sta je op met griep – en je gaat ermee naar bed. Tot je bent afgekickt en ineens clean bent. Of clean verklaard, dat is misschien een betere omschrijving, want je voelt je niet ineens een ander mens. Je bent nog gewoon dezelfde, maar dan zonder de noodzaak om elke dag te scoren. Je hoeft dus niks meer. Je ziet dus ook je dealers niet meer, je medeverslaafden, de zwervers en daklozen die je complete kennissenkring uitmaken, want vrienden buiten de scene heb je niet meer. Je leven is leeg, zinloos, je ziel is kaal zonder de dope. Kortom, de zin van je bestaan valt weg. Niets minder dan dat. En dan? Wat moet je dan?

'Je hebt je eigen kracht gevonden,' zegt Beer. 'De kracht die iedereen diep in zich heeft, hoewel die voor sommigen nog onbereikbaar lijkt. Natuurlijk krijg je een moeilijke periode, en natuurlijk zul je moeten wennen aan je nieuwe leven en je nieuwe zelf, maar alleen je eigen kracht kan je erdoorheen helpen.'

M'n eigen kracht, denk ik, als ik die middag op m'n knieën in de tuin zit en met m'n vingers doelloos in de aarde wroet. Ik zou onkruid moeten wieden, maar ik kan me er niet toe zetten. Meestal geeft het werken in de tuin me nieuwe energie, voel ik me verbonden met de aarde en, hoe gek het misschien ook klinkt, met mezelf. Vandaag niet. Vandaag lijkt mijn eigen kracht ineens weer een stuk verder weg. Michel heeft me aan het denken gezet. Hij is nog niet weg, maar ik ben bang dat ook Beer hem niet kan overreden om te blijven. In mijn onderbewuste voel ik dat Michel net zo'n achterdeurtje naar zijn verleden heeft als ik. En net als bij mij staat het op een kiertje. Ik weet dat ik het eens zal moeten sluiten, op slot draaien en de sleutel weggooien, maar ik twijfel of ik dat ooit zal kunnen.

Die avond stort ik me zoals gebruikelijk op het brood, zodat ik meestal mijn mond vol heb als iemand iets aan me vraagt, en bij de dagafsluiting, als we weer met z'n allen in de grote ruimte zitten, gaat het gelukkig het meest over Michel. Hij heeft zijn kracht hervonden. Hij blijft. De rest van de avond maken we muziek. Je kunt nu eenmaal niet een stel ouwe gebruikers bij elkaar zetten zonder dat er een paar zijn die gitaar spelen. Hamingen is ons Hotel California: *You can check out any time you like, but you can never leave.*

Mijn verblijf in Hamingen duurt helaas niet eindeloos. Hamingen is slechts een tussenstation, op weg naar totale genezing. De volgende stop is De Witte Hull in Zeist, een therapeutische gemeenschap, eveneens van Arta, en daar word ik na drie maanden platteland naartoe overgeplaatst.

Het moet er een keer van komen. Ik kan tenslotte ook niet eeuwig blijven wandelen en onkruid wieden. Bovendien wordt het winter en is er in de tuin niets meer te doen. Maar dat is niet de overweging van de leiding om mij door te sturen. Ze vinden gewoon dat ik eraan toe ben, aan mijn volgende stap.

Zelf ben ik daar minder van overtuigd. O zeker, ik ben beslist opgeknapt en voel me honderd keer meer mens dan toen ik net terug was in Nederland. Maar buiten de beschermde, vertrouwde omgeving van de boerderij kom ik er al snel achter dat ik nog steeds warrig ben en lang niet zo opgeknapt als ik dacht. Het is alsof je thuiskomt uit het ziekenhuis; op de laatste dag denk je dat je heel wat mans bent en je kunt niet wachten op de dokter met het ontslagbriefje. Je gaat van alles doen, het huis opruimen en iedereen bellen dat je er weer bent, maar eenmaal thuis blijkt dat je alles weer opnieuw moet leren en eigenlijk weinig méér kunt dan op de bank hangen. Zo voel ik me ook, maar ik heb geen keus. De leiding beslist.

Therapeutisch is het zeker in De Witte Hull. Veel zwaarder dan Hamingen, niet fysiek, maar wel emotioneel. De antroposofische basis betekent dat de behandeling heel erg naar binnen gekeerd is en volledig gericht op het werken aan jezelf. Het zijn lange, volle dagen, met eindeloze gesprekken. Ik word geplaatst in een groep van zeventien personen, waaronder bijna geen vrouwen. Dat maakt het extra moeilijk, want als ik een keer wil praten is het meestal over onderwerpen die ik niet gemakkelijk met mannen bespreek. Ik leer er wel veel van. Ik word gewiekst in het omzeilen van moeilijke onderwerpen en het verzwijgen van dingen.

Die groepsgesprekken zijn zwaar, maar nog niet half zo confronterend als de individuele gesprekken met de psycholoog en de psychiater. Allebei mannen en een van hen zo mooi, dat het haast onmogelijk is om hem recht aan te kijken, laat staan hem iets op de mouw te spelden. Het valt niet mee. Ik ben weliswaar geen zombie meer, maar mijn geest is warrig. Alsof alles wat ik net weer zo'n beetje op orde dacht te hebben, door de war gegooid wordt. Ik ben niet zo van dat graven, ja, in de grond, maar niet in mezelf. De eerste weken heb ik vreselijke heimwee. Ik mis Hamingen. Ik mis m'n land, m'n tuin, de gezelligheid, de rechtdoorzee opmerkingen van de ouwe hap en eerlijk gezegd ben ik als de dood om aan mezelf te werken.

Dat is te merken. 'Ik denk dat jij nog wel een rondje gaat maken,' zegt de psycholoog in een van die gesprekken tegen me. Op dat moment begrijp ik niet wat hij bedoelt. Inmiddels wel. Intussen lees ik veel, vooral over het geloof. Dat is een teken dat de tegenstelling tussen culturen en religies me nog steeds niet loslaat. Ik ben niet los van het verleden, hoe graag ik dat ook zou willen.

Ook hier zijn regels. Ik kan niet zeggen dat ze hier strenger zij dan in Hamingen, maar het is wel veel moeilijker om je eraan te houden. De Witte Hull is vrijer en doet daardoor een veel groter beroep op je eigen verantwoordelijkheid. Bovendien, als je in Hamingen de deur uit stapt word je omringd door uitgestrekte akkers. Je bent al een uur aan het lopen voor je een plaats van enige betekenis tegenkomt. Dat doet dus echt niemand. Maar hier, hier is een stad onder handbereik. Een stad vol verlokkingen en verleidingen, met kroegen, snackbars en sigarettenautomaten. Zie daar maar eens af te blijven. Arta betekent zelfbewustwording, dat snap ik ook wel. Voor iedereen komt het moment dat hij of zij het weer op eigen kracht moet doen. Dan moet je jezelf ook in de hand hebben, daar willen we tenslotte naartoe. Maar eh... nu al?

Natuurlijk hebben niet alle bewoners zichzelf in de hand, sterker nog, ik durf te zeggen bijna niemand. Er zijn regelmatig incidenten: verliefdheden tussen bewoners (ten strengste verboden, maar ja, hoe reguleer je hormonen?), kleine irritaties die uitlopen op gigantische ruzies, bewoners die in de stad gesignaleerd worden achter een biertje of een glas wijn. Het komt allemaal voor en diegenen die niet bereid zijn naar zichzelf te kijken, doen dat des te meer naar anderen. En dan is het bal, want een incident of een beschuldiging betekent onherroepelijk een extra groepsgesprek.

Dat is een verhaal apart. In de gang hangt een koperen bel, met een touw eraan. Als je ergens tegenaan loopt, ergens niet meer uit komt of bijvoorbeeld ruzie hebt met een medebewoner, kun je letterlijk aan de bel trekken. Op dat geluid komt iedereen tevoorschijn, stopt met waar hij mee bezig is en verzamelt zich in de woonkamer voor het extra groepsgesprek. Als de bel luidt, krijgen de meesten van ons een hartverzakking want het kan er hard aan toegaan en de zondaars worden publiekelijk aan de schandpaal genageld. Ik ben daar wel aanwezig, dat moet wel, iedereen moet, maar ik weiger met de vinger te wijzen. De meeste verleidingen zijn voor mij weliswaar nog niet bereikbaar, ik ben er bijvoorbeeld nog niet lang genoeg om in het weekend naar huis te mogen, maar ik ken mijn eigen zwakheden maar al te goed en ik weet hoe moeilijk het is om niet over de schreef te gaan. Wie ben ik dan, om een ander te beschuldigen? Het klinkt vroom, maar zo voel ik het echt. Ik doe daar niet aan mee. Ik heb zelfs nooit aan de bel getrokken. Had ik dat maar gedaan...

Des te vervelender is het dat het aantal incidenten lijkt toe te nemen, naarmate ik er langer ben. Dat komt de sfeer niet ten goede. Ruzies en verdachtmakingen over en weer zijn meer regel dan uitzondering en er gaat bijna geen dag voorbij zonder dat ik de bel hoor. Er is voortdurend spanning, de groep is niet gezellig meer en zelfs de leiding lijkt het geduld te verliezen. Er zijn zelfs al officiële waarschuwingen uitgedeeld: 'Nog één akkefietje, en je staat op straat.'

Gelukkig niet aan mij, maar toch doet het wat met me.

Wat denk je, ik ben toch al zo gevoelig voor sferen. Ik moet gewoon afleiding hebben. Het lijkt zelfs wel alsof ik, net als vroeger, weer heel even vakantie wil nemen van mijn gevoel. Naar buiten kan ik niet. Het is 30 december en beestenweer.

De enige plek waar het op zo'n ochtend gezellig is, is de keuken. Gelukkig heb ik corvee, samen met mijn medegroepsleden Harry en Maaike. Corvee betekent zorgen voor alle maaltijden, koken, tafeldekken, alles. Buiten is het donker, de regen slaat tegen de ramen. In de keuken is het warm en brandt het licht. Het ruikt er heerlijk naar koffie. Maar ja, koffietijd is al voorbij en ook hier geldt de regel; één kopje koffie per dag. En zoals altijd is datgene wat je niet kunt krijgen het meest begeerlijk. Er staat nog een halve pot op het plaatje. De kopjes staan er keurig opgestapeld naast. Het water loopt me in de mond. Ik kijk naar Harry en Maaike. Hun vergaat het niet anders.

'Ach,' zegt Harry, 'laat ze toch het lazarus krijgen. Er is er hier niet één die geen boter op z'n hoofd heeft. En als dit alles is...' Hij grijpt een kopje en schenkt in.

Ik kijk ernaar. Durfde ik maar wat hij durft. Harry is de ouwe rot in het vak, Maaike heeft het hele prostitutietraject al doorlopen, met alle ellende van dien. Vergeleken bij hen kom ik pas kijken. Maar hé, dit gaat om een kopje koffie en toch voel ik me als een kind dat bibberend bij de kant van de sloot staat en bang is eroverheen te springen. Mijn god, ik gedráág me als een kind. Hoe oud ben ik intussen? En ik laat me een kopje koffie ontgaan, omdat iemand ooit gezegd heeft dat het niet mag? Ja, nog effe... Zonder aarzeling volg ik Harry's voorbeeld. Ik hou Maaike het kopje voor. Ze heeft al die tijd nog niets gezegd.

'Wil je ook?'

'Ach, doe ook maar.' Ze giechelt erbij. Ik schiet ook in de lach. Eigenlijk is het een heel komische situatie, drie volwassen mensen die stiekem in de keuken koffie staan te drinken. Ik geef Maaike het kopje en schenk voor mezelf in. Er is nog genoeg over.

We drinken zwijgend en genieten, onze kopjes omklemmend met beide handen, gezellig, als in een koffiereclame.

'Goh, dat was het lekkerste bakkie koffie dat ik in tijden gehad heb,' zeg ik. 'We zullen de kopjes maar wel even afwassen, hè?'

'Ja,' zegt Harry. 'We willen tenslotte niet dat er gedonder van komt.'

's Middags is het weer zover. Er is een vervelend incident geweest tussen een bewoner en iemand uit de buurt en voor de zoveelste keer klinkt de bel. Harry en ik kijken elkaar aan, met zo'n blik van 'daar gaan we weer'.

Het gaat er heftig aan toe. Ik kijk een paar keer naar de leiding, de psycholoog en de psychiater zijn er allebei, en ik voel me niet op m'n gemak. In de verte klinken regelmatig de eerste knallen van te vroeg afgestoken vuurwerk. Er hangt een vreemd sfeertje. Iedereen is lichtgeraakt. Of het de naderende jaarwisseling is of de gebeurtenissen van de laatste tijd durf ik niet te zeggen, maar er hoeft niet veel meer te gebeuren voor de vlam in de pan slaat.

Het incident zelf raakt me niet en ik heb geen behoefte er iets van te zeggen. Als me iets gevraagd wordt houd ik me op de vlakte. Hoe minder ik zeg, hoe eerder het misschien afgelopen is. Langzaam dwalen mijn gedachten af. Ik luister nog maar met een half oor. Stemmen vervormen tot een monotoon geluid op de achtergrond, tot ik ruw uit mijn overpeinzingen gewekt word.

'En nu ben ik het zat!' roept de psychiater. 'Jij beschuldigt hem, jij weet iets van haar, zij heeft weer wat anders... Ik heb er schoon genoeg van, weten jullie dat? Stelletje kleuters. Laat iedereen die verder nog iets op zijn kerfstok heeft nu zijn vinger opsteken en het eerlijk zeggen. Dan zijn we er tenminste van af.'

Oeps. Ik zit meteen rechtop. Zoals te verwachten, volgt op de uitbarsting een gespannen stilte. Zoals Harry die ochtend nog opmerkte, er is hier niemand die onder de zonnebank kan zonder vette haren te krijgen. Dan realiseer ik me dat ik daar sinds vanochtend ook bijhoor. Mijn mond wordt droog. Ik kijk opzij.

'Nou?' daagt de psychiater ons uit. 'Wie is er zo dapper?'

Harry kijkt beurtelings naar mij en naar Maaike. Ik haal mijn schouders op. Dan steekt hij nonchalant zijn hand op. 'Nou, dan zal ik maar de eerste zijn. Ik heb vanmorgen een extra bakkie koffie gepakt in de keuken.'

'Dat is niet de afspraak,' zegt de psycholoog. 'Nog meer mensen?'

'Ik ook,' zeg ik.

'En ik ook,' vult Maaike aan.

'Nou,' antwoordt de psycholoog. 'Jullie weten wat de consequentie is. Ga je spullen maar pakken.'

Mijn adem stokt in mijn keel. Hoor ik dat goed? Ik kijk om me heen. Harry staat al op. Hoe absurd ook, kennelijk heeft hij hetzelfde gehoord als ik. Maar dit kan toch niet? Het incident waar we voor bij elkaar geroepen zijn, waar we het een paar minuten geleden nog over hadden, is weinig minder dan aanranding. En wij worden buitengesmeten om een bakkie koffie? Eén dag voor de jaarwisseling. Waar moet ik heen? Waar kan ik heen? Hebben ze daar ook maar één ogenblik over nagedacht? Heb ik daar al die maanden voor ge-

zweet en mijn ziel en zaligheid blootgelegd? Is dit wat ze ermee doen? Is dit de beloning? Ze kunnen me wat!

Maar ik ben ook boos op mezelf. Had ik er echt niet af kunnen blijven? Oké, het is een belachelijke regel, maar ik wist
wat ik op het spel zette. Na al die maanden, was dat het
waard?

Ik zit een seconde of wat als verdoofd op mijn stoel. Woede, verdriet, ongeloof en teleurstelling rollen over elkaar heen
in mijn hoofd. En als het weer een beetje rustig wordt daar-
boven, is het me duidelijk. Geen woord zal ik er meer aan vuil-
maken. Wat kan mij het ook schelen? Eigenlijk ben ik het zo
zat, dit kinderachtige gedoe. Ik sta op en loop achter Harry
aan, de zaal uit. Ik kijk niemand aan en niemand zegt iets.

'Weet je? Ik ben blij dat ik daar weg ben, wil je dat wel geloven?' zeg ik, terwijl ik mijn lege glas op het tafeltje zet, iets
harder dan ik bedoelde.

We zitten met z'n drieën in een café in Zeist, onder de
kerstversiering. Harry, Maaike en ik. Ik drink bier, uit pure
opstandigheid, maar het smaakt me niet. Het is heerlijk om
vrij te zijn, maar ik had me het einde van mijn therapie toch
anders voorgesteld. Het voelt meer als verlies dan als vrijheid. Ik ben nog steeds boos, vooral op mezelf, maar ook op
de groep, die ik verantwoordelijk hou voor het feit dat wij er
niet onderuit konden onze kleine overtreding op te biech-
ten. Toen ik wegging heb ik maar twee mensen gedag gezegd. Twee mensen, buiten de twee medezondaars met wie
ik nu hier zit, meer vrienden heb ik aan drie maanden therapie niet overgehouden.

'Ik was er wel aan toe,' zegt Maaike.

'Waaraan?' vraag ik bitter. 'Aan de drank, of om weg te
gaan.'

'Allebei,' zegt ze.

'Ja,' zeg ik tegen beter weten in. 'Ik ook. Wat een kinderachtig gedoe, zeg.'

'Wat ga jij nu doen?' vraagt ze.

'Geen idee.' Het is waar. Ik weet niet waar ik heen moet, één dag voor de jaarwisseling. Kan het triester? Mijn vader, daar kan ik moeilijk heen. Ik had het hem nog zo beloofd, dat ik dit niet zou verpesten. En kijk me nu eens. Nog geen uur buiten en ik zit al aan mijn tweede biertje. Maar ja, ze hebben het er ook zelf naar gemaakt. Eén lullig kopje koffie. 't Is om te gillen.

11

'Zo wreed!'

De jongen kijkt me zwaar verontwaardigd aan. Ik knipper met m'n ogen. Het is of ik wakker word uit een droom. Het kost me even voor ik me realiseer waar ik ben. Ik sta in het hoekje bij het raam, naast het bord. Het zweet loopt langs mijn rug. Bijna een uur lang heb ik de gezichten, die me allemaal gebiologeerd aanstaren, niet gezien. Als ik vertel ben ik in m'n eigen wereld, komt alles weer terug, hoe lang het ook geleden is. Buiten is de dag nu echt begonnen, maar het is nog niet veel lichter geworden. De regen tikt tegen de ruiten, het is bijna zoals die ochtend in de keuken, in De Witte Hull.

'Wat is wreed?' vraag ik. Eigenlijk is de onderbreking wel prettig, want ik weet niet of ik er anders ooit nog uit gekomen zou zijn, uit de gevangenis van mijn herinneringen.

'Van die koffie! Dat ze je d'r zomaar uitgooien.'

'Nou ja,' zeg ik schouderophalend, 'ik heb natuurlijk ook een fout gemaakt.'

'Dat is toch geen fout?'

'Als ze dat hier op school zouden flikken,' zegt een van de meiden, 'ik zou echt nooit meer terugkomen!'

'Het is een ontzettend strenge regel,' zeg ik, 'dat weet ik

ook wel, maar Arta is natuurlijk geen school hè. Je zit niet voor niks in een programma. Als je wilt leren om op eigen kracht verder te gaan, kom je er niet met lang leve de lol en iedereen doet maar waar-ie zin in heeft.'

'Hallo, het is een kopje koffie! Als het nou drugs was...'

'Ja, precies. Maar als je dit al niet kan laten staan, als je je dus niet kan beheersen, want daar gaat het om, hoe moet het dan straks, op straat? Als je al je oude bekenden weer tegenkomt, van wie er een paar nog gebruiken, of misschien allemaal?' Ik haal diep adem. 'Ik heb er nog steeds spijt van, dat ik het toen niet afgemaakt heb.'

Op dat moment klinkt de zoemer. Nee, denk ik, nu al? Ik kijk op mijn horloge. Ik heb bijna een uur gepraat en ik ben pas halverwege. Indelen van de les, daar moet ik nog aan werken. Als een reactie op de bel gaat iedereen bewegen. Automatisch. Hoezo geconditioneerd? Stoelen worden verschoven, tassen gepakt, mobiele telefoons. Achter in de klas staat de leraar op. Alleen het meisje met de koffiebruine huid, voorin, zit onbeweeglijk en staart onophoudelijk naar een punt ergens in de buurt van de deur, waar ik niks bijzonders kan ontdekken. Ze kijkt me niet aan. Ik weet niet of ze iets heeft opgepikt van mijn verhaal.

'Ja,' zegt de leraar, 'ik ben bang dat onze tijd om is. Esther, namens de klas, de klassen moet ik zeggen, wil ik je...'

'Maar ze is toch nog niet klaar?' onderbreekt de jongen die aan het begin van het uur als eerste opstond, toen ik niet op gang kon komen.

'Ja,' valt een ander hem bij. 'Kunnen we in de pauze niet doorgaan?'

Ik ben intussen gaan zitten en ik val van verbazing bijna weer van mijn stoel. De leraar is ook van z'n stuk gebracht. Dit gebeurt niet vaak.

'Tja,' zegt hij. 'Willen jullie dat allemaal?'

'Ga maar door,' zegt het meisje met het rode haar, dat Judith heet, weet ik inmiddels. 'Eindelijk een les die ergens over gaat. Sorry, meneer De Boer.'

Dat laatste is tegen de leraar, die verontschuldigend zijn handen omhoogsteekt en weer gaat zitten. Een paar zijn er stil, maar niemand durft de strijd met de overmacht aan.

'Nou ja,' zegt de leraar, 'als Esther ook nog tijd heeft en energie...'

Hij kijkt me aan. Ik knik.

'Ik wil nog wel doorgaan, maar zo leuk is mijn leven niet geweest hoor. Dus...'

'Ja, duh, vertel nou maar.'

Het klinkt echt gemeend. Ik lach. Op de gang lopen groepen leerlingen luidruchtig voorbij, maar mijn klassen denken er niet aan het lokaal uit te stormen. Dat doet me ongelofelijk goed.

'Oké dan. Waar waren we?'

'Mag ik iets vragen?'

Ik draai mijn hoofd met een ruk om en kijk naar het meisje met de koffiebruine huid. Van iedereen had ik een vraag verwacht, maar niet van haar. Zomaar ineens is ze uit haar eigen wereldje gestapt en teruggekeerd in de klas.

'Ja, natuurlijk.'

'Leeft je moeder nog?'

'Eh, ja, hoezo?'

'Je hebt het steeds alleen over je vader.'

Ik glimlach. En ik maar denken dat ze niet geluisterd heeft. 'Scherp van je. Je hebt gelijk, dat is ook zo. Ik had in die tijd ook heel weinig contact met mijn moeder. Dat is nu weer beter hoor. In Hamingen hadden we natuurlijk niet zoveel te doen, geen televisie en zo en dan schreef ik mijn moeder. En toen ik in Zeist zat heb ik haar gebeld, maar als er iets was ging ik toch het eerst naar mijn vader toe. Maar ze wist wel waar ik zat.'

Het meisje knikt. Mechanisch, emotieloos. Ik maak me zorgen over haar, maar ik moet door.

Ik neem een moment om mijn gedachten op een rijtje te zetten en haal diep adem.

'Daar zat ik dus, met Harry en Maaike en we begonnen aardig dronken te worden. Daar was ook niet veel voor nodig, want ik had in geen tijden meer alcohol gehad, dus het kwam behoorlijk binnen. We dronken niet eens omdat we het lekker vonden, tenminste ik niet, maar meer nog uit protest tegen de hele situatie. En om het gevoel van teleurstelling weg te drinken. Daar ging ik dus weer, nu al. Maar goed, het ergste was dat ik geen idee had waar ik heen moest. Met mijn moeder had ik dus niet zo'n goed contact dat ik ineens bij haar aan kon kloppen en naar mijn vader durfde ik absoluut niet. Ik schaamde me kapot dat ik het programma niet afgemaakt had. Wéér iets wat ik niet voor elkaar kreeg. Ik durfde hem echt niet onder ogen te komen. Uiteindelijk had Harry de oplossing. Hij had nog een huis in Amsterdam en daar zijn we heen gegaan. Met z'n drieën. Daar hebben we oud en nieuw gevierd, met oliebollen en heel veel drank.'

'Heb je ook drugs gebruikt toen?' vraagt Judith.

'Nee. Toen niet. Ik was toch wel wat sterker uit het programma gekomen natuurlijk en ik was van plan om dat toch echt niet meer te gaan doen. Ik was nog best blij dat ik afgekickt was. En de anderen deden het ook niet, dacht ik tenminste. Maar goed, ik moest iets gaan doen en ik moest ergens heen. Waarom wist ik niet precies, maar ik voelde dat ik daar niet te lang moest blijven.'

Hilversum, januari 1989

De straat ziet er nog hetzelfde uit. De huizen herken ik, ik loop zonder aarzeling het goede tuinpad op. Het hekje valt met een vertrouwde klap achter me dicht, maar toch voel ik me een vreemde. De laatste keer dat ik bij mijn moeder was, was in een ander leven. Ik hang aan de trekbel en hoor bijna hetzelfde geluid als voor een extra groepsgesprek in De Witte Hull. Zo voelt het ook. Ik schaam me. Als ik nog lang moet wachten loop ik weer weg. De deur gaat eindelijk open.

'Hè hè...'

'O kind, ik hoorde de bel niet. Nou, kom maar gauw binnen. Het is heel niet warm hè, vandaag. Wat zie je er goed uit!'

Ik ben meer dan tien kilo te zwaar, denk ik bij mezelf. Waar heb je het over. Ik zeg: 'Dank je.'

Mijn moeder babbelt door terwijl ik achter haar aan loop naar de woonkamer. Aan één stuk door. Ze is in elk geval opgewekt, dat vind ik wel prettig. Nog prettiger is het dat ik er geen woord tussen krijg. Dat is een last van mijn schouders, want ik heb de hele weg zitten bedenken wat ik moet zeggen, en ik weet het nog steeds niet.

'Zo. De koffie staat op, hoor. Je lust zeker wel een kopje?' Ze vraagt het op zo'n toon dat ik het niet in m'n hoofd haal om nee te zeggen.

'Ja, lekker.'

Ik ga op het puntje van de bank zitten, ongemakkelijk, alsof ik zo weer weg moet.

Ze vraagt niet hoe het is, of waar ik vandaan kom. Aan één kant vind ik dat wel prettig, maar ik had het ook wel fijn gevonden om haar alles te vertellen. Hoewel, dat had ik toch niet gedaan. Ze gaat naar de keuken, om de koffie te halen.

Ik kijk rond in de kamer. Sommige dingen komen me vaag bekend voor, maar meer ook niet. Ik heb er geen band mee. Ze komt weer binnen, zet de koffie voor me neer en houdt me een trommel koekjes voor.

'Hmm,' zeg ik. Dat meen ik. Ik rammel en ze zien er heerlijk uit.

'Neem er maar twee, hoor.'

Dat laat ik me geen twee keer zeggen. Te dik ben ik toch al. Voor zover Arta me al zelfdiscipline geleerd heeft, ben ik hard op weg om het weer kwijt te raken.

Ze gaat ook zitten. We nemen elkaar op en doen allebei net of het geen moeite kost. Of het de gewoonste zaak van de wereld is dat ik bij haar op bezoek ben. Nu verwacht ik ieder moment de brandende vragen, maar mijn moeder weet me altijd weer te verrassen. Ze zet haar kopje neer en loopt naar de kast. Als ze terugkomt heeft ze een stapel knipsels in haar handen.

'Je zou hier eens naar moeten kijken,' zegt ze. 'Heb ik voor je uitgeknipt. Ja, ik denk wel aan je, hoor.'

'Wat is dat?' Ik pak het stapeltje aan en blader erdoorheen.

'Ja, je moet toch iets gaan doen, nu?'

Ik ben blij verrast. Zover was ik zelf nog niet eens. Ze heeft advertenties voor banen, simpele banen die zelfs ik zou kunnen, een schildercursus...

'Schilderen?' vraag ik.

'Ja, dat kon je altijd zo leuk. Zou je echt weer eens iets mee moeten doen.'

Dat is bijna een compliment, flitst het door me heen. Een jaar of tien te laat, maar toch. Zou het pijn doen? Nee, nu niet cynisch worden, wijs ik mezelf terecht. Ze bedoelt het goed.

'Misschien best leuk,' zeg ik. Dan valt mijn oog op iets anders.

'Bejaardenverzorgster, dat is leuk!'

'Meen je dat?'

'Dat, dat lijkt me echt wat.'

'Je kunt nog solliciteren, hoor. De termijn is nog niet gesloten.'

Normaal gesproken zou ik dichtklappen, bezwijken onder de druk, maar dit lijkt me echt leuk. Ik heb altijd graag iets voor anderen willen betekenen en dit is mijn kans. De eisen zijn niet eens gek hoog, dus ik zou nog een kans maken ook.

'Tja, 't is wel leuk...' zeg ik aarzelend.

'Nou kind, dan doe je het toch. Ik heb het niet voor niets uitgeknipt.'

'Kun jij niet voor me schrijven?' vraag ik een beetje benepen. Het idee dat ik zelf een brief moet gaan schrijven vind ik het meest beangstigend van de hele toestand.

'Nee, natuurlijk niet. Dat moet je zelf doen. Hier, ga maar aan de tafel zitten en begin maar.'

'Oké.' Ik vind het ook eigenlijk best spannend. Het doet me ongelofelijk goed dat mijn moeder zoveel vertrouwen in me heeft. Meer dan ikzelf.

Ik voel het tafelblad onder mijn handen. Hier zat ik vaak met m'n huiswerk, als ik geen zin had om naar boven te lopen. Ik buig voorover en druk mijn neus tegen het hout. Het ruikt net als de piano, die in de was gezet is. Gek dat dit nu ineens terugkomt. Verder is er niet zoveel in de kamer dat me terug doet denken aan mijn jeugd. Misschien wil ik wel niet terugdenken aan mijn jeugd. Als ik rondkijk in deze kamer, de geuren opsnuif, voel ik onmiddellijk weer de spanning tussen mijn ouders, de onhoudbare spanning die er de oorzaak van was dat ze gingen scheiden toen ik dertien was. Wat voor mij de reden was om steeds vaker zomaar van huis weg te blijven. Ja, het heeft me beslist gevormd.

Voor me ligt nog steeds dat papier.

'Maar wat moet ik dan schrijven?'

'Dat je in aanmerking wil komen voor de baan die ze aanbieden in de advertentie. Tenminste, dat je die opleiding wilt gaan volgen. Dat lijkt me duidelijk.'

Pff. Duidelijk noemt ze dat. Ik pak de pen op en verschuif het briefpapier. En nog een keer. Ik zit er wel een uur, voor ik iets heb wat op een brief lijkt. Al die tijd zie ik mijn moeder niet. Af en toe hoor ik haar, ergens in het grote huis. Ze bemoeit zich er bewust niet mee, denk ik. Tot ik klaar ben.

'Zo. Laat eens kijken,' zegt ze. Ze grist de brief onder mijn handen vandaan en op dat moment weet ik dat het misgaat. Ik was er best trots op, maar nu ik mijn brief in haar handen zie, lichtjes trillend, begin ik zelf ook te trillen. Ze leest zwijgend. Mijn hart bonst in mijn keel.

'Ja, maar dat kan toch niet!' roept ze uit. 'Kijk nou eens wat je geschreven hebt? Hier!'

Daar gaan we al, ik wist het.

'Mam, het is mijn brief...' protesteer ik zwakjes.

'Dit kun je natuurlijk niet versturen.' Ze lacht erbij. Dat is nog wel het ergste. Ze legt de brief voor me neer en begint me op alle fouten te wijzen. 'Dit is toch niet met een t, heb je nou helemaal niks geleerd? En dit, en dit...' Haar vinger vliegt over het papier, van fout naar fout. Ze zucht, alsof het leed van de hele wereld op haar schouders drukt. 'Dacht je nou echt dat ze je zo zouden aannemen? Waarom doe ik ook al die moeite voor jou? Vergeet het maar. Je redt het toch niet. Als je de brief al niet eens voor elkaar krijgt! Ik weet niet wat ik moet met jou, hoor.'

Dat is de druppel. Ik wist dat ze kritiek zou hebben en het lijkt haast wel of ik op dit moment gewacht heb om uit m'n dak te kunnen gaan, alsof ik hierop gewacht heb.

Ik spring op, pak de brief, scheur hem in kleine snippertjes, die als sneeuwvlokken om me heen op de grond dwarrelen. De snippertjes van mijn toekomst.

Waarom kan ik kritiek nu nooit eens positief opvatten, gebruiken om er iets van te leren?

'Weet je,' schreeuw ik, 'het hoeft al niet meer! Je zal wel gelijk hebben, ik kan toch niks. Zo was het vroeger al, hè mam? Esther kan niks!' Ik kijk haar aan en imiteer haar stem. '"O, weet je wat Esther nou weer gedaan heeft? Zó dom! Van mij heeft ze het in elk geval niet, hoor. Ja, ik weet wel van wie...!" En zo zal het altijd wel blijven! Ik ga wel weer.'

'Dat heb ik nooit gezegd!' zegt mijn moeder verontwaardigd.

'Weet je dat niet meer? Tegen iedereen die het maar horen wilde! Waar ik bij was! Als ik in de kamer was, praatte je over mij tegen je vriendinnen. "Esther dit en Esther dat..." Weet je hoe dat voelt?'

Ik sta vlak voor haar. Ineens moet alles eruit. Mijn moeder weet voor één keer niks te zeggen. Mooi. Dan hoef ik ook niks terug te zeggen. Ik been met grote stappen de kamer uit, gris mijn jas van de kapstok en trek de buitendeur met een knal achter me dicht.

Tot aan het station blijf ik in hetzelfde tempo doorlopen. Mijn ogen verblind door tranen. Tranen van woede en teleurstelling. Mijn moeder heeft gelijk, dat is het wrange aan de situatie. Ik kan echt niks. Alles wat ik probeer mislukt. Bij Arta hoef ik niet meer aan te komen, een brief schrijven kan ik al niet. Ik kan maar beter teruggaan waar ik vandaan kom, dan ben ik tenminste niemand tot last.

Dat valt tegen. Als ik terugkom bij Harry en Maaike in Amsterdam, in het huis wat ik voor een paar weken thuis noem, zie ik Harry met z'n rug naar me toe in de wc staan. Hij beweegt op een rare, bijna spastische manier met z'n armen.

'Harry, wat is er met je?'

'Nee, 't is wel goed. Ik voel me een beetje raar, maar dat gaat wel over.'

'Echt waar? Draai je eens om, kijk me aan.' Maar dat doet hij niet. Ik ga naar de kamer. Maaike hangt op de bank en slaapt met haar mond wijd open. De tafel ligt bezaaid met glazen en flessen. Op de grond liggen één of twee pillen, die heeft ze kennelijk laten vallen. Ik ga naast haar zitten en schud aan haar schouder, tot ze wakker wordt.

'Maaike, is Harry aan het gebruiken?'

Ze mompelt wat, maar ik kan het niet verstaan en ik herhaal mijn vraag. Harry, die inmiddels in de deuropening staat zegt: 'Welnee, dat is helemaal niet waar. Maak je nou niet druk. Drink wat.'

'Wie hou je voor de gek, Harry?'

'Nee, ik zweer het je.'

Ik draai me om en glip langs hem naar buiten. Weg, denk ik, dit is zó fout. Ineens is de dope weer overal. Voelbaar, als een monster, dat me probeert te grijpen met zijn tentakels. Maar het mag niet, het kan niet, ik moet ontsnappen. Ruimte moet ik hebben. Frisse lucht, gewone mensen, anders val ik in de afgrond.

De rest van de middag en avond zwerf ik door de stad, tot ik te moe ben om verder te lopen. Ik denk aan van alles en niks tegelijk. En ik denk aan Z. Voor het eerst in lange tijd denk ik weer aan Z.

Twee dagen later is het zover en betrap ik Harry met een naald in zijn arm. Ik sta als aan de grond genageld.

'Wat doe jij?'

'Bemoei je er niet mee. Wat weet jij nou? Wat heb je nou helemaal gezien?'

'Wat ik gezien heb? Jou met die verrotte klerezooi! Je hebt gewoon tegen me gelogen, man!'

Ik ben bang, geschokt. Het is dus toch zo, mijn gevoel was goed. Ineens is de dope weer in mijn leven, slaat me keihard in mijn gezicht. En dan niet een chineesje, maar shotten!

Ik kan alleen maar vluchten, het is zo bedreigend. Zonder een woord te zeggen pak ik mijn spullen. Mijn hart breekt als ik eraan denk wat er met Maaike zal gebeuren als ze ook weer gaat gebruiken. Dat wordt haar dood, ik weet het zeker. Maar hoe erg ik het ook vind, ik kan niet blijven om haar te helpen want dan ga ik er zelf aan onderdoor. Want als Harry zo kan terugvallen, wat staat mij dan nog te wachten?

12

Mijn weekendtas en ik zitten weer in de trein. Weer op reis, weer op de vlucht. Natuurlijk gaat de trein naar Utrecht. Alle treinen die ik neem, komen uiteindelijk aan in Utrecht. Hoe kan het ook anders, het is het enige wat ik ken. De avond valt als ik op Utrecht CS uitstap. De roltrap brengt me naar boven, naar de traverse, naar de stationshal. En daarvandaan is het een paar tientallen meters naar Hoog Catharijne. Ik weet niet wat ik er moet of waar ik heen zal gaan, maar toch voelt het vertrouwd. Ik sta even stil bij de winkeltjes ter hoogte van de taxistandplaats en meteen botst er iemand tegen me aan. Al die mensen, die wel weten waar ze heen moeten en nog haast hebben om er te komen ook. Ik benijd ze. Ik heb ook altijd haast, maar ik weet niet waarom.

Doelloos loop ik verder, in de richting van de stad, tot ik mijn naam hoor.

'Esther!'

Ik kijk rond, om te zien waar die stem vandaan komt. Met open armen loopt ze op me af. Mijn mond valt open. Mijn ogen worden groot.

'Huh? Therza?'

Ze slaat haar armen om me heen en kust me. 'Es, wat zie je er goed uit! Ik heb je gemist...'

'Jeetje.' Ik ben overdonderd door zo'n ontvangst en het is alles wat ik kan uitbrengen.

'Zie je wel dat je me nooit zal verlaten?' zegt ze, alsof ze altijd geweten heeft dat we elkaar hier weer zouden treffen. Haar blijdschap werkt aanstekelijk en dringt de gedachte aan Harry en Maaike gelukkig wat naar de achtergrond. Ik geniet van haar aandacht, van haar armen om me heen.

Therza neemt zoals altijd de leiding. Therza weet waar we heen moeten. Ik loop achter haar aan en beantwoord zo goed als ik kan haar duizend vragen. Waar ik heb gezeten, hoe het nu gaat, of ik clean ben...

Met die laatste vraag heb ik de meeste moeite. Ik denk het wel, ik gebruik in elk geval niet, maar of dat hetzelfde is? Intussen heb ik maar één vraag. Nu ik hier ben wil ik eigenlijk maar één ding, Z weer zien. Ik durf Therza niet naar hem te vragen, want ik ben doodsbang voor het antwoord. Als hij er nog is, is hij ongetwijfeld woedend op me.

'En Z heeft het steeds over je,' zegt ze, zomaar uit zichzelf.

Ik sta stil. Is er dan toch nog hoop, heb ik me zorgen gemaakt om niks?

'Echt waar?'

'Ja, voortdurend. Hij vindt het vreselijk dat hij je nooit meer ziet.'

'Hoe is het met hem?'

'Ja, goed. Zijn been is genezen. Hij is al een hele tijd uit het ziekenhuis. Hij gebruikt wel, maar ja...'

Hoe kan het ook anders, denk ik, maar ik ben onmiddellijk bereid om het hem te vergeven.

'En hij heeft een nieuwe vriendin.'

De wereld explodeert. Met een honkbalknuppel had ze me niet harder kunnen raken. Zie je wel, denk ik, dat heb je ervan. Je hebt het verknald. Zelfs dat kun je niet. Ik kan wel janken, maar ik hou me groot. Ik wist niet dat ik hem zo gemist had, en nu is het te laat.

Therza ziet mijn verdriet. 'Hé joh, je hoeft helemaal niet bang te zijn. Jij bent veel leuker, hij heeft het steeds over jou.'

'Ja, maar...'

'Hij heeft die andere meid alleen maar om jou te vergeten.'

Ze pakt mijn hand. 'Kom, ga mee naar huis.'

Die avond worden we behoorlijk dronken. We tuttelen als vanouds, ze maakt me op, maakt foto's van me en intussen drinken we. Het duurt ook niet lang voor het folie weer op tafel ligt. Therza tippelt en hosselt en heeft daardoor alles in huis. Het zweet breekt me uit, de verleiding is enorm. Therza doet er dan wel luchtig over, maar het idee dat Z een ander heeft laat me niet los. Ik wil er niet aan denken, ik wil nergens meer aan denken. Meteen, de eerste avond in Utrecht wil ik alweer vakantie van mijn gevoel. Wat is dat toch met mij?

Ik ben sterk, op mijn manier. Ik hou het nog even bij alcohol en weet het moment uit te stellen tot de volgende avond, maar dan ga ik onherroepelijk voor de bijl. Meteen keer ik mijn hele maag binnenstebuiten. Ik heb zo lang niet gebruikt, dat mijn lichaam aan alle kanten protesteert, maar ik negeer de protesten. Ik ben weer terug, en daar zal mijn lijf mee moeten leren leven.

Therza neemt me de volgende dag mee de stad in. Ze moet even iets doen, ik weet wat. Ik ben er niet gek op, want als ze iets moet doen slaat haar stemming om, van het ene op het andere moment. Maar ja, we moeten toch geld hebben. We krijgen ruzie, omdat ze vindt dat ik niet genoeg meehelp. Nee, dat heeft ze goed gezien. Ik ben bang, ik heb genoeg meegemaakt en geen zin in de gevangenis. Het liefst heb ik er helemaal niks mee te maken, maar of ik wil of niet, ik zit er middenin. Tussen de moestuin in Hamingen en de winkeltjes in de Utrechtse binnenstad ligt een wereld van verschil. Mijn moestuin, die ik al weer bijna vergeten ben.

'Kom,' zegt ze. 'Ik weet waar we heen moeten.'

Het winkelcentrum is behoorlijk groot als je naar iemand op zoek bent tijdens het spitsuur. We kijken overal, ik zie bekenden uit de scene. Junks, dealers. Bij sommigen denk ik: goh, ben jij er ook nog steeds? Maar aan de andere kant ben ik ook weer niet zó lang weg geweest. Iets meer dan een halfjaar. Niet lang genoeg in elk geval, want alles komt weer terug en het voelt nog steeds als thuis. En dat is gevaarlijk. Héél gevaarlijk.

We lopen helemaal door, tot vlak bij de uitgang op het Achter Clarenburg. En daar zit hij, op een muurtje. Z. Ik ben overweldigd, maar ik weet niet wat ik moet zeggen. Waarom heeft Therza me meegenomen naar hem toe? Z is niet alleen. Ik ken het meisje dat bij hem op het muurtje zit. Chantal heet ze en ze zit veel te dicht naast hem, naar mijn zin. Het is je dus toch gelukt, kreng, is het eerste wat in me opkomt. Jaloezie vlamt als een steekvlam in me op.

Therza heeft geen last van dat soort gevoelens, die banjert overal zo doorheen. Of vlindert, al naar gelang haar humeur. Nu onze ruzie is bijgelegd is het weer vlinderen.

'Hé, Z! Kijk eens wat ik gevonden heb?'

Hij kijkt naar haar en dan naar mij. Zijn gezicht ontspant en verbreedt zich tot de mooiste lach die ik ooit van hem gezien heb. Het is toch goed, denk ik, terwijl ik me voel wegzinken in zijn ogen. Het is toch goed.

'Jeetje, Es!' roept hij uit. 'Hoe is het?'

Hij klopt op de bank, aan de andere kant naast zich.

'Kom zitten! Jeetje joh, waarom ben je daar niet gebleven? Waarom heb je het niet volgehouden?'

Ik zie het meisje naast hem verstrakken. Vanaf het moment dat Z mij in het oog kreeg, heeft hij geen aandacht meer voor haar. Had Therza dan toch gelijk? Het lijkt erop, maar het is meer dan waar ik op had durven hopen. Hij stelt dezelfde vragen als zij, alleen in een nog sneller tempo. Ik struikel over mijn woorden om hem alles te vertellen. Ik wil zo graag dat hij alles weet wat er gebeurd is, dat ik het hem ook allemaal tegelijk probeer te vertellen.

'Maar waarom ben je dan niet naar mij toe gekomen?' vraagt hij, als ik mijn verhaal besloten heb met dat ene kopje koffie, in Zeist.

Zodra ik uitgepraat ben pakt hij mijn arm.

'Mag ik even kijken?'

Hij schuift mijn mouw omhoog en inspecteert mijn armen op sporen van injectienaalden.

'Waarom moest je nou eerst helemaal naar Amsterdam?' vraagt hij.

'Ik weet het niet,' antwoord ik. Nog steeds kan ik niet geloven dat hij niet boos op me is. Ik voel me zo schuldig als wat, dat is ook de reden dat ik niet meteen naar Utrecht gekomen ben, maar ik durf er niet over te beginnen.

Er is dope, natuurlijk is er dope. We moeten vieren dat we elkaar weer gevonden hebben, vindt hij. We gebruiken samen. Therza heeft de drank, om de scherpe kantjes van ons weerzien af te halen.

'We waren toch zo goed samen, Es? We waren een team, jij en ik...'

'Ja,' zeg ik, met drank op durf ik dat, 'hallo, er is wel het een en ander gebeurd in de tussentijd. Zoals jij mij behandeld hebt toen je bij je familie was, dat was niet leuk, Z. Daar ben ik echt gek van geworden. Ik heb niet voor niks een shot aan je gevraagd toen je in het ziekenhuis lag. Dat was om er een eind aan te maken, snap je dat?'

'Dacht je dat mij dat niet raakte? Daarom wil ik dat wij samen verder gaan. Om dat weer goed te maken.'

'Ja, en zij dan?'

Ik begrijp het niet. Ik begrijp zijn reactie niet, hij heeft nu toch Chantal? Die ik overigens nog niet één keer rechtstreeks heb aangekeken, laat staan aangesproken.

'Zij betekent niets, Esther. Vergeleken bij jou... Ik ben zo blij dat ik je terug heb.'

'Heb je mij terug dan?' vraag ik. 'Hoe moet het verder, wat hebben wij nou voor toekomst, man?'

'Gewoon, het gaat toch goed?' Hij steekt zijn hand in zijn zak en laat me zijn geld zien. 'Ik verdien genoeg, moet je kijken.'

Ja, of zij, denk ik. Maar ik zeg het niet. Ik voel de spieren in mijn borstkas samentrekken. Ademen gaat moeilijk. Ik weet waar dit op uitdraait en wat er ook gebeurt, dat nooit meer.

Hij wappert met het geld onder mijn neus. Ik weer het af. 'Met hosselen, zeker.'

'Beetje hosselen, beetje verkopen... En met z'n tweeën...'

'Nee, Z. Dat verdom ik! Je weet nota bene waar ik vandaan kom, je weet wat ik met Chris meegemaakt heb. Dacht je dat ik zin had om nog meer gevangenissen vanbinnen te bekijken? De groeten!'

Het geld verdwijnt bliksemsnel weer in zijn zak. Therza zet doodgemoedereerd een fles wijn aan haar mond. Chantal kijkt met grote ogen naar Z en mij, ze weet zich geen houding te geven en durft zich niet in onze echtelijke twist te mengen, waar ze niets van begrijpt. Binnen een uur heb ik mijn plaats weer ingenomen en haar van de troon gestoten. Als het op ruziemaken aankomt zijn Z en ik onbetwiste kampioenen.

'Altijd zeuren, altijd zeiken. Je vindt het geld anders maar wat lekker!' bijt hij me toe. Zijn ogen schieten vuur. Het is weer als vanouds. 'Hoor je háár zeuren?' voegt hij er met een hoofdknik in de richting van Chantal aan toe.

In de winkels gaan de laatste lichten uit. Zwervers, junks en dealers liggen haast voelbaar op de loer om het Winkelhart van Nederland weer over te nemen. Mensen haasten zich langs ons heen naar het station en lopen nog sneller door als ze merken dat we ruzie hebben.

Nee, denk ik. Ik hoor haar helemaal niet. Uiterlijk onbewogen staar ik in zijn vurige ogen, maar vanbinnen tril ik als een riet. Z speelt ons tegen elkaar uit, maar dat heb ik niet in de gaten. Zoals altijd kruip ik meteen weer in mijn schulp. Ook dat is niet veranderd. Z heeft gelijk, denk ik. Natuurlijk wil ik hem niet kwijt, ik ben net zo blij als hij dat we elkaar weer teruggevonden hebben. En als we samen willen blijven, willen blijven gebruiken, dan zal iemand het geld moeten binnenbrengen. En ik lever nu niet bepaald een grote bijdrage. Alleen die spanning, die ondraaglijke spanning van niet weten hoe de dag zal eindigen, niet weten of hij terugkomt, die kan ik echt niet meer aan.

'We moeten toch roken?' zegt hij. 'We moeten toch wonen, eten? Denk je soms dat ik gras eet?'

De opmerking steekt me. 'Nee, natuurlijk niet. Ik wil alleen niet meer dat je hosselt, dat is alles.'

Therza geeft me de fles wijn aan, waar we om beurten uit drinken. Ik zet 'm aan mijn mond en neem een grote slok. Zijn woorden klinken na in mijn hoofd. 'Chantal zeurt niet...' Die opmerking heeft me kennelijk meer geraakt dan ik vermoedde. Wat nou als Z voor het gemak kiest, voor een meisje dat gewoon doet wat hij zegt? Ik heb hem al één keer in de steek gelaten.

Therza pakt de fles weer aan, drinkt ook, en zegt: 'Ik snap niet waar je zo moeilijk over doet. Die jongen brengt altijd geld binnen, da's toch goed?'

'Ja, begin jij ook nog een keer. Ik heb genoeg meegemaakt. Ik wil niet dat hem iets overkomt. Snap je dat dan niet?'

'Nou, dan ga ik wel dealen,' zegt Z, alsof het de gewoonste zaak van de wereld is.

'Dat wil ik ook niet.' Ik mag het dan gebruiken, het idee dat hij die troep verkoopt vervult me met walging.

'Wat wil je dan?'

Ik zwijg en kijk van hem weg. Mijn relatie met Z begint in veel opzichten steeds meer op die met Chris te lijken. Z is niet schizofreen, dat is het enige verschil. Maar ik heb dezelfde angsten, en die worden niet minder naarmate ik ouder word. Integendeel, op de eerste avond dat ik hem weer zie zijn ze alweer in alle hevigheid terug. Alsof er niets gebeurd is, alsof ik er niet ruim een halfjaar uit geweest ben. Met Z heb ik dezelfde discussies als indertijd met Chris. Met één verschil. Z is nog onberekenbaarder en veel extremer in alles wat hij doet dan Chris. In de liefde, maar ook in zijn verdriet en zijn woede. Inmiddels ken ik al zijn buien en weet ik waar hij toe in staat is en juist daarom ben ik zo bang voor wat hem kan overkomen op straat. De kans dat Z in zijn opvliegendheid een mes trekt, of er een tegenkomt, is levensgroot. Ik zie visioenen van ziekenhuizen, van gevangenissen, van nachten alleen in mijn mandje, woelend en badend in het zweet van angst. Nachtmerries, die me met zo'n kracht bij de keel grijpen dat ik letterlijk naar adem moet happen. Bloed op zijn hoofd en op zijn kleren, een telefoontje of twee agenten met een ernstig gezicht aan de deur om halfvijf 's ochtends. Nee, dat nooit. Het idee verlamt me. Ik heb hem al een keer zien baden in het bloed en ik heb mezelf bezworen dat ik dat nooit meer zou laten gebeuren. Als ik nog een keer in zo'n situatie terechtkom pleeg ik zelfmoord, echt waar.

Ik pak een pilletje uit mijn jaszak en spoel het weg met wijn. De fles is bijna leeg, de alcohol en de rohypnol beginnen hun werk te doen in mijn hersenen. Misschien maakt dat de keuze wat makkelijker. Want als ik Chantal definitief de deur wil wijzen, is er maar één manier om dat te doen. Dan zal ik Z moeten laten zien dat ik beter ben dan zij. Therza heeft niet voor niets gezegd dat ik een hele goeie kan worden en veel geld kan verdienen. Meer in elk geval dan zij, met haar uitgeteerde lichaam. Ja, zo gemeen en zo simpel ben ik al gaan denken, zover wil ik gaan om bij hem te blijven. *The queen is back to rule* en zij zal het weten ook. Dat wil nog niet zeggen dat de beslissing gemakkelijk is, maar de rohypnol maakt het in elk geval minder moeilijk om het gewoon te zeggen.

'Dan ga ik toch geld verdienen?' zeg ik, terwijl ik de fles met een klap op het muurtje zet. Therza pakt een nieuwe uit haar tas. Er is daar een onuitputtelijke voorraad.

'Jij,' zegt Therza laatdunkend. Z is te verbouwereerd om zijn mond open te doen.

'Ik kan altijd mijn lichaam verkopen,' zeg ik, op een toon alsof ik het over de Friese staartklok heb van een tante die ik nooit heb gemogen. Maar mijn nonchalance is schijn.

Therza zegt: 'Waarom ook niet.'

Z schudt zijn hoofd. 'Ik zou het maar niet doen, als ik jou was.'

'En waarom niet?' roep ik uitdagend. 'Zij werkt toch ook?'

'Voor je het weet raak je gewend aan het geld.'

'Waarom bepaal jij dat? Het is toch zeker mijn lichaam?'
Mijn laatste woorden echoën in de grote hal.

'Hé, rustig aan.' Therza reikt me de nieuwe fles aan, die ze ondertussen opengemaakt heeft. 'Kalmeer een beetje. Neem nog een slokkie.'

'Ik wil het gewoon niet hebben,' zegt Z. 'Het is veel zwaarder dan jij denkt en veel gevaarlijker.'

'Nee, wat jij doet is veilig. Het is heus niet alsof ik het voor het eerst doe hoor, als je dat soms dacht.'

Z draait zijn hoofd met een ruk om en kijkt me aan. Ik schrik van zijn blik.

'Niet wat jij denkt...' voeg ik er haastig aan toe. 'Maar ik weet heus wel hoe je die klanten geld afhandig maakt, bedoel ik.'

'Dus je gaat niet met ze...'

Ik wuif zijn bezwaren weg.

'Nee, natuurlijk niet. Je lult het ze gewoon uit hun zak, en nou ja, af en toe moet je wel eens wat doen natuurlijk...'

'Toch is het gevaarlijk,' zegt hij koppig. 'Voor je het weet ga je toch verder. Langzaam maar zeker ga je die grens over.'

'Pff. Ik moet er niet aan denken.' Ik kijk weg en steek een sigaret op om iets te doen te hebben. Als hij wil kijkt Z dwars door me heen en op dit moment heb ik dat liever niet. Mijn ogen ontmoeten de spottende blik van Therza. Als zij nu ook haar grote mond maar houdt. Gelukkig is ze zo verstandig, want mijn laatste, stellige uitspraak was niet geheel conform de waarheid. En Therza weet dat.

Ze slaakt een diepe zucht. 'Nou ja, als je dan per se moet, ga 't maar proberen dan.' Zijn vinger priemt in mijn borst, ik wijk van schrik achteruit. 'Als je dan zo eigenwijs wil zijn. Maar ik heb je gewaarschuwd.'

'Ach, wat kan mij nou gebeuren?'

'En zeg nooit,' voegt Z er dreigend aan toe, 'dat je van mij moest. Want dat is niet waar!'

'En ik kan er niet meer tegen als jij zo doorgaat met hosselen. Jij gaat hieraan kapot, maar daar ga ik dus aan kapot.'

Ik neem een laatste slok en kijk Therza aan. 'Ga je mee?' Ik negeer Chantal, hoewel ik diep in mijn hart gruw bij de gedachte dat zij hier blijft, bij Z, terwijl ik er niet ben.

Therza laat zich van het muurtje glijden. Gelukkig volgt Chantal haar voorbeeld. Het lijkt erop dat we met z'n drieën gaan.

'Ben met twee uurtjes terug, schat,' zeg ik tegen Z. Ik kus hem op zijn mond. Voor het eerst in maanden, alsof er niets gebeurd is. 'Niks aan de hand. Heus niet.'

13

Het is een eind lopen vanaf Hoog Catharijne naar de Europalaan en het is koud. Erg koud. Maar met een paar pilletjes en twee flessen wijn op heb ik daar geen last van. Waar ik wel last van heb is Therza. We zijn nog niet weg of ze begint te zeuren en, al zou ik niet weten waarom, het lijkt wel of ze jaloers op me is. Omdat ik het meisje van Z ben? Nou, dan mag ze ook wel jaloers zijn op Chantal. Ik weet niet eens of ik dat nog wel ben, het meisje van Z.

Ik probeer Therza te kalmeren, maar wat ik ook zeg, het dringt niet tot haar door. Ze heeft twee persoonlijkheden, het lieve meisje en de duivelin. Dit keer is ze beslist de laatste. Ze schreeuwt en tiert en is onredelijk. Voor mijn gevoel duurt het eeuwig voor we op de Baan zijn. Ik hoop dat een van ons tweeën snel een klant heeft, voordat ze me aanvliegt en me de haren uit mijn hoofd trekt. En ik hoop dat ik dat ben, die de eerste klant heeft. Zo ben ik dan ook wel weer.

'O ja,' sneert ze, als ik een plekje zoek tussen de andere meiden. 'Nou heb je mij niet meer nodig hè? Nou ben je lekker op de Europalaan, nou weet je het allemaal zelf wel.'

'Ja, nou kan ik het zelf wel,' snauw ik terug. 'Ga jij maar weg!' Drank en pillen maken me sterk, overmoedig en o zo goedgebekt.

'Hé,' zegt een stem naast me. Een vrouw komt naar me toe. 'Heb ze weer zo'n bui?'

'Ach, ik zal het wel uitgelokt hebben,' zeg ik. Gebekt of niet, als iemand ergens de schuld van moet krijgen sta ik altijd vooraan.

'Ze heeft het wel vaker,' zegt ze. 'Je bent nieuw hè?'

Ik knik en we kijken tegelijk een langzaam voorbijrijdende auto in. Door het open portierraam drijft een vleugje aftershave met sigarettenrook de koude nacht in. Er klinkt muziek uit de autoradio. 'Hé schatje...' zegt de vrouw.

Als de auto voorbij is wijst ze naar de bus die aan de overkant van de straat geparkeerd staat. 'De HAP-bus ken je? Daar kun je condooms kopen, koffie en thee krijgen, een broodje. En douchen. Heb je condooms? Eerst gaan halen dan. Wat je ook doet, nooit zonder condoom. Niks.'

'Was ik ook niet van plan,' zeg ik.

'Nee, maar ze vragen het allemaal. En nooit buiten de zone,' waarschuwt ze. 'Dat is echt levensgevaarlijk. Laat je niet meenemen, nergens mee naartoe.' Autolichten beschijnen haar blote benen. En dat in februari. Ze buigt diep voorover. 'Hai schatje. Ben je er alweer?' Ze lacht, diep en donker. De bestuurder, van wie ik niet meer zie dan een silhouet, steekt zijn hand op en rijdt gauw door.

'Als je bij iemand instapt moet je je vriend het autonummer op laten schrijven.'

'Goed idee,' zeg ik. Ik zie haar om zich heen kijken en zeg: 'Hij komt zo, hij moet even zijn moeder wegbrengen.' Ik weet niet of ze me gelooft, maar ik ben aangenaam verrast door de aandacht die ze me geeft. Niks zo lekker als aandacht. En ik was nog wel bang geweest dat mijn collega's me als concurrent zouden beschouwen en me liever zouden zien gaan dan komen. Maar als deze vrouw een maatstaf is voor de andere dames, valt dat ontzettend mee. Nu alleen de klanten nog. Maar ook daar maak ik me geen zorgen over. Met inmiddels vier rohypnolletjes achter mijn kiezen, wat kan het me schelen wat ik doe? Wat kan me gebeuren? Ze kijken naar me, allemaal. Ik bén hier iemand, ik word gezien, mannen willen zelfs voor me betalen! Zoveel aandacht heb ik lang niet gehad.

Natuurlijk ben ik de eerste die een klant heeft. Ik ben nieuw op de Baan en nieuwe meisjes zijn in trek. We rijden naar de afwerkplek aan de Kanaaldijk. Het geld is snel verdiend en nog voor hij me goed en wel weer afgezet heeft op de Europalaan draait de volgende zijn raampje naar beneden. Therza staat er dan nog steeds en de blik die ze me van een afstandje toewerpt belooft niet veel goeds voor onze relatie, maar het interesseert me niet. Chantal staat er ook nog steeds en dat vind ik belangrijker. Ik hoop dat deze me goed betaalt, dan kan ik terug naar Z. Terug naar de dope. Met meer geld dan zij.

Dat doet hij. Hij betaalt vorstelijk, alleen voor trekken en als dank brengt hij me ook nog terug naar Hoog Catharijne. Ik zal mannen nooit begrijpen, maar dat boeit me al evenmin. Dankzij hem kan ik mijn woord houden en Z even later trots een aanzienlijk stapeltje bankbiljetten laten zien.

Hij kijkt me alleen maar aan. Zijn ogen staan dof, hij is moe. In elk geval niet blij, zoals ik verwacht of in elk geval gehoopt had.

'Hier, pak aan dan.'

'Ja, maar het is jouw geld.'

'Pff. Ik wil alleen maar gebruiken, Z.'

'Ja, ik ook,' kreunt hij. 'Ik ben ziek.'

'Nou dan. Ik kan wel heel stoer proberen je te verrassen – "kijk eens wat ik meegenomen heb?" – maar mij verkopen ze Stophoest, en jou niet. Of ik word beroofd.'

Ik hou mijn hand met daarin het geld nog steeds naar hem uitgestrekt. 'Kan ik het toch beter direct aan jou geven? Jou belazeren ze niet.'

Ik zie de begeerte in zijn ogen groeien. Hij pakt het geld aan, met een terloops gebaar. Mijn eerste op de Europalaan verdiende geld sta ik vrijwillig af aan Z. Het doet me niks, ik ben er zelfs blij om, nu krijg ik goed spul. Maar in feite heb ik weer een stap gezet in mijn twijfelachtige carrière aan de zelfkant. Ik vlij me tegen hem aan en leg mijn hoofd op zijn schouder. 'Ga je wat kopen voor ons? Ik heb het nu echt nodig. En dan gaan we naar huis. Wij samen.'

Ik zou niet weten waar dat was, maar dat maakt me niet uit. Zolang we maar samen zijn.

Na die eerste keer op de Europalaan gaat het hard. Ik word al snel een bekend gezicht, koop mijn werkkleding, een kort jurkje, een zwarte panty en zwarte schoenen met gouden stilettohakken, waar ik kilometers op afsjouw. Twee zusjes, Hanneke en Joke, worden mijn vriendinnen. Vooral Hanneke is een sterke persoonlijkheid, ik kijk tegen haar op, zij redt het wel in deze wereld. Regelmatig krijg ik een peptalk van haar, ze vindt dat ik veel te veel pik van Z. Ik moet zelfstandiger worden. Ja schat, makkelijker gezegd dan gedaan. Als zij er zijn voel ik me veilig en ze zijn gezellig, we drinken samen koffie in de bus en ze helpen me een plekje te verwerven op de Baan. Als ze een vaste klant hebben die goed betaalt doen ze hun best om mij mee te krijgen. Van de verdiensten gaan we dan lekker uit naar de Dietsche, dancing Hordijk of de Roze Wolk. Dat zijn heerlijke uren en ik hoef me geen zorgen te maken over straf achteraf, want ik breng toch nog genoeg mee naar huis.

Zelf krijg ik ook een vaste klantenkring, niet langer kan ik zeggen dat ik af en toe een klantje pak als het echt niet anders kan. Ik hoor erbij. En nog steeds vind ik het moeilijk om het te zeggen, maar eigenlijk valt het me allemaal ontzettend mee. Het kost me weinig moeite om aan het werken als prostituee te wennen en als ik het er toch eens een keer moeilijk mee heb, dan is er altijd de dope om even afstand te nemen van alles.

Maar bovenal ben ik trots dat ik nu in ons inkomen voorzie en Z niet meer hoeft te hosselen. Chantal loopt nog steeds achter hem aan, maar als ik zie wat zij na een avond werken meebrengt en ik vergelijk dat met mijn stapel bankbiljetten, dan kan het niet lang meer duren voor hij haar definitief de rug toekeert. Waarom ik dat toch zo belangrijk vind, ik weet het niet, maar het maakt me razend als ik zie dat hij met haar gebruikt. Dat moet stoppen. Ik moet haar overbodig maken.

De risico's die ik daarvoor loop verban ik uit mijn hersenen. Tegen weerzin heb ik de heroïne en tegen angst de rohypnol, die ik wegspoel met mixdrankjes van de benzinepomp een eindje verderop. Zolang ik mijn gevoel kan dempen met een deken van alcohol en rohypnol kan ik het aan en voel ik alleen maar de rust dat ik niet meer over hem in hoef te zitten. Nu ben ik degene die eropuit gaat en is hij degene die achterblijft, want hij wil niet mee naar de Baan, zoals de vriendjes van andere meiden wel doen. Dat hij het er moeilijk mee heeft snap ik, en ik ben er eigenlijk ook wel blij om. Hij voelt iets, hij geeft om mij en daarom wil hij het niet weten. Dit is niet de onverschilligheid van Chris, dit is iemand die echt van me houdt en liever niet wil weten wat er met mij gebeurt. Dit is mijn stukje wereld en ik kan het laten verdwijnen als ik gebruik.

Wat niet verdwijnt is mijn afkeer van klanten die telkens weer meer willen voor minder en de regelrechte walging om wat ze van me vragen. Want diep in mijn hart ben ik nog steeds een net meisje uit een goed milieu, en seksuele handelingen met een onbekende vallen me niet makkelijk. De seks is anoniem, klanten inwisselbaar, lijven zonder gezicht die ik vergeet zodra ik de auto uit ben. Gelukkig zijn er af en toe mannen met wie het klikt, een enkele keer raak ik zelfs verliefd op een klant. Of is het meer de rust, even niet hoeven opletten of ik niet genaaid word... Want meestal lijkt het wel of ik de enige ben met nog een beetje fatsoen. Je wilt niet weten wat ze durven te vragen, zonder blikken of blozen, van een wildvreemd meisje dat hun dochter had kunnen zijn! Hoewel het meeste verdwijnt in een roes van drank, dope en pillen, leer ik in korte tijd een hoop over de menselijke natuur. Meer dan ik ooit gedacht had en veel meer dan ik had willen weten.

Maar dat is nog niet het ergste. Veel erger is dat Z niet langer over me opschept tegenover zijn vrienden. We hebben steeds vaker ruzie en ik merk dat Z jaloers is op wat ik doe met klanten. Ik weet hem nog vaak genoeg om de tuin te leiden door te zeggen dat ik niet zoveel doe voor m'n geld, en dat ik alles wat intiemer is dan pijpen of trekken bewaar voor de schaarse momenten dat wij samen kunnen zijn. Maar dat is gelogen. Ik doe alles, net als de andere meiden, in de meest onmogelijke posities in veel te kleine auto's, tussen twee viezige grauwe betonnen wandjes op de afwerkplek. Dat zijn de betere dagen.

Op de slechte dagen gaat het echt mis en krijg ik ruzie met een klant die niet aan z'n gerief is gekomen en mij daarvan de schuld geeft. Alsof ik het kan helpen dat-ie te veel gezopen heeft om 'm omhoog te kunnen krijgen, of zo bol staat van frustratie dat geen enkele vrouw op aarde iets met hem zou kunnen beginnen. Dan krijg ik klappen in plaats van geld, word ik uit een rijdende auto gegooid en krijg ik een trap na, als mijn voet blijft haken. Met geschaafde knieën en handen moet ik maar weer zien dat ik op de Europalaan terugkom. Walgelijke klanten, in dure auto's en nette pakken, die me behandelen alsof ik een stuk vuil ben en die zich mij de volgende dag op kantoor niet meer kunnen herinneren, maar die 's avonds gerust weer komen.

Klanten van wie mijn collega's achteraf zeggen: 'Ja, maar bij hém moet je ook niet instappen!' Oké, bedankt meiden, daar heb ik wat aan.

Meestal is het dan te laat om nog te proberen iets goed te maken van de avond. Vaak probeer ik het toch en neem ik het risico opgepakt te worden door de politie, of bij een nog grotere psychopaat in de auto te belanden. Ik moet wel, want zonder geld of dope terugkomen bij Z, dat durf ik niet.

'Je hebt weer geneukt voor niks hè? Je vond het zeker lekker! Het kon je niks schelen!' Op zo'n moment sla ik helemaal dicht. Z, uitgerekend Z, mijn enige veilige haven, die me dus niet meer vertrouwt. Ik kan geen adem meer halen, sta voor hem als een zombie, kijk schuldig, vóél me schuldig, terwijl ik het niet ben. Natuurlijk krijg ik dan juist de klappen. Nee, er is echt iets veranderd in onze relatie. Ik zie hem wegglijden, zijn verslaving wordt erger. Hij is vaker ziek, heeft meer nodig en is steeds minder in staat er zelf voor te zorgen. Z is volkomen van mij afhankelijk aan het worden. Dat het met mij net zo hard de verkeerde kant op gaat zie ik niet, ik leef in mijn wereld, die draait om één ding. Geld verdienen, scoren en Z tevreden houden.

Ik ben nog steeds verliefd op Z, en hij op mij, maar aan verliefdheid heb je niet zoveel als je geen plek hebt om samen te zijn. Z woont nog bij zijn ouders en zijn vader mag ons onder geen beding samen aantreffen en ik heb ook al een tijdje geen vast adres meer. Dus treffen we elkaar 's middags en 's avonds laat, als ik genoeg verdiend heb, in Hoog Catharijne. Zolang er dope is, gaat dat redelijk goed. We houden immers van elkaar en we weten allebei dat er gauw betere tijden zullen komen. Ik woon intussen afwisselend bij collegaatjes en klanten, die mij, in ruil voor wat diensten in natura, best onderdak willen bieden. Ik breng nachten door in de cabine van een vrachtwagen. Dan heb ik tenminste een dak boven mijn hoofd, maar het resultaat is wel dat ik soms nachten achter elkaar niet slaap, als hij maar aan me blijft plukken. Maar zo zijn ze niet allemaal. Bij sommigen mag ik gebruiken, wat een zaligheid is want dan hoef ik tenminste één keer niet op te letten of mijn spul niet gejat wordt, en die me met rust laten als ze zien dat ik het echt niet meer trek. Lieve, eenzame zielen, die het meer om de aanspraak te doen is dan om de seks, tenminste, meestal. Eén man vindt het zelfs niet erg als Z een keer blijft overnachten, maar hij is een uitzondering en ik kan het ook niet elke nacht flikken. Zodoende zien Z en ik elkaar steeds minder en als we elkaar zien hebben we meestal ruzie. Ik weet hoe het komt, we zijn allebei verslaafd, gestrest. Z is achterdochtig als ik laat ben, wat steeds vaker gebeurt, en het lijkt wel of ik hem er niet van kan doordringen dat ik het voor hem doe, voor ons, dat ik er eigenlijk doodsbang voor ben en dat ik ervan walg. Het is niet zo makkelijk een zwaar verslaafde iets aan z'n verstand te peuteren en dus voel ik onze relatie langzaam als fijn zand tussen mijn vingers wegglijden. Ik wil een vuist maken, het vasthouden, maar ik weet niet hoe. Dat gevoel van onmacht vreet me op, maar wat kan ik doen? Nergens kan ik blijven. Voortdurend sleep ik mijn hele hebben en houden, wat niet veel is, met me mee in een paar grote tassen. Ik voel me opgejaagd, onrustig en doodmoe omdat ik constant onderweg ben, van het ene adres naar het andere, voortdurend op zoek, maar naar wat? Veiligheid, geborgenheid, een plek waar ik word gewaardeerd. Precies datgene waar ik altijd al naar op zoek ben, zo lang ik me kan herinneren. Maar hoewel volgens mij iedereen op de Europalaan daarnaar zoekt, is dát juist niet de plek om het te vinden.

Totdat op een avond een collegaatje naast me komt staan. Ze heet Maria en ik mag haar graag. Ik heb haar verteld van onze situatie en ze ziet me regelmatig sjouwen met mijn weekendtassen.

'Hé Es, jij zocht toch woonruimte?'

'Ja?' Mijn hart springt op.

'Als je wil heb ik misschien wat.'

'Echt waar? Waar, wat?'

'Je weet toch waar ik woon?'

'Ja, dat heb je wel eens verteld, geloof ik.'

'Camping Nooitgedacht!'

Ik herinner het me vaag. Ze heeft het me verteld, ooit, en het is een van die dingen die zo'n beetje is blijven hangen. Ik knik en knipoog tegelijk naar een voorbijrijdende klant.

'Daar is een huisje vrij.'

'Wat?!'

Hij draait zijn raampje naar beneden en ik moet mijn aandacht verdelen tussen Maria en hem. Laat hem doorrijden, denk ik, niet nu. Hij stopt. Nu moet ik wel, hij is een van mijn vaste klanten en ik heb vanavond nog niet genoeg verdiend.

'Wacht even, Maria. Niet weggaan!' roep ik, terwijl ik instap. Hij begint een heel verhaal tegen me, maar ik ben er met mijn gedachten niet bij. Een huis, voor ons samen! Dat is alles waar ik aan kan denken, terwijl ik met hem bezig ben. Als Maria er zo meteen nog maar is. Hij komt snel klaar. Gelukkig heb ik ook makkelijke klanten.

'Zet je me weer even op de Baan af, lieverd?'

Een kwartier later ben ik terug, vijftig gulden rijker. Maria is er nog.

'Mens ik was doodsbang dat je weg zou zijn. Camping Nooitgedacht, dat is toch bij de Gageldijk daar?'

'Ja.'

'En daar is iets vrij?'

'Vlak achter dat van ons. Het is niet groot hoor…'

Dat laatste hoor ik al haast niet meer. Ik vlieg haar om de hals! 'O Maria, je bent een schat! En het is vlak bij jou ook! Wanneer kunnen we erin?'

'Zo gauw je wil.'

'Ik ga het Z vertellen,' zeg ik opgewonden. 'Nu meteen, ik ga. Ben je er morgen?'

'Waar moet ik anders heen?' zegt ze.

'Zie ik je morgen, goed? Doe voorzichtig.'

'Z, we hebben een huis!' gil ik, als ik hem in de verte zie staan, met een paar vrienden. Mijn stem galmt door de lege gangen van Hoog Catharijne. Hij draait zich om. Meer mensen trouwens, maar dat interesseert me niet.

'Dat geloof ik niet!'

173

'Jawel. Op Camping Nooitgedacht.' Ik moet lachen om de naam, en een beetje van de zenuwen. Struikelend over mijn woorden van opwinding vertel ik hem hoe het gegaan is en val ook hem om zijn nek. We kussen en even is alles weer zoals het hoort te zijn. Ik voel me niet ziek, hoewel ik al lang weer wat moet hebben. De euforie is sterker dan de ziekte. 'We kunnen er meteen in als we willen.'

Z kan het nog niet geloven. We roken extra veel om het te vieren en maken de hele nacht plannen.

Utrecht, 1991

Camping Nooitgedacht is een merkwaardige verzameling rommelige huisjes, die bewoond worden door een bont gezelschap aan figuren die om welke reden dan ook niet aan gewone woonruimte kunnen komen. Maar het is wel gezellig. Het is echt net een camping, met een soort winkeltje, waar dagelijkse dingen worden verkocht tegen woekerprijzen en iets van een kantine. Het huisje zelf is te slecht om te verhuren, maar dat weerhoudt de beheerder er niet van er toch een flink bedrag voor te vragen. Het is klein, alles is op elkaar geperst in één klein kamertje. De deur sluit niet helemaal en in een van de ramen zit een barst, waardoor het er altijd koud en tochtig is en erg naar schimmel ruikt. Er staat een gaskacheltje, dat gestookt wordt met butagas uit een fles die we bij de beheerder moeten kopen en die haar zoon dan, als hij de kans krijgt, 's nachts weer omruilt voor een lege zodat we nog steeds in de kou zitten. En de volgende ochtend glashard volhouden dat we nog niet omgeruild hebben. Die junks kan je toch alles wijsmaken...

Maar Z is inventief en hij houdt niet van kou. Als ik op een avond thuiskom en de deur opendoe slaat een dikke rookwolk me tegemoet. Het hele huisje staat blauw.

'Z! Er is brand!'

'Welnee, het was koud, ik heb alleen een vuurtje gemaakt.'

Ik kijk en schiet in de lach. Midden in de kamer heeft hij een keurig brandstapeltje gebouwd. Het vuur knettert vrolijk en het is inderdaad heerlijk warm.

We voelen ons de koning te rijk met een plek voor ons tweeën. Z leeft ervan op, zoals ik gehoopt had. Hij haalt zijn spullen op uit het huis van zijn ouders, ritselt een kastje, een koelkastje en een televisie en we wonen. Dit is ons paradijs, de rest van de wereld is ver, ver weg en eerlijk is eerlijk, alleen al het feit dat we samen rillend onder de dekens kunnen kruipen als we ziek zijn of het koud hebben, doet wonderen voor onze relatie.

'We gaan het rustig aan doen, Es,' zegt hij. 'We hoeven toch niks meer?'

'Nou ja,' werp ik tegen, 'niks? We moeten toch ons spul hebben...'

'Hé, we hoeven niet zoveel. Ik heb mijn methadon, jij hebt je methadon. Wat roken erbij...'

Het klinkt fantastisch zoals hij het zegt, maar we zijn natuurlijk gewoon verslaafd en volgen de routine van de junk. Methadon halen, dan geld verdienen, scoren, roken, en denken aan de volgende. Maar het is toch anders, beter dan het was. Er lijkt zowaar weer wat structuur in mijn leven te komen. We lijken wel een gezinnetje. Overdag zijn we thuis, Z doet boodschappen en kookt, hij ontpopt zich als een hele goeie kok, dan gaan we naar de methadonbus en 's avonds ga ik naar de Baan terwijl hij televisiekijkt. Ik doe mijn werk, tot mijn vaste dealer me om halfeen ophaalt. We rijden naar het huis van zijn vriendin, waar ik mijn verdiensten van die avond omzet in wit en bruin en daarna brengt hij me naar de Gageldijk.

En dan is het feest. Ik verheug me er gewoon op om naar huis te gaan. Geloof het of niet, samen cocaïne koken is gezellig, het is een ritueel. We zitten knus bij elkaar, terwijl we scharrelen met pannetjes, poeder, ammoniak, glas en folie. Het is intiem, het is van ons, en we hebben tijd om te praten over van alles. Op televisie volgen we de Amerikaanse invasie in Irak. Z is erdoor geobsedeerd, in de tijd dat ik werk zit hij aan de tv vastgelijmd, en we hebben het over de situatie, onze angst voor de toekomst. Zijn cultuur en mijn cultuur. Wat ons betreft hoeven die twee niet tegenover elkaar te staan. Het is weer net als vroeger, wij tegen de rest van de wereld. O, wat heb ik dat gemist, die saamhorigheid. Zo prutsen we door, tot het moment dat de verlossende rook naar binnen kringelt en we in alle rust kunnen genieten van de flash. Dat wil zeggen, Z geniet van cocaïne, ik niet. Ja, de flash vind ik heerlijk, maar ik kan me beter bij bruin houden, want van cocaïne word ik paranoïde. Dan zie ik dingen die er niet zijn, word ik angstig. Maar de flash is zo lekker, zo heftig, heel anders dan van heroïne, dat ik het soms gewoon niet kan laten. Nou ja, die paranoia, daar kom ik wel weer overheen. Als dat het enige is, dan is verslaving nog niet zo gek.

Ik zou beter moeten weten. Natuurlijk is mijn paranoia niet het enige waar ik me zorgen over moet maken. Niets is voor eeuwig en zeker niet in het leven van een junk. Het kenmerk van verslaving is nu eenmaal dat je nooit genoeg hebt. Verslaving en tevredenheid gaan niet samen. Dat geldt zeker voor cocaïne. Bereik je bij heroïne op een gegeven moment gewoon een niveau waarop het goed is en de ziekte wegblijft, van coke heb je nooit genoeg. Hoe heftiger de flash, hoe sneller je die ervaring weer wilt. Tegelijkertijd verdooft de dope je zinnen zodanig dat je vanzelf, wéér, je grenzen gaat verleggen. Vooral cocaïne verandert op den duur je persoonlijkheid. Je wordt er gretig van, hebberig, harder. Zo ook bij ons. Zoals de oorspronkelijke euforie over mijn snelle verdiensten, mijn trots dat ik ook in staat was geld te verdienen om onze verslaving te bekostigen, al na een paar weken verdwenen is, blijken we na korte tijd ook al niet langer genoeg te hebben aan de feestjes die we 's nachts samen vieren. We hebben meer nodig, meer, meer, meer. Kon ik in het begin nog met een of twee chineesjes per dag toe, waar ik de volgende ochtend nog zo stoned van was dat ik de dag makkelijk doorkwam, tegenwoordig moet ik eigenlijk continu gebruiken, om de ziekte niet te voelen. Ik ben doodsbang voor de ziekte. Daarom zorg ik ook altijd dat er nog een beetje reserve is, zodat we tenminste niet ziek wakker worden, of ik, ziek en al, nog terug moet naar de Baan om bij te verdienen. Maar dat lukt niet altijd, vooral omdat ik degene ben die meestal de bruin opmaakt.

De ziekte, wat is dat eigenlijk? Vergelijk het maar met de heftigste griep die je ooit hebt gehad. Alles doet zeer, je kunt niet meer lopen van de spierpijn. Je hebt het koud, zelfs onder drie of meer dekens, terwijl de mussen dood van het dak vallen, heb je het koud. Je zweet en je rilt tegelijk, je hebt hoofdpijn, je bent misselijk en kunt niet slapen. Eten blijft er niet in, drinken mondjesmaat. Wat er nog in zit loopt er aan allebei de kanten net zo hard weer uit. Medicijnen helpen niet, alcohol al evenmin. Alleen methadon of heroïne. Dat is echt zo. Zodra je gebruikt, is de ziekte weg. Je voelt je niet goed, maar je kunt tenminste functioneren. Alleen, de ziekte komt steeds eerder terug, zodat je steeds sneller en liefst ook steeds sterker spul moet hebben. En zo ga je door, tot je niet meer kunt. Dat is totale afhankelijkheid van het middel, dat is drugsverslaving.

14

In die situatie van totale afhankelijkheid bevind ik mij. Het heeft mij iets meer tijd gekost dan Z, maar ik ben er gekomen, al mijn goede voornemens ten spijt. Tegenwoordig voel ik me niet langer opgejaagd omdat ik niet weet waar ik 's avonds slapen moet, nee, nu voel ik me opgejaagd omdat ik moet scoren. Ik leef in de roes van de verslaafde. 's Middags methadon halen, methadon, dat niets anders doet dan het ziektegevoel net genoeg onderdrukken zodat ik 's avonds kan gaan werken. Geld kan verdienen voor de dope die ik mee naar huis neem, ons huisje op de camping nog steeds, naar Z.

Ik hou nog steeds het meest van bruin. Daar kan ik op mijn manier goed tegen. Z gebruikt veel meer wit. Vaak doe ik toch maar mee. Ik zou het niet moeten doen, we weten het allebei.

'Je moet het niet roken, Es,' zegt Z. 'Het maakt je gek.'

Ik weet het ook wel, want de paranoia die ik ervan krijg wordt steeds erger, maar de flash van cocaïne is zo hevig, zo verslavend, dat ik er toch niet meer zonder kan. Tegen beter weten in blijf ik daarom coke gebruiken, zeker als ik ontdek dat ik met seresta's de paranoia kan onderdrukken. Dus neem ik er ook daar steeds meer van. En alcohol natuurlijk. Pillen moet je tenslotte wegspoelen.

In die tijd gebeurt er iets dat mijn geestelijke en lichamelij-
ke aftakeling alleen nog maar versnelt. Op de Baan verschij-
nen dealers die gekookte coke aanbieden. Dat is het ei van
Columbus. Nu hoef ik niet meer met mijn wit eerst naar huis
om het te gaan koken. Ik hoef niet voor maagzout of ammoniak te zorgen (waar je het in moet koken), dat is allemaal
al gebeurd! *Ready to use*! Even tussendoor op de Baan een
baseje nemen, het is zo makkelijk geworden. Achteraf vraag
ik me af hoe ik nog heb kunnen werken. De paranoia overvalt me, direct na de flash. Het begint met een soort spanning in mijn oren en dan komen de waanideeën. Ik word er
doodsbang, paniekerig, zelfs hysterisch van. Ik ben er heilig van overtuigd dat iemand op me loert, door het raam. Als
het thuis gebeurt duik ik weg achter de verwarming, maar
ja, ik rook ook op de Baan en daar gebeurt hetzelfde. Collegaatjes, waar ik naast sta op de Baan, richten een pistool op
me, ik weet het zeker. Ik zie het toch? Ze zijn van plan me af
te knallen. Maar het zijn flashbacks, van klanten die me echt
een pistool op mijn kop hebben gezet. Zo van: 'En nu liggen,
anders maak ik je af...'

Meer dan eens zit ik daarom in elkaar gedoken onder het
dashboard bij een klant in de auto. Seresta's helpen, maar
niet genoeg, daarom ga ik nog meer drinken, om het gevoel
te dempen. De klanten zullen wel gedacht hebben... Maar
steeds blijven ze komen. Sterker nog, ik verdien juist meer
als ik meer op heb, drie-, vierhonderd gulden op een avond
is dan niks. Hoe gekker hoe lekkerder, denk ik.

Ik glij in een waanzinnig tempo af. Vaak heb ik al het nodi-
ge op als ik naar huis ga. Daar word ik niet handiger van, dus
meer dan eens zoek ik, als ik dan eenmaal thuis ben, vertwijfeld in al mijn zakken. Niks. Geen dope. Paniek grijpt me

bij de keel. Op handen en knieën kruip ik de weg af, in de hoop dat ik het heb verloren bij het uitstappen. Maar vaak is het er echt niet. Of, wat ook wel gebeurd is, héb ik eindelijk geld, dan verkopen ze me gemalen Stophoest. De vuile ratten... De teleurstelling als je dan met je pakje thuiskomt en het openmaakt is niet te beschrijven. Je denkt beter te worden, en je krijgt... Gruwelijk!

We maken hevige ruzie, natuurlijk maken we ruzie. Z beschuldigt me ervan dat ik het allemaal al opgemaakt heb. Hij is onredelijk, ik ben onredelijk. Er vallen klappen.

Slaan is normaal geworden, klappen voelen veilig. Ik weet niet beter, mijn relatie met Z, en eerder al die met Chris, hebben me zo gevormd dat ik geweld gewoon ben gaan vinden. Ik denk er nog vaak over na hoe het zover heeft kunnen komen dat ik geweld gemakkelijker vind om mee om te gaan dan liefde. Wat ik intussen wel weet, is dat het een jarenlang proces is om daar weer uit te komen.

Maar goed, intussen sta ik nog steeds zonder dope voor de deur. Het eind van het liedje is dat ik toch terug moet. Wat ik altijd probeerde te voorkomen is onvermijdelijk geworden. Soms is er nog een klein beetje, dat ik met mijn vooruitziende blik heb achtergehouden, net genoeg om de wandeling te overleven, maar als ik pech heb is ook dat op. Met mijn doodzieke lijf moet ik helemaal terug naar de Baan. Lopend, met steeds snellere passen, een beetje kromgebogen en mijn armen beschermend om me heen, haast ik me naar, hopelijk, een klant. Het is allang sluitingstijd maar ik hoop en bid dat er nog klanten zijn die erop gokken dat iemand zo wanhopig is als ik. Zo ren ik heel Utrecht in de rondte, steeds sneller, gejaagder. Als verslaafde loop je sowieso elke week de vierdaagse en dat met de ziekte in je lichaam. Doorendoor koud, ellendig, miserabel. Eerst verdienen om voor mezelf wat te kunnen kopen, omdat ik dan pas in staat ben de rest te verdienen, waarmee ik de dope voor thuis kan kopen. Want nog erger dan mijn eigen ziekte, vind ik het idee dat Z ziek thuis ligt.

Of je fietst. Als je geluk hebt fiets je. Dat gaat een stuk sneller, vooral in noodgevallen. Ik ben eens vanaf de camping in het holst van de nacht in mijn roze peignoir naar m'n dealer gefietst, een grote neger van zijn tenen tot zijn oren vol soul, met de toepasselijke naam Osibisa. Hij heeft een kijkgaatje in de deur. Als hij mij ziet in mijn roze peignoir, schrikt hij zich een beroerte en schenkt hij me de pakjes die ik nodig heb. Hij, die altijd zo nauwkeurig op weegschaaltjes en met een vergrootglas de porties afmeet...

Het wordt steeds moeilijker om genoeg te verdienen voor ons allebei, want ik krijg steeds minder geld voor meer werk. De tijd dat ik tot de verdieners behoorde op de Baan is definitief voorbij. Een slechte avond is niet langer een slechte avond, het is een regelrechte ramp. De avond kruipt voorbij, je wordt zieker en zieker. Veel vrouwen verdwijnen van de Baan om ergens anders hun geluk te beproeven, of bellen een vaste klant. Dat doe ik ook. Vaste klanten zijn je redding op zo'n avond. Als ze tenminste opnemen, anders kun je alleen maar wachten. Zolang je gebruikt heb je het niet koud, maar als je ziek aan het worden bent... En als er dan eindelijk een auto stopt, is het de kunst om er niet te snel op af te lopen, niet te gretig te lijken. Maar dat helpt niks. Zowel klanten als dealers hebben het feilloos door als je zo afhankelijk bent geworden en geen andere keus meer hebt en zullen niets nalaten om je uit te knijpen tot de laatste druppel (de goeden niet te na gesproken, maar dat geldt voor iedere bevolkingsgroep die in mijn verhaal een rol speelt).

Ik ben niet trots op hoe ik me heb verlaagd, maar dope kost nu eenmaal geld en het spook van de ziekte hangt voortdurend dreigend over ons heen. Dus gaan zowel Z als ik steeds meer dingen doen die ik nog niet zo lang geleden voor volstrekt onmogelijk had gehouden.

Z presteert het om mannen in huis te halen die hem kunnen helpen aan dope of aan een goeie deal, en belooft ze dat ik in huis, óns huisje, seks met hen heb. Op de Baan, oké, dat is werk, dat kan nog. Maar hier, als ik doodmoe thuiskom, in mijn eigen bed, terwijl Z tv zit te kijken... Er zijn meer klanten en dealers die weten waar ik woon, dat is onvermijdelijk, maar hiermee haalt Z willens en wetens die smerigheid ons paradijsje binnen. Dat is echt mijn laatste grens. Ik vind het weerzinwekkend en kan er niet bij dat hij het goedvindt. Z, die niet eens naar de Baan wilde komen, die zo jaloers was op mijn klanten? En nu staat hij het niet alleen toe, nee, hij belooft het hun zelfs, hij geeft mij weg als betaling. Ik haat hem erom. Maar ja, als ik weiger krijg ik klappen en bovendien, we worden betaald in eerste kwaliteit heroïne...

Ook op de Baan neem ik steeds meer risico's. Steeds blijkt er weer een grens te zijn die ik nog niet had overschreden. Ik werk voor of na de openingstijden, of buiten de zone. Het minste wat me kan gebeuren is dat ik opgepakt word door de politie. Dat is nog niet eens zo erg, want dan kan ik tenminste even bijkomen, maar het kost me wel een avond inkomsten. Die moet en zal ik inhalen, want voor geen goud kom ik zonder dope thuis. Vaak is het te laat om nog naar de Baan te gaan, als ik door de wijkagent plompverloren buiten word gezet. Daar sta ik, midden in de nacht, met een proces-verbaal in mijn tasje maar zonder geld en moederziel alleen op de Marco Pololaan. Ik moet nog verdienen want anders kan ik niet thuiskomen en op dit uur van de nacht komen de echte gestoorden uit hun holen. Er is geen controle meer, er is geen hulpverlening meer, ik ben aan de goden overgeleverd. Maar ja, ik heb geen keus en kan alleen maar hopen dat ik de ochtend haal.

Vaak loopt het wonderwel goed af, soms ook scheelt het maar een haar. Ik word als boksbal gebruikt, tot bloedens toe geslagen met een rondje ruige seks als toetje, door mannen die goede banen hebben en een gezin, maar die, dat is mijn stellige overtuiging, eigenlijk niet vrij rond zouden mogen lopen.

Ik bevredig mannen, met een pistool tegen m'n hoofd of een mes op m'n keel.

Ik leer mannen die ik net als de meeste mensen alleen van de televisie ken, ineens ook op een heel andere manier kennen. (Nee, ik noem geen namen, maar het zijn er genoeg.)

Ik word door een dealer die ik genoeg vertrouw om bij in de auto te stappen, negen dagen vastgehouden in een huis buiten de stad en al die tijd verkracht. Negen dagen met een pistool op m'n kop, negen dagen in doodsangst. Hij is zo gek, zo ontoerekeningsvatbaar. Ik ben er heilig van overtuigd dat daar mijn leven eindigt. En op het laatst, vlak voor ik weet te ontsnappen, heb ik daar volkomen vrede mee. Alles beter dan dit. Mijn grootste angst is dat ik straks aan Z uit moet leggen waarom het zo lang geduurd heeft. Want als ik hem de waarheid vertel zal hij me nooit geloven. Wat ik in het huis van de dealer meemaak is zo gruwelijk, dat ik iets doe wat ik nog nooit eerder heb gedaan. Ik doe aangifte tegen hem. Maar als ik de volgende dag een beetje bij zinnen ben en me realiseer dat ik diezelfde dealer op de Baan weer tegen kan komen, trek ik mijn aangifte in, met het verhaal dat ik nogal de weg kwijt ben en alles heb verzonnen.

Dus moet ik eerst weer werken voor een beetje dope om mijn eigen gevoel tot rust te brengen en daarna pas om de gederfde inkomsten in te halen. Nachten achter elkaar zonder slaap en doorgaan, op niets anders dan cocaïne, drank en pillen...

Uitgerekend die noodlottige avond, dat ik met de dealer meega, is Z niet bij me op de Baan. Hij is er wel steeds vaker, vooral als ik een aantal keren achter elkaar in elkaar geslagen of beroofd ben. Aan één kant vind ik dat prettig, hij is toch in de buurt voor het geval er wat gebeurt, maar ik wil ook niet de hele tijd op m'n vingers gekeken worden. Het is zo afschuwelijk, als ik net in de bus ben gaan douchen, om hem na een paar minuten alweer op de deur te horen bonzen en te horen schreeuwen: 'Esther, waar is Esther? Ze moet komen, ze moet nú komen!'

De medewerkers maken er korte metten mee en sturen hem gewoon weg, maar mijn hart bonst in mijn keel. Ik weet wat er gaat komen. Als ik dan uit de bus kom scheldt hij me uit en zegt dat ik lui ben. 'Er was een klant voor je, die is drie keer langsgereden, maar ja, jij was er weer eens niet.'

Afhankelijk van zijn toestand die dag blijft het bij woorden, of wordt hij handtastelijk. Zelfs op de Baan krijg ik klappen van hem. Waar iedereen bij is.

Maar het is ook wel gezellig en ik vind het een rustig idee dat hij tenminste niet de hele avond op zijn dope hoeft te wachten, tot ik een keer thuiskom. Vaak, als Z op de Baan is, kopen we van mijn eerste verdiensten van de avond snel wat gekookte coke en gebruiken samen, in de bosjes. Dat kan ik natuurlijk beter niet doen, want als ik cocaïne gebased heb kan ik juist geen lichamelijk contact meer verdragen, al helemaal niet van klanten.

Als het op de Europalaan niet wil lukken, zijn er altijd nog andere steden. Soms zit er niets anders op dan om twee uur, als de Baan dicht is, nog naar Den Haag of Rotterdam te gaan. Er zijn snorders genoeg die me daarheen willen brengen. Soms, als we een auto hebben, gaat Z wel eens mee. We maken vreselijke ruzie, we zijn allebei krankzinnig aan het worden van de dope. Diezelfde dope, waar we steeds meer van willen hebben. In Rotterdam is geen controle en gaat het feest de hele nacht door. Daar ben ik een onbekend gezicht en nieuwelingen verdienen meer. Daarom blijf ik soms een paar dagen. Maar het is er ook gevaarlijk. De tippelzone aan de G.J. de Jongweg is veel groter dan die op de Europalaan, waar ik me nog enigszins veilig voel. De G.J. de Jongweg is onoverzichtelijk, chaotisch en er is nauwelijks politie. Ik weet er ook de weg niet goed, dat scheelt natuurlijk ook. Auto's komen van alle kanten en kunnen ook naar alle kanten verdwijnen. En op de een of andere manier zijn er veel meer gekken. Daar kom ik met de echte weirdo's in aanraking. Ik voel me er nooit op mijn gemak, nee, dat lieg ik. Ik sta doodsangsten uit, maar wat moet ik? Ik kom bij klanten en dealers thuis, maak er taferelen mee die met geen pen te beschrijven zijn. Ik word door een man en een vrouw in een auto gesleurd, meegenomen en verkracht. 's Middags praat ik met een meisje, een collega, 's avonds hoor ik dat ze vermoord is. Het kan mij ook gebeuren. Kan het iemand wat schelen? Het enige wat je kunt doen is flink gebruiken. Doof je angst in een bruisend bad van dope, drank en pillen, tot je niet meer weet wat waan en wat werkelijkheid is.

Nu stop ik. Ik ga niet alles vertellen. Niemand wordt er beter van als ik vertel wie nu precies wat met me gedaan heeft en wanneer, vooropgesteld dat ik het allemaal nog zou weten, en voor mijzelf is het al helemaal niet goed om alles op te rakelen. Veel ervan heb ik verdrongen, diep weggestopt in een geheim vak van mijn toch al zo aangetaste geheugen en daar moet het ook vooral blijven. Geloof me, ik ben er niet van af. Integendeel, van sommige gebeurtenissen heb ik de trauma's nog steeds en nu ik mijn verhaal opschrijf komt er weer van alles boven, meer dan me lief is.

Gebeurd is gebeurd. Het is de consequentie van het leven dat ik geleid heb. Het is trouwens een wonder dat er nog klanten waren die mij wilden hebben. Behalve dat ik paranoïde was en zo gek als een ui, was ik op het laatst graatmager. En als je veel gebruikt is het net of alle chemicaliën door je poriën weer naar buiten komen. Een vieze, zurige lucht.

'Fles azijn is er weer,' zei ik dan, als ik kwam werken. Maar de klanten kwamen. Elke dag weer. Op zoek naar een zombie, een levend lijk om te gebruiken. Doe maar, jongens, ga je gang maar, maar breng me alsjeblieft eerst naar een dealer, want anders red ik het niet. Dat deden ze dan ook nog, keurige huisvaders, verdwaald in de scene.

O, als ik alleen al dat geld dat ik verdiend heb toch eens bewaard had...

Wordt er dan helemaal niet gelachen op de tippelzone? O ja-zeker! Als je goed verdient en dus genoeg gebruikt om je ogen open te kunnen houden, kun je als je wilt avond aan avond in een stuip liggen. Want ondanks de eeuwige concurrentiestrijd tussen de meisjes – we komen tenslotte allemaal om in zo kort mogelijke tijd zo veel mogelijk te verdienen – is er ook een enorme saamhorigheid die het werken op de Baan heel bijzonder maakt. Als de mannen ook maar enig idee zouden hebben van wat wij van ze zeggen, dan zou het niet half zo druk zijn op de Europalaan.

Maar soms gaan dingen ook gewoon een beetje mis. Dat gedoe in een veel te krappe auto op een donkere afwerkplek kan wel eens akelige vergissingen tot gevolg hebben. Zo barsten op een avond, als ik door een klant word teruggebracht naar de Europalaan en ik mijn plaats weer inneem, de meiden links en rechts van me uit in een onbedaarlijke lachbui. Ik heb natuurlijk geen idee wat er is en kijk ze niet-begrijpend aan.

'Esther, wat heb jij gedaan?'

'Hoezo? Wat is er dan?'

'Kijk dan naar je schoenen, mens!'

Ik kijk naar beneden en pies bijna in mijn broek van het lachen. Oeps... In plaats van mijn eigen schoenen, heb ik de zijne aan. Dat is voor mij nog niet zo vreselijk, maar wat moet hij zeggen, als hij met mijn schoenen aan thuiskomt?

Of die keer dat ik me nietsvermoedend vooroverbuig om een auto in te kijken, zoals ik al honderdduizend keer gedaan heb, en achter het stuur een man in een bloemetjesjurk zie zitten, met nepparels om zijn hals, die me trouwhartig aankijkt. Ik kan nog net mijn lachen houden en weet niet wat ik moet zeggen. Meneer? Mevrouw? Weet ik hoe ver hij het doorvoert, hij kan met allebei de benamingen hoogst beledigd zijn. Het is in elk geval een erg komisch gezicht, maar het wordt nog veel gekker als ik bij hem instap. De bedoeling is namelijk dat we een toneelstuk gaan opvoeren, hij en ik. Ik speel zijn vrouw en hij heeft mijn kleren uit de kast gepikt. Dat neem ik niet, want het is de zoveelste keer. Ik moet een keer slikken, maar wie ben ik om te weigeren? Ik kan gelukkig redelijk toneelspelen en hoe bozer ik word, hoe mooier hij het vindt.

Is dit gek? Welnee, het is pas het begin. Kennelijk speel ik het spel zo goed, dat hij me ook de volgende stap toevertrouwt. We spreken af voor overdag en rijden naar het strand. Daar, tussen honderden stomverbaasde badgasten, voeren we hetzelfde stukje op. Stel je voor, een man in een jurk sjokt door het zand, deemoedig, onderdanig, en ik loop er scheldend en tierend achteraan. Ik geneer me kapot, maar ik probeer niet om me heen te kijken en doe net of al die mensen die ons aangapen er niet zijn. Mijn hele ziel en zaligheid leg ik in mijn spel. En als ik me al schaam, hoe moet het dan met hem zijn? Ik word er tenminste voor betaald, en goed ook!

Transseksuelen op de Baan, dat is ook feest. Ze zijn vrouwelijker dan wij, bloedmooi en daardoor mateloos populair. Er zijn heel wat scheve gezichten, want ze nemen letterlijk en figuurlijk nogal wat plaats in en ze trekken heel wat klandizie weg, maar ik ben niet jaloers zoals sommige andere vrouwen. Ik kan heel goed met ze opschieten en als het maar even kan werk ik graag met ze samen. Met z'n tweeën of met z'n drieën pakken we dan een klant en dat is dan ook meestal voor de hele nacht. En niet rommelen in een auto, maar lekker luxe op een hotelkamer of bij de klant thuis. Het is leuk, het is veilig, want als ik met hen ben hoeft niemand ook maar een vinger naar me uit te steken, we respecteren elkaar over en weer en heel wat klanten worden op die manier letterlijk en figuurlijk uitgekleed. Soms zo goed dat ik na één zo'n nacht twee weken niet hoef te werken.

Soms moeten de HAP-medewerkers de veilige omgeving van de bus wel eens verlaten en begeven ze zich op ons terrein. Als ze iemand kwijt zijn, bijvoorbeeld, of het vermoeden hebben dat het met een van de meiden niet goed gaat. Maar ja, voor klanten is het onderscheid tussen prostituees en hulpverleners niet altijd duidelijk. En dus wordt een van de dames door een Marokkaan op een fiets achtervolgd over de hele tippelzone. Hij heeft maar één vraag, hoeveel het kost. Ze gaat steeds harder lopen, hij gaat steeds harder fietsen. Ik weet niet hoeveel dames gierend langs de kant staan toe te kijken hoe ze zich eruit redt, maar ik weet wel dat ik een van hen ben. Uiteindelijk komt ze van hem af, maar alleen doordat ze zelf haar lachen ook niet meer kan houden en de arme man bijna in zijn gezicht uitlacht.

Of Henk de slager, de stotterende snorder. Ik ken 'm alleen met een sigaar in z'n mond en o, wat maken we schaamteloos misbruik van 'm. Hij is een beetje een simpele ziel, die probeert een paar centen bij te verdienen met illegale taxiritjes. Een van de velen in het legertje dienstverleners en profiteurs dat om de prostituees en pooiers heen hangt, in de hoop een graantje mee te pikken van geld of gratis seks of allebei. Voor een appel en een ei brengt hij me overal naartoe, tot Rotterdam aan toe, in het holst van de nacht. Zelfs als hij niet wil, of geen tijd heeft. 'Ma ma maar.. ik ik moe... moet na naar m'n moe moe moeder toe...'

'Ach Henk, toe... voor deze keer. Je bent de enige die ik kan vertrouwen, op dit uur van de nacht.' Een beetje vriendelijk aandringen of wat aandacht werkt altijd. Zelfs als ik in geldnood zit (wat bijna altijd zo is). Ik pik nooit van hem, maar ik leen des te meer.

December op de Baan is een verhaal apart. Koud, naar en akelig, vooral omdat je weet dat de warmte en de gezelligheid van de feestdagen maar een paar straten ver is. Op weg naar de Europalaan loop je langs de lichtjes in de bomen en word je met de neus op de feiten gedrukt. Warmte en gezelligheid is voor ons niet weggelegd. Maar weinig vrouwen die hier werken hebben een familie waarmee ze de feestdagen kunnen doorbrengen. Ik ook niet. Ik heb sporadisch contact met mijn vader en mijn moeder, maar in de staat waarin ik verkeer kan ik hun onmogelijk onder ogen komen. Laat staan gezellig kerst komen vieren, of sinterklaas. Op de Baan is het dan vaak nog stil ook, want in december gaat het geld natuurlijk op aan cadeautjes en eten en bovendien is er tussen alle familieverplichtingen maar weinig gelegenheid om er nog even tussenuit te knijpen naar de tippelzone. Helaas, verslaving kent geen kerstvakantie, dus wij zijn er gewoon, in de hoop dat er klanten zijn die hun dertiende maand met ons willen delen. Maar er is een lichtpuntje, want in december zorgen de medewerkers van de HAP-bus extra goed voor ons. Sinterklaas komt langs op de Baan en alle vrouwen krijgen cadeautjes, van luchtjes tot condooms, en in de bus staat een kerstboompje. En er zijn zelfs dealers die gratis dope als kerstbonus geven. Als dat geen cadeautje is...

De bus is sowieso goud waard. De bus is onze redding, soms letterlijk, want het is de enige plek op de Baan waar je even jezelf kunt zijn, voor zover je dat nog kan tenminste, waar je even op adem kan komen en niet wordt lastiggevallen door klanten of vriendjes. Want die mogen er niet in. De enige mannen die worden toegelaten zijn politieagenten. Niet dat die laatsten er veel te zoeken hebben, want hoewel de medewerkers nauwelijks iets ontgaat, geven ze zelden of nooit informatie. De relatie tussen hulpverleners en prostituees is toch al zo broos en kan alleen bestaan als de vrouwen er blindelings op kunnen vertrouwen dat alles wat ze in de bus vertellen daar ook blijft.

En sommige medewerkers hebben heel bijzondere kwaliteiten, waar je soms echt behoefte aan kunt hebben. Ik wel tenminste.

Mijn hand doet gruwelijk zeer, als ik op een avond de bus in stap. Ik ondersteun hem met mijn andere hand en hoewel ik niet kleinzerig ben – dat leer je wel af in dit vak – is mijn gezicht vertrokken van pijn. Jet, een van de medewerksters, die er nog niet zo lang werkt en die ik daardoor nog niet zo goed ken, ziet dat onmiddellijk.

'Wat is er met jou?'

'O, niks,' hou ik me groot. 'Gaat wel weer over.'

'Nou, daar lijkt het niet op. Kom eens effe zitten...'

Ik doe wat ze zegt, blij dat zij de beslissing voor me neemt. Mijn hand is onnatuurlijk dik als ze hem voorzichtig in de hare legt en inspecteert.

'Hoe is dat gekomen?'

'Ruzie met Z, niks bijzonders. Hij heeft op mijn hand gestaan.' Ik doe alsof het dagelijkse routine is, maar we hebben net een van de heftigste ruzies van de laatste tijd uitgevochten. Over geld natuurlijk. Alles gaat de laatste tijd over geld. Geld, dope en jaloezie. We zijn zo verslaafd, dat we amper meer genoeg hebben en ik steeds meer moet werken. Deze keer is het niet bij klappen gebleven, maar heeft hij inderdaad moedwillig op mijn hand getrapt, toen ik op de grond lag. Ik zeg het er niet bij, maar ik zie aan haar gezicht dat ze weet dat ik maar de helft van het verhaal vertel.

'Ben je ermee naar het ziekenhuis geweest?'

Ik schud van nee. Ik mag nooit naar het ziekenhuis van Z, bang als hij is dat ik misschien vertel wat er gebeurd is en mensen vervelende vragen gaan stellen. Hij heeft ook altijd meteen spijt als hij me geslagen heeft en dan doet hij alle moeite om het weer goed te maken. Hij maakt een zalfje, naar oud familierecept, en smeert dat erop. Soms helpt het zelfs, of ik beeld me in dat het helpt, maar in dit geval is het niet afdoende.

'Kom eens hier,' zegt Jet. Ze neemt mijn hand in de hare. 'Ik heb reiki geleerd, dat helpt.'

Zo zitten we een tijdje, haar handen helend op de mijne en terwijl we wat kletsen over van alles en nog wat voel ik de pijn wegtrekken.

'Het is een stuk beter,' zeg ik. 'Dank je. Maar nu moet ik even naar buiten.'

Jet laat me los met een glimlach. 'Ik zie je straks nog wel.'

Ze weet wat ik ga doen, drinken of gebruiken, of alle twee. Het wordt drinken. Mijn alcoholnood is op dit moment het hoogst. Ik loop naar de benzinepomp en koop drie blikjes bier. Nog voor ik buiten ben is het eerste al open. Ik drink het in één teug half leeg. Verder kom ik niet. Ik kan nog net de bosjes bereiken voor mijn hele maaginhoud naar buiten komt, met een geweld dat ik in tijden niet meer heb meegemaakt. Ik weet niet wat me overkomt. De blikjes vallen op de grond en ik moet steun zoeken tegen een boom. Minutenlang sta ik na te hijgen, voor ik in staat ben terug te strompelen naar de bus.

'Nu al terug?' vraagt Jet verbaasd.

'Wat er nu gebeurt, ik weet het niet,' stamel ik. 'Ik drink één slok en alles komt eruit! Hoe kan dat nou?'

'Tja, dat kan de reiki zijn. Je werkt met energiestromen en het kan heel goed zijn dat de energie die ik er net in gebracht heb, botst met de negatieve energie in jouw lichaam.'

'Pff, heftig,' zeg ik.

Maar mijn hand doet geen pijn meer en het incident doet onze verstandhouding geen kwaad.

15

Het is rustig en we zitten met een paar meiden aan de koffie. Ik heb net gebruikt, ik voel me goed. De deur van de bus gaat open en twee mannen stappen naar binnen. Dat is vreemd, want de bus is voor mannen verboden terrein. De enige mannen die er komen zijn politieagenten van het bureau Marco Pololaan en die ken ik inmiddels wel. Toch zijn ook deze twee geen volkomen vreemden, want ik zie bij sommige vrouwen om me heen een blik van herkenning en de HAP-medewerkers groeten. Ik ben benieuwd, zeker naar de man die het eerst binnenkwam. Hij is lang, heeft mooi donker haar en kijkt vriendelijk de bus rond.

'Goedenavond.'

De man achter hem, die iets kleiner is en een baard draagt, knikt.

'Wat brengt jullie hier?' vraagt een van de medewerksters, die achter het kleine toonbankje staat.

'We hebben een vraag,' zegt de man met de baard. 'Of eigenlijk een paar.'

'Stel je eerst even voor,' oppert Jet, die achter de toonbank staat. 'Volgens mij zijn er een paar die jullie nog niet kennen.'

Ze kijkt erbij naar mij, maar ik weet niet of ik de enige ben.

'Dat is een goed idee,' antwoordt de man met de baard. 'Wij zijn van de Zedenpolitie, aan het Paardenveld. Dat is Kees Komduur, ik ben Bernard van de Hoeven. We zijn hier niet alleen voor dienst, maar ook een beetje voor onszelf. We zijn namelijk begonnen met de opleiding maatschappelijk werk. Daarvoor moeten we een onderzoek doen naar de hulpverlening aan drugsverslaafden en nu willen we een aantal van jullie een paar vragen stellen. Wie mee wil doen, tenminste.'

Niemand van ons springt enthousiast op, maar kennelijk kijk ik ook niet al te afwijzend, want de man die Kees Komduur heet komt als eerste op mij af en steekt zijn hand uit.

'Ik heb jou nog nooit gezien hier, geloof ik,' begint hij het gesprek. Ik maak een plaatsje vrij op de bank en hij gaat zitten.

'Zo lang ben ik hier ook nog niet.' Ik noem hem mijn naam en geef hem een hand. We raken aan de praat. Hij stelt zijn vragen ongemerkt tussendoor. Ik mag hem. Hij is anders dan de agenten die ik ken, ik heb het gevoel dat hij me niet veroordeelt. Tegenover hem heb ik geen moeite om te vertellen, zelfs niet over mijn privésituatie.

'Als je ooit eens ergens mee zit,' zegt hij tegen het einde van het gesprek, 'kom dan gewoon eens langs op het bureau. Kom je gewoon even een bakkie doen, beetje kletsen als je dat wil...'

Hij ziet mijn gezicht betrekken. Ik weet niet wat hij precies bedoelt. Meent hij dat, of is hij toch aan het vissen? Ondanks alles blijf ik een beetje argwanend, hij is toch politie.

'Maak je geen zorgen,' stelt hij me gerust. 'Ik wil helemaal niks van je. Als je aangifte wil doen van iets dan kan het altijd natuurlijk, maar je hoeft niks. Ik snap hoe moeilijk het is.'

Ik denk nog over zijn woorden na als ik even later weer buiten sta, op de Baan. Hij snapt hoe moeilijk het is? Nee, denk ik. Hij heeft geen idee.

Camping Nooitgedacht gaat hard achteruit. De sfeer is harder, vijandiger, er wordt aan alle kanten gestolen. Er komen ook steeds meer junks te wonen, dus wat wil je... Het huisje staat op instorten, de beheerder jat nog steeds de gasflessen en we worden het zat om steeds in de kou te zitten.

We besluiten weg te gaan. Maar dat is voor Z makkelijker dan voor mij. Hij kan altijd terugvallen op zijn ouders. Ik niet. Bovendien wil ik hem niet weer een periode kwijt. Ik doe alles om bij hem in de buurt te kunnen blijven. We wonen zelfs een tijdje in een auto. Volgepakt met troep, wij ertussen, de ramen beslagen en koud als de noordpool. We wisselen af, om de beurt mogen we op de achterbank slapen want die ligt het best. Gelukkig is er altijd nog de HAP-bus, want het ergste vind ik dat ik niet kan douchen.

Aan ons zwervend bestaan komt gelukkig een eind, wanneer Z in contact komt met een jongen, ook een gebruiker, die een huis huurt in de Minahassastraat. Als Z hem van dope voorziet, is hij maar al te graag bereid om ons een kamer te verhuren, want de harde werkelijkheid van de drugsscene ligt hem niet zo. Zo verhuizen we naar Lombok. Ik kan Z en die jongen wel zoenen. We hebben weer een kamer! Het is klein, maar het is knus. En het allermooiste is dat onze dealer in dezelfde straat woont!

Dat laatste is maar goed ook, want het gaat verder bergafwaarts met ons. Dat gesjouw achter de dope aan, ik trek het niet meer. Ik wist niet dat het nog kon, maar af en toe lijkt het erop dat de echte ellende nog moet beginnen. We worden sneller ziek, vooral Z is er heel erg aan toe, en ik begin de eerste symptomen van psychose te vertonen. En nog altijd zitten we niet aan onze taks. We hebben steeds meer nodig. Het duurt niet lang voor we tussen alle geluiden van de stad feilloos het geluid van de tuinpoort van onze dealer herkennen. Als de poort dichtgaat is-ie thuis! Het is moeilijk te geloven, ik weet het, maar echt, als ik dat geluid hoor voel ik me al merkbaar beter. Over geconditioneerd gesproken...

Intussen gebruiken we ook nog steeds methadon, om de ziekte in elk geval iets minder te voelen. Maar hoe zieker je bent, hoe langer het duurt voor het methadon gaat werken en... het methadon is zelf ook niet helemaal zonder gevaar. Het wordt opgeslagen in het diepst van je cellen. Het is chemisch, het is troep en het is verslavend. Het vlakt je gevoelens af, op een manier waardoor je je niet 'echt' meer voelt. Ik voel me plasticachtig als ik methadon op heb. Maar het helpt de leegte vanbinnen die de dope heeft geslagen, het peilloze verdriet, het ongeluk dat ik voel, een beetje op te vullen. Z voelt precies hetzelfde, alsof er in je lichaam daadwerkelijk een gat zit, ter hoogte van het middenrif. Z en ik zijn er dan ook allebei heilig van overtuigd dat we nooit meer zonder methadon zullen kunnen leven.

Methadon halen is niet moeilijk, maar het gaat ook niet helemaal vanzelf. Om nog een beetje controle te houden en in elk geval te weten dat de cliënten nog leven, willen ze je bij de methadonbus in principe elke dag zien en wie drie dagen niet geweest is, wordt geschrapt van de lijst. Maar ja, als je zoals ik soms dagen achter elkaar in Rotterdam rondhangt, of opgesloten zit in een huis, dan is het wel eens lastig om die afspraken na te komen.

Als ik uitgeschreven ben raak ik in paniek en is chinezen

niet genoeg meer. Ik scharrel zoveel heroïne bij elkaar dat ik gegarandeerd van de wereld ben en zoek een junk die ervaren is met spuiten en een shot bij me wil zetten. Dat gebeurt een keer of zes, maar mijn angst voor shotten weerhoudt me er gelukkig van om door te gaan.

Dus meld ik me steeds weer opnieuw aan. Binnen de kortste keren sta ik ook weer op een hoge dosis, 60 milligram. Naar huidige begrippen is dat niks, maar ik vind het gevaarlijk hoog.

Z staat ook op de lijst, maar omdat ze elke cliënt in persoon willen zien moet hij eigenlijk elke keer mee. Alleen is hij veel zieker dan ik en ik kijk er ook niet naar uit om hem elke keer op sleeptouw te nemen. Vaak lukt het me om voor hem een potje mee te krijgen. Ik krijg veel voor elkaar. Maar niet altijd en niet bij iedereen. Op een middag wordt het me geweigerd. Hoe ik ook smeek, ik krijg niets mee en ik mag alleen mijn eigen potje leegdrinken. Ik weet dat Z te ziek is om te komen en thuis ligt te wachten en hoewel ik me zelf ook niet helemaal lekker voel, om het maar eufemistisch te zeggen, besluit ik mijn dosis voor hem te bewaren. Als altijd zorg ik eerst voor hem en daarna pas voor mezelf.

Maar het bekertje kan ik niet meenemen. Ik drink het daarom trouw leeg, doe of ik slik, maar bewaar alles in mijn mond. Ik neem afscheid met alleen een knikje en fiets met het bittere goedje in mijn mond als een bezetene naar huis. Daar moet ik Z, zonder dat ik iets kan zeggen, duidelijk maken dat hij zijn mond open moet doen. Uiteindelijk heeft hij het door. Ik druk mijn lippen op de zijne en laat het methadon in zijn mond lopen. Moeder vogel voert haar jong. De smaak heb ik nog een tijd bij me, maar de werking moet ik die dag ontberen.

Het is eigenlijk vreemd hoe sommige dingen op de een of andere manier toch blijven hangen in mijn verwarde brein. Een daarvan is de uitnodiging van Kees Komduur, de politieman, om af en toe eens een bakkie te komen doen. Met de politie heb ik niet veel op, ze zijn de natuurlijke vijand van mensen zoals ik, maar ik doe het toch. Kees zie ik niet in de eerste plaats als politieman, hij is anders dan de rest. Eens in de zoveel tijd loop ik daarom naar het Paardenveld, meestal combineer ik dat met mijn gang naar de methadonbus, en meld me aan de balie. Als ze er zijn komen Kees of Bernard me daar ophalen en nemen me mee naar hun kamer. Dan kletsen we wat en krijg ik een broodje (ik geef toe, die gratis lunches zijn ook een belangrijke drijfveer om langs te gaan) en dan kan ik er weer even tegen. Maar ik vind het ook gewoon prettig om af en toe eens normaal met iemand te kunnen praten, niet alleen over dope en zonder ruzie. Het geeft me even het idee dat er nog een andere wereld bestaat, waar ik heel vroeger deel van uitmaakte. Soms proberen ze toch informatie van me los te peuteren, want natuurlijk willen ze het liefst aangiftes tegen klanten of vriendjes die er een gewoonte van maken de meisjes in elkaar te slaan. Ik merk het wel maar ik vertel niets. Ze zitten er niet mee en begrijpen dat ik gewoon te bang ben. Diezelfde klanten kunnen er de volgende dag weer zijn, en dan is er geen politie... Ik heb nooit aangifte gedaan tegen iemand op de Baan. Het heeft geen nut. Gebeurd is gebeurd en ik moet er toch terug naartoe. Waar ik alleen spijt van heb, is dat ik de aangifte tegen die dealer die me negen dagen vasthield niet heb doorgezet. Nee, mijn praatjes met Kees en Bernard hou ik vooral gezellig. Gezelligheid heb ik toch al zo weinig. Het belangrijkste vind ik dat ze me als mens zien, als iemand met wie je kunt praten, en niet als een lagere levensvorm. Dat doet me enorm goed.

Kennelijk maak ik vooral bij Kees ook iets los, want het valt me op dat hij vaker langskomt op de Baan, vaker in de bus te vinden is. We zien elkaar een paar keer per maand. Hij ziet me op mijn slechtste momenten, wat ik niet doorheb natuurlijk, en dat laat hem niet onberoerd, wat ik nog veel minder doorheb. Dat weet ik nu pas, nu ik terugkijk. Op het moment zelf heb ik het niet in de gaten. Ze oefenen geen druk op me uit, proberen niet, zoals de wijkagent bijvoorbeeld wel doet, me aan te praten dat ik bij Z weg moet. Dat werkt bij mij toch averechts, want aan Z ben ik, ondanks alles, bijna net zo verslaafd als aan de dope.

Psychose, ik noemde het net al even tussen neus en lippen door, alsof het er zomaar even bij komt, maar dan maak ik me er te makkelijk van af. In feite is het niets minder dan de volgende fase in mijn verdere aftakeling. Mijn lichaam is al een wrak en nu is de dope begonnen mijn hersens te verwoesten, zo simpel is het. Ik krijg niet langer waanbeelden na de flash van de coke, ik krijg ze voortdurend. Ik slaap heel slecht, we hebben steeds vaker en steeds heftiger ruzie, omdat we allebei de grenzen niet meer zien.

Z en ik worden gek van elkaar, maar kunnen ook niet zonder elkaar. We hebben een wederzijdse afhankelijkheid ontwikkeld, hebben een symbiotische relatie, hoewel ik moet toegeven dat ik niet zonder hemzelf kan, terwijl hij toch vooral afhankelijk is van mijn geld. Daarbij is hij ook nog eens jaloers, ja nog steeds, en hij wordt gek als hij niet weet waar ik ben. Maar ik moet gewoon het huis uit, de muren vliegen me aan. 's Nachts kruip ik weg, overtuigd als ik ben dat iemand me door het raam wil doodschieten. Ik mag me niet laten zien, niet rechtop staan, want dan ben ik er geweest. Ik ben ervan overtuigd dat 't het huis is. Het huis is een spookhuis, het zit vol geesten, het huis wil me ver-moorden. Daarom mag ik geen moment mijn ogen dicht-doen, want als ik even niet oplet ben ik er geweest.

Dat hou je niet lang vol, ik tenminste niet. Ik moet gewoon weer een nacht goed slapen, anders red ik de volgende dag niet. Ik vraag Z toestemming of ik een nacht bij onze dealer mag slapen, een paar deuren verderop. Hij is een van de wei-nigen die nog vertrouwd voelt. Hij is wel een man, maar voor mij is hij op dat moment een engel. Half en half verwacht ik dat Z in de gordijnen klimt, me verrot slaat, maar tot mijn stomme verbazing vindt hij het goed. Nog diezelfde avond ga ik. Ik slaap als een blok in zijn bed. Hij raakt me niet één keer aan.

Die nacht is een weldaad, maar helaas eenmalig. Ik kan het ten opzichte van Z niet maken om elke nacht bij een andere jongen in bed te kruipen en dus gaat het lieve leven gewoon door. Stemmen hoor ik, ze worden steeds duidelijker. En één stem klinkt erbovenuit, die van Madonna. Ze praat tegen me, ze zingt voor me. Speciaal voor mij! Ik heb contact met Madonna! Maar het is geen goed contact, ik heb geen goede contacten meer. En als ik denk dat ik er één heb, ligt de ver-rader op de loer.

Ik kan heel slecht omschrijven hoe ik me nu voel. Op de rand. Ik leef op de rand van de afgrond. Niets is echt, niets is zoals het is. Als ik iets vastpak, is het net of het er niet is. Maar hoe moet dat dan als ik loop? Is de vloer wel echt?

Steeds vaker verandert Z voor mijn ogen in Chris. Waar die herinnering nu opeens vandaan komt weet ik niet, kennelijk heb ik Chris nog niet verwerkt, maar ik kan er niets mee. En intussen gebruiken, steeds meer gebruiken. De cocaïne waar-mee ik mijn angsten probeer te dempen levert me steeds nieu-we op, en die moet ik dan weer te lijf met nóg meer coke.

Ik heb seks met Z, nou ja, wat ervoor door moet gaan, want ook dat kan ik niet meer. Na alles wat ik meegemaakt heb is normaal lichamelijk contact voor mij niet meer mogelijk. Niemand mag me aanraken. Z doet het toch, ik laat hem, hij is mijn vriendje. Totdat hij voor mijn ogen verandert in een duivel! Ik spring uit bed, in doodsangst. Dit is het, nu ben ik te ver gegaan. Ik heb het gloeiend heet, mijn benen voelen aan alsof ze in brand staan. Het is alsof mijn lichaam niet meer van vlees en bloed is, maar van een ander materiaal, een kleverig soort fluweel. Het voelt alsof ik onder stroom sta, steeds heter en heter. Misschien is het verkeerde coke geweest, waarschijnlijk gewoon te veel. Ik weet niet meer waar ik het zoeken moet. Als ik per ongeluk uit het raam kijk, naar het huis van de jongen waar ik een paar nachten daarvoor nog geslapen heb, zie ik dat de ramen wijd openstaan. Geesten zweven erdoorheen en komen op me af. Ik slaak een gil en duik in elkaar. Z weet niet wat hem gebeurt. In de verte hoor ik hem geruststellende geluidjes maken. Maar daar trap ik niet in. Alsof ik naar hem zou luisteren, hij, de duivel! Zie je wel, dit is mijn straf, nu komen ze me halen. Dit is de straf voor mijn zondig leven.

Ik vlucht in blinde paniek de straat op, ga rennen, zomaar ergens heen. Weg!

Een ziekenauto nadert. Ik ren de weg op en blijf staan. De ziekenwagen remt en stopt vlak voor me. Ik smeek de broeders om me mee te nemen, me te redden. Ze kunnen me niet helpen. Niemand kan me helpen. Ze rijden door.

Verder ren ik, ik kom bij het huis van Theo, een vaste klant. Hij laat me binnen. Ik doe net of ik niet gek ben. Hij merkt niets aan me, of het kan hem niet schelen. Ik beland bij hem in bed, hij gaat zijn gang met me, maar niet voor lang. Hij verandert in een duivel. Hij ook al!

Weer spring ik het bed uit. Hij blijft in verwarring achter. Maar mijn verwarring is groter.

Als een zombie, sorry, ik weet er geen beter woord voor, dool ik door de stad, kom terecht op de Europalaan, die ik op de automatische piloot weet te vinden.

Ik ga staan alsof er niks aan de hand is. Een collegaatje komt op me af, ze pakt haar tasje, zoekt erin, en ineens, voor ik weet wat er gebeurt, heeft ze een pistool in haar hand dat ze op mij richt. Zij ook al? Of verbeeld ik het me? Ik gil, ik krijs, ik ren weg, en vlucht de bus in.

De begeleiding in de bus heeft al heel wat gezien, maar zoals ik die avond binnenkom, laat hen zelfs schrikken.

'Kindje, wat is er met je? Je bent zo mager...'

'Nee,' zeg ik, 'nee, het gaat wel. Ik ben alleen zo bang, ik voel me bedreigd. Ze heeft een pistool...'

'Wie?'

'Fatima, ze heeft een pistool, ze wil me doodschieten.'

De begeleidster kijkt me rustig aan. Ze legt een hand op mijn arm en zegt: 'Nu is het wel genoeg geweest, vind je ook niet?'

Ik weet het niet. Ik staar wat voor me uit. Nu ik hier even zit, voel ik me alweer wat beter en er is Z.

De begeleidster ziet me twijfelen.

'Denk er maar even over na, ik kom zo terug, goed?' zegt ze.

Het duurt even voor ik doorheb dat ze weg is en net als ik dat besef, komt ze al weer binnen.

'Luister eens, ik heb even overlegd. Als je wil is er nu een plek vrij in de crisisopvang, in de detox.'

Daar schrik ik van. 'Nu, meteen?'

Ik mag dan verward zijn, beneveld, maar dit heeft consequenties.

'Ja. Dan gaan we daar nu naartoe. Dan kun je vanavond nog slapen.'

'Waar dan?'

'Hier in de stad, Centrum Maliebaan.'

'Maar ik kan niet. Z zal niet weten waar ik ben.'

'Ik vertel het Z. Dat hij weet waar je bent.'

'Maar waar moet hij dan van leven?'

'Ja, moet je horen, hij kan ook worden opgenomen als hij wil. Probeer je daar nu maar niks van aan te trekken. Denk nu maar eens een keertje aan jezelf.'

Slapen. Rust. Veiligheid. Het is bijna niet voor te stellen, maar ze biedt het me aan. Hier en nu. Ik moet aan mezelf denken, ik weet het, maar toch ben ik bang.

'Z moet het weten,' breng ik uit.

'Ja, maar daar zorg ik voor. Heus.'

'Maar hij moet het goedvinden.' Waar ik me druk om maak, op een moment als dit.

'Morgen,' belooft ze. 'Morgen ga ik hem voor je bellen. Maar jij kan niet tot morgen wachten.'

'Breng jij me dan?'

'Ik breng je.'

De Maliebaan is donker en stil op dit uur van de nacht. Maar achter één deur brandt licht. Waar je ook komt, de hulpverlening is een baken van tl-licht in de nacht. De nachtzuster, zo noem ik haar hoewel er ongetwijfeld een betere benaming voor haar functie zal zijn, kijkt niet op van het levende lijk dat binnenschuifelt.

Er zijn geen formaliteiten. Ik krijg een bed en een pyjama, dat is het. Ik neem afscheid van mijn begeleidster, te moe en te ver heen om haar fatsoenlijk te bedanken.

'Als je niet kunt slapen kom je maar lekker bij mij zitten

hoor,' zegt de nachtzuster. Maar ik ben doodop. Dat zal toch zeker het probleem niet zijn.

Ik doe geen oog dicht, zo moe als ik ben. Ze heeft gelijk gehad. Natuurlijk heeft ze gelijk, ze heeft het allemaal al meegemaakt.

'Kom,' zegt ze, als ik een uur later aarzelend voor haar deur sta. 'Kom binnen.' Ze legt haar krant weg en biedt me een stoel en een sigaret aan. Rokend en kletsend brengen we de nacht door, begeleid door de klanken van *Tros Nachtwacht* uit de transistorradio die op de kast staat. Het is heerlijk. Ik wist niet dat dit bestond, maar tegelijk besef ik dat ik in deze wereld niet thuishoor.

'Denk jij dat ik gek ben?' vraag ik haar.

'Waarom?'

'Ik hoor in een inrichting, ik pas hier toch niet?'

'Dat kun je nog helemaal niet zeggen, je komt net binnen, uit een hele andere wereld.'

'Ja, maar ik ben zo gek als een deur, man. Straks worden de anderen wakker, wat zullen die dan wel niet zeggen?'

'Die zijn zelf toch ook van God los? Anders zaten ze hier niet. Maak je daar nou maar geen zorgen over. Kijk het nou even aan, er komt ook een psychiater met je praten, dan zien we wel weer verder.'

Ze heeft weer gelijk. Al na een paar dagen knap ik op. Dankzij het strenge regime – om halfacht staan we op en net als iedereen krijg ik vanaf de eerste dag een taak – komt er regelmaat terug in mijn leven. Ik word weer op methadon ingesteld, die ik ook niet meer had, en dat helpt me de eerste moeilijke tijd door te komen. Ik bel mijn vader weer op, die langskomt met kleding waardoor ik weer iets aan mijn uiterlijk kan doen. Al die kleine dingen helpen, maar ondertussen ben ik voor mijn gevoel nog wel rijp voor de psychiatrie. En overal ruik ik nog steeds een rare, zoetige geur, die ik wijt aan alle dope die ik gesnoven heb. Het middel zit nog in mijn neus, en natuurlijk overal in mijn lijf. Maar mijn geest is het eerste waaraan gewerkt wordt. Ook hier zijn groepsgesprekken. De begeleider schrijft vier woorden op een bord: Bang, Boos, Blij, Bedroefd.

'Nou, zeg het maar. Hoe voel jij je vandaag?'

Ik heb geen idee. Ja, alles tegelijk, of niks. Maar blij heeft toch wel de overhand. Ik ontwikkel een nieuwe tic. Van papier knip ik vlindertjes, ontelbare vlindertjes, die ik overal op plak. En als ik daar niet mee bezig ben, ben ik aan het verzorgen. Altijd weer. Koffiezetten voor iedereen, helpen, op mijn manier. Een van de bewoners is een oude alcoholist. Hij heeft veel pijn, en moeite met bewegen. Als ik zie hoeveel moeite het hem kost zijn taak voor die dag te volbrengen, zeg ik: 'Ga maar lekker zitten joh, neem een bakkie koffie, dan doe ik jouw werk wel.'

Dat kost me bijna mijn plek in het centrum. Ik ben te verzorgend, te veel met anderen bezig, omdat ik niet naar mezelf durf te kijken. Ja, misschien hebben ze wel gelijk. Als ik iets wil met mijn leven moet ik verder. Dan móét ik naar mezelf kijken en mezelf een gigantische schop onder m'n kont geven. Centrum Maliebaan is een tussenstation, niet meer dan dat, op weg van mijn oude leven naar een nieuw. Maar er is zoveel dat mij bindt aan het oude.

Z weet waar ik zit, maar hij komt niet op bezoek. Sommige bewoners krijgen bezoek, ik niet, op die ene keer na dat mijn vader langskomt. Ik vind het niet erg. Ik ben niet jaloers, niet eenzaam, ik ben vooral dankbaar voor de rust. Want zonder die rust had ik waarschijnlijk ook de volgende stap niet durven nemen.

Mijn methadon wordt afgebouwd, de ziekte wordt minder om ten slotte te verdwijnen. In feite ben ik lichamelijk afgekickt. Nu al, na drie weken. Lichamelijk afkicken is niet het eind van de wereld. Ik wil niet zeggen dat het niets voorstelt, je bent echt een paar dagen dood- en doodziek, maar het is toch een stuk minder moeilijk dan ik altijd gedacht had en zeker minder heftig dan veel verslaafden je doen geloven. Natuurlijk, ik was ook bang voor de ziekte. Dat is elke verslaafde. Het is die angst, waarmee het middel je in een ijzeren greep houdt, waarom je steeds meer wil. Maar als je zonder moet, dan kun je ook zonder.

Maar nu? Ik, die niks afmaak, krijg weer een nieuwe kans. Wil ik die? Durf ik die aan? Ja, ik besluit dat ik verder wil zonder dope. Na drie weken bel ik Kees op en zeg hem dat ik nu wel wil afkicken. Definitief.

Kees is blij. Hij doet zijn best om niet uitbundig te zijn, maar ik hoor aan zijn stem dat hij opgetogen is. De hele dag loop ik zenuwachtig rond. Telkens als ik op het kantoor de telefoon hoor gaan loop ik erheen en luister op de gang mee.

Het duurt vijftien telefoontjes, maar dan heb ik hem aan de lijn.

'Ik heb gebeld, ik heb een plek voor je in De Hoop.'

'Wat is dat?'

'Dat is een stichting voor verslavingszorg, in Dordrecht. Daar kun je afkicken.'

Vijftien telefoontjes, verdeeld over de dag, dat is een heleboel tijd om te gaan twijfelen. Dit is zo definitief. Wat moet ik?

Kees hoort mijn twijfel, maar hij is vastbesloten. 'Als je wil kan ik je er nu nog naartoe brengen.'

'Jij. Nu?'

'Ja, dan kom ik je nu halen en dan gaan we er samen heen.'

Ik ben overrompeld en kan niet meer terug, precies zoals hij het bedoelt.

Een halfuurtje later zijn we onderweg naar Dordrecht. Deze dag zal ik nooit vergeten, Kees trouwens ook niet, want we zijn nog niet halverwege als zijn pieper gaat. Hij kijkt onder het rijden op het schermpje naar het nummer dat gebeld heeft. Hij haalt diep adem, ik zie het.

'Belangrijk?' vraag ik.

Hij kijkt me aan.

'Ja. De bevalling is begonnen. Ik word vader.'

Mijn mond valt open. Ik weet niet wat ik moet zeggen. Politieman Kees Komduur, de lieve schat, mist de bevalling en kiest voor mij, voor mijn redding. Mijn hemel, dat is even te veel om in één keer te bevatten.

16

Dordrecht, 1991

Wat kan ik zeggen over mijn verblijf in De Hoop? Niet veel. Ik ben in veel klinieken en instellingen geweest en van deze herinner ik me het minst. Misschien omdat ik zo ver weg was, dat mijn hersenen het allemaal niet opgepikt hebben. Dat zou goed kunnen.

Zodra het gif mijn lichaam heeft verlaten en ik weer een beetje bij zinnen kom, dringt één vraag zich levensgroot op. Wat nu? Wat moet ik doen met m'n dagen, als ik niet meer de hele tijd achter de dope aan hoef te rennen? Rust lijkt heerlijk, maar niet als je het afgeleerd hebt.

Er is ook een praktisch probleem. Waar moet ik in vredesnaam naartoe? Ik kan niet terug naar Z. Omdat het me veel meer tijd zal kosten om van hem af te kicken dan van de dope, kan ik onmogelijk terug. Als ik dat doe ben ik binnen de kortste keren weer precies zover als toen ik hier kwam. Maar ja, bij hem staat wel m'n bed. Wie wil me hebben, waar kan ik slapen? Dit is het grote gat waar elke verslaafde die afkickt zonder hele goede begeleiding onherroepelijk in terechtkomt.

Kees stuurt me een geboortekaartje. Zijn zoon is geboren op de dag dat ik werd opgenomen in De Hoop. Ik kan het door mijn tranen heen nauwelijks lezen.

Ik begin te schrijven. Ik schrijf lange brieven aan mijn vader waarin ik hem smeek me in huis te nemen, maar in diezelfde brieven benadruk ik wel tien keer dat ik het ook begrijp als hij nee zegt. Ik weet het niet. Ik wil het spul weg kunnen blazen als het voor me ligt en ik geloof ook dat het kan. In mij is een groot verlangen naar een nieuw leven, een clean leven zonder angst en vuiligheid, maar tegelijk ben ik er doodsbang voor. Moet ik straks andere mensen onder ogen komen, zonder dat ik me ergens achter kan verschuilen? Wat kan ik nu? Helemaal niks. Ik ben de dertig gepasseerd en ik heb niks maar dan ook niks bereikt. Ik voel me nutteloos en waardeloos, maar ik wil zo graag nog iets met mijn leven doen.

Z komt op bezoek. Hij ziet er goed uit. Als ik er niet ben gaat het beter met hem, lijkt het wel. Maar hij heeft slecht nieuws. Als ik terugkom is onze kamer aan de Minahassastraat er niet meer. De jongen van wie wij onderhuurden moet eruit en wij dus ook. Als altijd kan Z terug naar de flat van zijn ouders. Ik niet. Want mijn ouders, dat is en blijft een verhaal apart. De leiding van De Hoop wil met hen allebei praten. Dat is een probleem, tenminste, om dat tegelijk te doen, want onder geen voorwaarde praat mijn moeder met mijn vader. Het doet me vreselijk pijn, maar ze komen apart. Mijn moeder heeft uitgesproken ideeën over hoe het met mij verder moet, die ze met de psychiater bespreekt alsof ik er niet bij ben. Op zich ziet ze het wel goed en zijn haar ideeën niet eens slecht, maar dat ze niet de mijne zijn, daar gaat zowel zij als de leiding van De Hoop moeiteloos aan voorbij.

Ik wil nog wel een vervolgprogramma doen, graag zelfs,

want ik ben er nog lang niet, maar niet daar. Misschien dat het programma van De Hoop me best had kunnen helpen, maar doordat ze het christelijke karakter van hun instelling tot in het absurde doordrijven, haak ik af. Spaans benauwd krijg ik het van de gebedjes, gezangen en preken. Begrijp me niet verkeerd, ik heb diepe bewondering voor de mensen die daar werken en die het voor elkaar krijgen om volslagen gekken zoals ik weer op de rails te krijgen, echt waar. Maar mag het één keer zonder de Heere?

Het is dit of niks en als ik niet verder wil moet ik weg, een andere keuze is er niet. En dus bevind ik mij, op een vrijdagmiddag, alleen op het station van Dordrecht, met een klein beetje zakgeld in mijn portemonnee en een treinkaartje naar... Utrecht. Een enkeltje Hoog Catharijne, Heroïnehart van Nederland. Geheel belangeloos ter beschikking gesteld door de instelling voor verslavingszorg.

Utrecht, juni 1992

Nog voor het eind van de dag heb ik Z weer gevonden. Ik slaap op Hoog Catharijne. Voor het eerst van mijn leven voel ik me echt dakloos. En 's nachts, nuchter, zonder de troost van welk middel dan ook, is Hoog Catharijne een nog onherbergzamere betonkolos dan ik me herinner. Ik wil ergens in wegkruipen, maar ik heb niks. Wonder boven wonder duurt het nog tot de volgende dag voor ik weer gebruik. De nacht daarop slaap ik bij een vaste klant.

Ik mis Z. Steeds kom ik er weer achter dat ik niet zonder

hem kan. Mét hem is het een drama, zonder hem nog veel erger. Er is geen sprake van dat ik in de flat slaap, ik ben al-lang in ongenade gevallen bij de familie. Ik ben een hoer. Een slechte vrouw voor Z, altijd als ik in de buurt ben gaat het slecht met hem. Wie ben ik om dat tegen te spreken? We ver-zinnen iets anders. Zonder dat zijn ouders het merken sle-pen we een matras, wierook en kaarsen naar de kelderbox. We maken het zo gezellig mogelijk, met geurtjes en muziek en we slapen er, maar het is verre van ideaal. Het is er koud als de hel en nog erger is dat we elke morgen moeten zorgen dat we om halfzes op zijn. Halfzes, dan lig ik er vaak net in! Maar we moeten weg zijn als de andere flatbewoners er hun fiets komen pakken om naar hun werk te gaan. Dan verber-gen we ons in het trappenhuis, onder de trap, totdat ieder-een weg is. En ook als zijn vader plotseling opduikt, moeten we zo snel we kunnen alles leeghalen en hopen dat hij de wie-rook niet ruikt. Gelukkig hoest hij zo hard dat we hem op tijd horen en zelfs snel genoeg zijn om onze dope op te rui-men zonder iets te morsen.

Vaak sta ik dus om halfzes 's ochtends op straat. Ziek. Moe. Zonder slaap. Dan ga ik op zoek naar vaste klanten waar ik misschien wat geld kan verdienen. Bij Rinus kan ik, terwijl hij naar zijn werk is, gewoon slapen tot het tijd is voor de methadonbus. Bovendien staat er een krat bier naast zijn bed, dat is een bonus. Maar het lukt niet altijd. Soms ben ik te laat, of heeft hij er gewoon geen zin in. Slaapgebrek wordt mijn grootste probleem. Ik word gek van het zoeken en do-len, half slapend, halfdood.

Ik heb het zo lang mogelijk uitgesteld, maar uiteindelijk is er nog maar één adres waar ik terechtkan. Het Paarden-veld. Vandaag ga ik. Het is het moeilijkste wat ik kan doen, want als er iemand is die ik teleurgesteld en in de steek gelaten heb, dan is het Kees. Maar ik voel dat het misgaat, ik ben weer bijna net zover als voor De Hoop en ik weet niemand anders waar ik heen kan. Als ik hulp wil zal ik me over mijn angst en schaamte heen moeten zetten.

Kees veroordeelt me niet. Hij maakt er zelfs geen woorden aan vuil. Trots laat hij me foto's zien van zijn zoon. Ik ben zó blij voor hem. Maar ook een beetje jaloers. Hij heeft een leven, een huis, een gezin. Iets om naar terug te gaan, na een dag werken.

'Ik trek het niet meer, Kees, als ik niet af en toe gewoon kan slapen.'

Kees snapt het en wat ik niet had durven dromen gebeurt. Ze gaan voor ons aan het werk.

Het duurt even, maar dan krijgt Z thuis een brief. We hebben een huis! Via de politie, uitgerekend de politie, komen we aan een huis in Lunetten. Ik loop de hele dag op wolkjes en ontdek hoe klein de wereld is. Want 's avonds op de Baan tref ik een vaste klant, die zegt: 'Wat hoor ik? Hebben jullie een huis?'

'Hoe weet jij dat nou weer?'

'Van Z, die kwam ik tegen. Iedereen weet het. Nou, ik moet je wel zeggen, ik vind het belachelijk. Jullie zijn allebei verslaafd, wat moet je nou met een huis? Als ze mensen als jullie een huis gaan geven, waar moet het dan heen?'

'Nou, dank je wel,' zeg ik. 'Leuk dat je zo blij voor me bent.'

Hij kan mijn stemming niet bederven. Niet eens een piepklein kamertje, maar een echt huis. Het is een luxe die ik niet meer gewend ben.

Z doet waar hij goed in is, hij maakt het gezellig. Met hulp van zijn broers richt hij het in en het wordt echt leuk. In een huis, met wat echte Hollandse kneuterigheid, zijn we altijd op ons best. We gaan minder gebruiken, en wat we gebruiken komt van een vaste dealer. Een vaste dealer vind ik belangrijk. Je weet dat je geen troep krijgt, dat hij op vaste tijden komt en dat je kan poffen als het nodig is. Dat geeft rust en als er iets is waar je als verslaafde naar hunkert, dan is het rust. Die rust werkt door in ons hele bestaan. Onze relatie gaat een stuk beter, we eten regelmatiger en gezonder (ondanks het feit dat er een snackbar op de hoek is waar ik, via de achterdeur weliswaar, biertjes, patatjes en zelfs kleine bedragen kan lenen) en we kijken tv, waardoor ik ook weer een beetje een idee krijg van de wereld om ons heen.

Er is maar één nadeel. Vanaf Lunetten is het een pokkeneind lopen naar de Baan en vooral naar de methadonbus! Je kunt niet alles hebben en heel af en toe krijg ik van de snackbareigenaar, die ik mijn tweede vader noem, een strippenkaart. Dan kan ik hem wel om zijn nek vliegen.

Met een strippenkaart kan ik de stad in. Methadon halen, wat hosselen, dope scoren, beter worden. Want het feit dat we een huis hebben en een vaste dealer, betekent nog niet dat al mijn problemen voorbij zijn. Ik ben nog even verslaafd, nog even vaak ziek en nog al te vaak gaat al mijn geld op aan verdovende middelen, zodat er niets meer overblijft voor eten. Ik ben een wandelend geraamte. Eén zuchtje wind en Esther ligt in de Catharijnesingel.

In die tijd vind ik ook de weg naar het Inloopcentrum Hoog Catharijne, een initiatief van de GG en GD, de politie en het Leger des Heils gezamenlijk, om de overlast van verslaafden in de buurt te verminderen. Het hoe en waarom laat me koud, ik begrijp het nauwelijks meer, maar wat ik wel weet is dat je er een luisterend oor, daadwerkelijke hulp en (heel belangrijk) een douche en een warme maaltijd kan vinden. Ze hebben er zelfs kleding, want als ik weer eens een keer mooie kleren heb, gebeurt het me steeds vaker dat ze gepikt worden door de andere meiden. Ik let niet zo heel goed meer op, maar op de Baan moet ik er toch goed uitzien. Het is m'n werkkleding, tenslotte.

Het klinkt misschien alsof ik in redelijk rustig vaarwater zit, in deze periode. Niets is minder waar. Ik ben echt teruggevallen, lichamelijk en geestelijk. Ik zie weer overal wapens, word in mijn verwarde gedachten door iedereen achternagezeten. Het is haast niet voor te stellen, vierentwintig uur per dag in paniek, veroorzaakt door een combinatie van de reële angst van het werken op de Baan, waar je altijd op je hoede moet zijn, het geweld dat ik al had meegemaakt en natuurlijk de uitwerking van de cocaïne en de pillen op mijn hersenen. Veel van wat er met me gebeurt gaat volkomen langs me heen. Soms vind ik mezelf ergens terug, geheel of gedeeltelijk ontkleed en kan alleen maar constateren dat er 'iets' gebeurd moet zijn.

Als Kees, Bernard, of Jan de wijkagent me naar de toedracht vragen moet ik het antwoord schuldig blijven. Het is echt geen onwil, ik wil niemand in bescherming nemen die dat niet verdient, maar met de beste wil van de wereld, ik kan me er niets van herinneren. Het enige wat rond blijft zoemen in de lege ruimte die eens mijn hersenen bevatte, is het vage besef dat ik vermoord kan worden zonder het te weten. Zonder het zelfs maar te merken. Een paar jaar eerder zou die gedachte me meer dan welkom zijn geweest. Nu niet meer, nu hij constant op de loer ligt ben ik banger voor de dood dan ooit. Nergens voel ik me veilig, zelfs niet in mijn eigen huis. Het is als een oorlogssituatie. Het gevaar loert van alle kanten, ik kan niemand vertrouwen en mezelf al helemaal niet. Klanten maken me angstig, alle mannen maken me angstig. Ik slaap niet meer, wat alles nog erger maakt. Kees en Bernard houden vol dat ik, als ik het echt wil, er nog steeds uit kan. Dan zullen ze weer een plaats voor me vinden. Natuurlijk, ik beloof het. *Morgen ging ik afkicken*, beslist. Maar na mijn vorige debacle durf ik niet meer. Ik kan hen toch onmogelijk weer een keer teleurstellen? En dat gaat gebeuren, ik weet het zeker. Ik maak toch niks af, ik red het toch niet.

Dat blijkt wel. Als ik thuiskom heeft Z ook weer klanten voor me binnengehaald. Wat in ons huisje op de camping gebeurde, herhaalt zich hier. Z weet hoe erg ik dat vind, maar hij doet het toch. Alles voor dope. Ik snap het niet, hoe kan hij daar rustig bij zijn? Mijn laatste stukje lichaam wordt opgebruikt, samen met het laatste restje van mijn persoonlijkheid en hij, die eens mijn hele leven was, kijkt tv in de kamer ernaast. Mijn ziel is er niet meer. Niets is meer van mij. Mijn lichaam niet, mijn gedachten niet, mijn gevoel niet. Slapen doe ik niet meer, ik ben nu ook al bang om naar huis te gaan. De mallemolen gaat constant door, vierentwintig uur per dag. Ik gebruik meer pillen, meer drank en vooral meer verdovende middelen om mijn angst te onderdrukken, maar die wordt alleen maar erger. Ik zit in een vicieuze cirkel die onherroepelijk tot de dood leidt.

17

De nacht is koud. Alle nachten zijn tegenwoordig koud, de dope beschermt me allang niet meer tegen de kou. Strompe-lend, met bloedende handen en knieën en gruwelijke pijn in mijn arm strompel ik terug naar de Europalaan. Ik ben net uit een auto geflikkerd, voor de zoveelste keer, door een klant die niet tevreden was. In plaats van dat ik geld krijg, word het van me gepikt, krijg ik klappen voor de moeite en word ik op straat gegooid, als de peuken uit het asbakje. Ik voel me... Ja, hoe voel ik me eigenlijk? Boos? Verdrietig, miserabel? Het erge is dat ik niets meer voel. Het stadium van verdriet, spijt en woede ben ik allang voorbij. Mijn emoties zijn weg, afge-vlakt, opgebruikt, net als ik. Ik heb geen besef meer van de mensonterende behandeling die ik keer op keer krijg, en die ik elke avond zelf weer opzoek, alleen om mijn honger naar drugs, en niet te vergeten die van Z, te stillen. Het enige wat ik voel is pijn. Pijn blijft altijd. Meter voor meter kom ik voor-uit, de Europalaan is zo lang als je nauwelijks meer kunt lo-pen. Ik sla mijn armen om mijn lichaam, in een poging warm te blijven, en strompel vallend en struikelend verder. Daar zijn de lichten. In een waas zie ik de koplampen en achterlichten van de auto's die nog steeds rondjes rijden. Een witte vlek aan de linkerkant, rechts een rode. Eigenlijk zou ik een nieuwe klant op moeten pikken, om de gederfde inkomsten van net weer goed te maken, maar ik kan het niet meer. Ik ben op.

Met alle kracht die in me is zet ik de ene voet voor de andere. Elke stap doet zeer. Waarom ga ik daarheen? Waarom is de enige weg die ik weet, die naar de Baan? Omdat het het enige is wat ik ken. Zonder dope thuiskomen kan niet en bovendien is dat veel te ver. Ik moet wel terug. Het is laat, de Baan gaat bijna sluiten. Als ik maar niet te laat ben. Maar gelukkig, van dichterbij zie ik de contouren van de bus. Hij staat er nog! Maar hij komt nauwelijks dichterbij, hoe ik ook mijn best doe. Voor mijn gevoel duurt het nog een uur voor ik mijzelf moeizaam het trapje ophijs en de bus me in zijn veilige, warme armen neemt.

'Och jee, is het weer zover?' hoor ik een van de begeleiders zeggen. 'Kom maar gauw, kind, ga maar meteen door naar de dokterskamer. Kom maar.'

Ik doe wat ze zeggen. Helpende handen ondersteunen me. Nog twee stappen, dan kan ik liggen, op de onderzoektafel. Nu pas voel ik hoeveel pijn alles doet. Twee, drie hulpverleners staan om me heen. Ik herken hun gezichten niet. Hun stemmen klinken door elkaar. Het geluid zwelt aan en ebt weer weg. Voorzichtig onderzoeken ze mijn verwondingen.

'Ze moet naar het ziekenhuis,' hoor ik iemand zeggen. Het is een bekende stem, maar hier helpt geen reiki meer. 'Ik breng haar wel.'

Moeizaam probeer ik overeind te komen. Paniek overvalt me. Naar het ziekenhuis, dat kan niet. En Z dan? Hij zal niet weten waar ik ben en hij heeft spul nodig. Ik schud mijn hoofd. Als ik wil praten merk ik dat mijn lippen ook dik zijn. Ik proef bloed. 'Ik moet verder,' breng ik uit. 'Nog één klantje. Ik heb niks meer.' Nu ik even lig voel ik me weer heel wat. Denk ik.

Ze buigt zich voorover. 'Esther, lieffie, dat gaat niet. Je moet echt naar het ziekenhuis. Wil je dat ik je breng?'

Ze dwingt me niet. Als ik echt wil, kan ik opstaan en weer gaan werken. Maar ik weet dat ze gelijk heeft. Genoeg is genoeg. Ik laat me weer terugzakken en knik langzaam.

We zitten in de auto. De wereld flitst voorbij. Ik weet niet waar we heen gaan, naar welk ziekenhuis. Ik leun met mijn hoofd tegen het raampje en schuin omhoog zie ik met regelmaat de oranje straatlantaarns voorbijkomen. Flits, flits, flits. Het is rustgevend, maar het doet ook zeer aan mijn ogen. Ik wou dat we er waren. Dat duurt ook niet lang. Ze rijdt met me naar de ingang van de eerste hulp. Daar word ik in een rolstoel gezet. Zelf doe ik niets. Ik ben hulpeloos als een pasgeboren baby.

In een wereld van onbarmhartig tl-licht en witte jassen worden mijn wonden verzorgd. De pijn in mijn arm blijkt van een kneuzing, gelukkig is er niks gebroken. Ze durven me niks te geven tegen de pijn, bang voor wat ik allemaal al op heb.

Plotseling mis ik mijn begeleidster. Als ik om me heen kijk, zie ik haar door de opening in de gordijnen op de gang staan. Ze praat met een arts. Het gordijn gaat weer open en ze komt terug. Ze legt een hand op mijn schouder.

'Als je wil kun je naar de detox.'

Ik kreun.

'Je kunt naar de Maliebaan, daar ken je het.'

Dat is niet wat me dwarszit. Ik ben niet bang voor het onbekende, ik ben bang voor het bekende. 'Maar...'

'Esther, kijk nou naar jezelf. Dit gaat toch niet zo? Hoeveel wil je nog met je laten doen? Moet hij je doodslaan, de volgende keer?'

'Z moet...'

'Morgenochtend zal ik Z bellen.'

'Nee, hij moet het ook goedvinden,' hou ik vol. 'Het is niet genoeg als hij het weet.'

De begeleidster belooft het. We gaan. Er wordt zelfs een afspraak gemaakt met Z, hoe lang ik er mag blijven. Net lang genoeg om het nog even te rekken.

Centrum Maliebaan is vertrouwd. Ik weet niet of de nacht-zuster die me deze keer begroet nog dezelfde is als de vori-ge keer, maar ze is in elk geval net zo lief voor me. Ik voel me er thuis, de rust is weldadig.

Ik begin weer aan een nieuwe strijd. Opnieuw lukt het me om me aan het middel te ontworstelen. Ik begin goed te wor-den in afkicken, al zeg ik het zelf. Maar des te beter weet ik dat het pas het begin is. Het echte afkicken begint als het gif zich heeft teruggetrokken. Weer vliegt de angst me naar de keel. Op dit punt ben ik eerder geweest en ik weet wat er toen gebeurd is. Maar voor het zover is, is de afgesproken termijn voorbij en komt Z me afhalen. Met lede ogen zien de bege-leiders me vertrekken. Ik zeg hun dat ze zich geen zorgen hoeven te maken. We hebben nu immers een huis, en dat scheelt een heleboel.

Elke keer valt het me op dat Z er goed uitziet als ik een tijd-je weg geweest ben. Zijn ouders hebben ontegenzeggelijk gelijk, ik heb een slechte invloed op hem. Dat moet wel. Hij is aangekomen (ik trouwens ook). Hij zegt dat hij maar heel weinig gebruikt heeft en afgaand op hoe hij eruitziet geloof ik dat ook. Ik ben maar wat blij dat ik weer bij hem ben. We blijven thuis, dat beloven we elkaar.

Z is zo lief. Hij doet boodschappen en zegt: 'En weet je?

Dan neem ik op zaterdag één pakje mee, na de boodschappen, en dan genieten we er samen van.'

Het ritueel van de camping herhaalt zich. We gaan weer zelf cocaïne koken en drinken er muntthee bij. Het is heerlijk, maar ik heb er niet meer genoeg aan. De onrust in mijn lijf doet me tegen de muren opvliegen. Ik ben nog helder genoeg om erover te denken en doe een schokkende ontdekking. Zonder dope is er niets dat mij aan hem bindt. Ons hele leven draaide om de verslaving en nu die er, bij mij tenminste, niet meer is, is er niets meer. Hij is zo vaak, zo ver over mijn grenzen heen gegaan, dat ik nuchter niet meer met hem kan leven. Seks? Misschien wel, maar niet per se. En zeker niet zonder dat ik gebruikt heb. Er is zoveel stukgemaakt. Dan nog maar liever de Baan op, dan nog maar liever voor geld. De Europalaan is dichtbij. Dat is mijn wereld, de wereld die ik ken. In al zijn rauwe gruwelijkheid is dat de enige wereld die ik de mijne kan noemen. Ik ben niet verslaafd aan heroïne, cocaïne en alcohol, nee, ik ben verslaafd aan de adrenaline. En daar ben ik niet tegen behandeld, in die drie weken.

Z snapt het niet. 'Waarom wil je nou weg, Es? Je kan nu toch lekker thuiszitten?'

'Nee, ik moet even weg. En bovendien, we moeten toch geld hebben?'

Dat laatste is waar. We hebben, ook zonder een dure verslaving om te onderhouden, acuut geldgebrek. De telefoon is afgesloten. Ik heb nota bene van mijn vader geld gekregen om de rekening te betalen, maar ook dat is allemaal opgegaan aan dope. Ik schaam me dood en dus moet ik mijn vader terugbetalen en daarna de rekening alsnog voldoen. Maar het is een excuus. Eigenlijk wil ik bij Z weg. Maar dat zal ik nooit zeggen.

Hij heeft nog meer verrassingen voor me. Bij toeval vind ik een brief die hij heeft achtergehouden. Hij heeft het geld voor de huur opgerookt en nu hebben we een schuld van negenhonderd gulden. We maken slaande ruzie en ik vertrek.

Als mijn huisje op het spel staat ben ik tot veel in staat. In twee dagen verdien ik aan één vaste klant de hele huurschuld terug. Ik vind hem een verschrikkelijke griezel, dus er komt nog een flink bedrag bij om dope van te kopen, zodat ik het verdienen tenminste vol kan houden.

Ik reken zelf de huur af, hoogstpersoonlijk, en doe een tweede nare ontdekking. Er waren twee brieven, en ik heb er maar één gevonden. De totale schuld is geen negen-, maar zestienhonderd gulden.

Vraag niet hoe ik het voor elkaar gekregen heb, maar ook het restant troggel ik mijn vaste klant af. Hij heeft gelukkig bakken met geld, hij merkt het niet. En bovendien, wat hij met mij doet, daar mag best een flink bedrag tegenover staan.

Intussen ben ik weer net zo ver op weg om een zombie te worden als voor mijn laatste opname. Het wordt nog erger als Z een dealer, die zonder woonruimte zit, bij ons een kamer aanbiedt. Nu hoeven we de deur niet meer uit voor dope. En als-ie er een keer niet is, dan ren ik naar Rinus, waar ik weet dat de drank klaarstaat en waar ik kan bellen naar de pieper van onze andere vaste dealer. Want het zal me nooit meer gebeuren dat ik zonder zit. Nooit meer.

18

'Nu wil ik wel een beetje water,' zeg ik.

Het zweet gutst van mijn voorhoofd en tegelijk heb ik het koud. Het voelt alsof ik gebruikt heb. Nog nooit heb ik tijdens een voorlichting zoveel verteld als nu. Nog nooit ben ik er zo in opgegaan en is het middel weer zo dichtbij geweest. Gebruik kun je stoppen, verslaving is levenslang.

Een paar leerlingen zie ik knipperen met hun ogen, alsof iemand hen met een vingerknip uit hun hypnose gehaald heeft. Zelf voel ik me niet anders. Het verhaal heeft me zo meegezogen dat ik moet wennen aan de werkelijkheid.

'Ja, natuurlijk,' zegt de leraar. 'Martijn, wil jij in de kantine...'

Hij hoeft zijn zin niet af te maken. Martijn springt op en rent bijna de klas uit, met een snelheid die niet past bij een 15-jarige havoleerling. Hij wil vast dolgraag weg, of hij kan niet wachten om iets voor me te doen. Ik vrees het eerste. Als hij terugkomt zie ik dat ik het mis had. Bijna eerbiedig biedt hij me het glas aan. Ik heb er een bewonderaar bij. Alsof er iets te bewonderen valt, denk ik met zelfspot.

Het water voelt weldadig aan. Ik kan me niet herinneren ooit zo lang achter elkaar gepraat te hebben.

'Ik snap niet hoe je dat volgehouden hebt,' zegt Judith.

Ik neem nog een slokje en zet het glas bij de poot van mijn stoel.

'Als ik eerlijk ben, ik zelf ook niet. Maar het gekke is, als ik nu alles op een rijtje zet en het aan jullie vertel, lijkt het een stuk erger dan op het moment zelf. Ik zat er natuurlijk middenin, je wordt meegesleurd. Het leven van een verslaafde, ik hoop dat ik dat duidelijk gemaakt heb, is een mallemolen. Je moet je dope hebben, elke dag, en daar doe je alles voor. Het risico is dat je een slechte klant treft, maar je gaat weer door, dankzij het middel. Je móét door. Verdovende middelen zijn je ondergang en tegelijk redden ze je. Zo gaat dat.'

'Hoe komt het dat je zo vaak geprobeerd hebt af te kicken?'

'En dat het zo vaak niet gelukt is, bedoel je.'

De jongen lacht verlegen, omdat ik hem doorheb.

'Afkicken is een heel proces. Het gif is zo je lijf uit, dat is niet zo'n probleem. Ja, je wordt wel ziek, die ziekte waar iedereen het over heeft is geen onzin, die is er echt, maar hij gaat wel over. Dan begint het. Zoals veel verslaafden ben ook ik begonnen met dope omdat ik bepaalde aspecten van mijn leven niet onder ogen wilde zien, of kon zien. En dat moet nu dus wel. Nuchter. Want de omstandigheden veranderen niet, je hebt alleen de dope niet meer om in te vluchten. Maar als je dat zo lang gewend geweest bent, is je eerste neiging om naar de drugs te grijpen zodra er iets gebeurt dat moeilijk is. Dat is het gevecht.'

Ongemerkt observeer ik het meisje met de koffiebruine huid. Ze reageert niet merkbaar op mijn woorden en lijkt zich weer volledig te hebben teruggetrokken in haar eigen wereld. Ze intrigeert me steeds meer. We hebben iets gemeen, ik voel het, en ik kan alleen maar hopen dat ik de juiste snaar weet te raken. Ik pak mijn glas, neem nog een slok-je en zeg: 'Het middel laat je nooit helemaal meer los.'

Het meisje reageert nog steeds niet, maar een paar anderen zitten met open mond te luisteren. Twee jongens smoezen achterin.

'Het is zó makkelijk, je weet precies waar je het kunt halen, bij wie. En je weet dat het je altijd getroost heeft, hoe groot je problemen ook waren. Dat is dus het grote probleem van afkicken, samen met alle praktische moeilijkheden die je tegenkomt als je terug de maatschappij in wilt, want ook al ben je tien jaar clean, voor de buitenwereld blijf je altijd een ex-verslaafde. Voor jezelf trouwens ook, je voelt je een buitenstaander, een ex-junkie. En soms kun je voor je gevoel dat "ex" net zo goed weglaten. Nou ja, het is mij dus niet in één keer gelukt, dat heb je gehoord.'

'Hoe heb je het dan uiteindelijk wel voor elkaar gekregen?' Het is de leraar die het vraagt. Hij is op dezelfde manier geïnteresseerd als de leerlingen. Dat vind ik mooi. Misschien komt zijn interesse voort uit het feit dat hij dagelijks met deze jonge mensen werkt, maar eigenlijk hoop ik dat hij beseft dat verslaving, en alles wat erbij hoort, een probleem van alle generaties en alle leeftijden is. De populariteit van de verschillende middelen mag dan misschien met de tijd veranderen, net als de muziekstijlen die ermee verbonden zijn, maar de risico's blijven precies hetzelfde.

'Tja, dat is nog een lang verhaal. Na mijn laatste terugval heeft het nog vijf jaar geduurd voor ik definitief ben afgekickt. Pas in 1997 was ik zover dat het echt niet langer ging. En nog moest ik een schop onder m'n kont hebben. En wat voor een.'

19

Ik maak een verschrikkelijke inschattingsfout. Eentje waarvan ik de geestelijke gevolgen tot op de dag van vandaag met me meedraag, maar die tegelijkertijd, dat weet ik nu tenminste, nu ik erop terugkijk, het begin markeert van mijn lange weg terug naar een drugsvrij bestaan.

De fout is simpel; ik stap bij de verkeerde man in de auto. Dat heb ik wel vaker gedaan en dit zal nog niet de laatste keer blijken te zijn. Wat deze keer zo verschrikkelijk maakt, is dat ik deze man, een Egyptenaar, ken, Z kent hem ook want het zijn allebei dealers, maar nooit heb ingezien waar hij toe in staat is. Onder het mom van even samen roken, waar ik altijd voor in ben, neemt hij me mee naar zijn huis. Daar blijkt hij een van de meest verknipte, gewelddadige personen te zijn waarmee ik in mijn hele 'carrière' van doen heb gehad. Hij probeert me vast te binden, om met me te kunnen doen wat hij wil. Ik verzet me hevig, vecht als een leeuw, maar ik verlies het. Uiteindelijk lukt het hem toch om me vast te binden. Het enige wat ik met mijn verzet bereikt heb is dat hij getergd is en kwaad. Wat dan volgt zijn twee dagen van onophoudelijke perversiteiten en martelingen, tot hij me uiteindelijk laat gaan.

Ik ben letterlijk en figuurlijk gesloopt. Zoals ik beschreven heb ben ik eerder door een dealer vastgehouden in een huis, langer zelfs, maar dat was niet zo erg als de verschrikkingen die ik van de Egyptenaar te verduren krijg. En dan doe ik iets wat ik nog niet eerder heb gedaan. Ik ga naar de wijkagent en doe aangifte tegen deze man. De wijkagent is zo verstandig om contact op te nemen met Kees Komduur, tegen wie ik makkelijk praat, en samen komen ze naar ons huis in Lunetten om mijn aangifte op te nemen. Z kent de wijkagent ook en weet dat hij een gruwelijke hekel aan hem heeft en laat zich wijselijk niet zien. Dat is wel zo rustig, want nu durf ik vrijer te praten Als mijn verklaring op papier staat zeg ik tegen de wijkagent: 'Ik voel me zo opgelucht, nu ik dit allemaal verteld heb, het is haast of ik schoon ben.'

Het is voor het eerst in jaren dat ik dat gevoel heb en daarom is het, achteraf gezien, het begin van de kentering in mijn leven. De Egyptenaar wordt overigens op basis van mijn verklaring aangehouden.

Het begin van de weg terug is zo pril, dat ik het niet eens herken. Al heel snel nemen mijn dagelijkse beslommeringen weer bezit van me. Mijn huisje in Lunetten is al zo vaak mijn redding geweest, dat het bijna heilig voor me wordt. Maar voor hoe lang nog? Het mag me dan een keer gelukt zijn de huurschuld weg te werken, een tweede keer overleef ik niet.

'Nee, maar alles gaat goed, lieffie,' zegt Z. 'Ik ga weer verkopen, jij werkt weer, we hebben geld.'

Ik wil hem graag geloven, maar waarom zijn dan ineens gas en licht afgesloten? Ik maak er een enorme scène over, want zonder gas geen warm water, en zonder warm water geen douche. Ik denk dat ik gek word, zonder douche kan ik niet leven. Niet met mijn werk en mijn gebruik in elk geval.

Nu moet ik weer de straat op, klantjes af. Niet voor een slaapplaats, maar voor een douche. En niets is gratis in mijn vak, dus zelfs onder de douche word ik nog lastiggevallen.

Altijd blijkt er redding te zijn wanneer je die het minst verwacht.

Er wordt op de voordeur geklopt. Dat is eigenlijk niet nodig, want het raampje in de deur is stuk, dus je kunt zo je hand naar binnen steken en hem opendoen, maar dat heeft de onverwachte bezoeker kennelijk niet door, of hij wil er geen gebruik van maken. We hebben geen zin in bezoek, maar het geklop wordt gebons, net zo lang tot we er niet meer onderuit kunnen. Z sloft met tegenzin naar de deur. Ik hoor stemmen, bekende stemmen. Z komt terug en zegt: 'Voor jou. Familie.'

Dan heb ik het dus toch goed gehoord! Familie? Hier? Meteen bekruipt me een gevoel van schaamte. Ik kijk rond in ons koude, halfduistere hol. Hier kan ik onmogelijk iemand ontvangen. De dope lig er nog, tussen de rommel. Stel je voor dat...

'Ga nou maar,' zegt Z. 'Ze staan te wachten.'

Meer dan één dus, ook nog. Toch wel nieuwsgierig ga ik naar de deur en zie tot mijn stomme verbazing Gerard, de tweede man van mijn moeder, en mijn jongste broertje staan.

'Is mama er niet?' is het eerste wat ik vraag.

'Jawel,' zegt hij en hij knikt met zijn hoofd in de richting van de auto, die een eindje verderop geparkeerd staat.

'O ja.' Ik zeg dat nu wel, maar ik begrijp er niks van. Mijn broertje kijkt over mijn schouder heen de gang in en ik haast me om te zeggen: 'Kom maar niet binnen hoor.'

'We wilden eigenlijk iets vragen,' gaat Gerard verder. 'We

gaan dit weekend weer naar Friesland en het leek ons leuk als je meeging.'

De vraag overvalt me al net zo als hun bezoek. Mijn familie heeft al sinds mensenheugenis een huisje in Friesland, maar ik ben er al sinds mijn jeugd niet meer geweest. En waarom zouden zij het leuk vinden als ik meega? Meteen schud ik mijn hoofd. Het kan ook niet. Dan moet ik Z achterlaten, kan ik niet verdienen. Hij vindt het nooit goed... Aan de andere kant, een paar dagen rust is haast meer dan ik me kan wensen.

'Ik eh, nou ja, alleen als Z het goedvindt.'

'Vraag het maar.'

Ik ga het bespreken. Hij stelt allerhande eisen en denkt aan dingen die ik vergeten zou zijn. Het is ook nog niet eens zo simpel om met een verslaafde op pad te gaan. Ik moet mijn methadon mee, iets te roken, er moet voor Z iets te roken achterblijven... Alles bij elkaar is het net zo'n operatie als een weekendje weg met de baby. Maar het lukt. We spreken af dat ik nog twee dagen zal werken, om het uitstapje te bekostigen, en dat ze me op vrijdag zullen ophalen op de Baan. Zo gebeurt het. Z is er ook die avond, waarschijnlijk om te controleren dat er geen gekke dingen gebeuren en ik inderdaad bij mijn moeder en stiefvader instap, maar ook omdat ik sterk de indruk heb dat hij best nieuwsgierig is naar mijn moeder. En dus doet zich de krankzinnige situatie voor dat mijn vriend en mijn moeder elkaar voor het eerst ontmoeten op de tippelzone, waar ik werk. Niet de meest voor de hand liggende plaats en wat je ook van mijn moeder kunt zeggen, ze gaat de werkelijkheid, hoe afstotelijk ook, niet uit de weg en ze doet het toch maar. Voor haar dochter, voor mij.

Ik neem afscheid van Z, ga mee naar Friesland en het enige wat ik me daarvan herinner is dat ik drie dagen onafgebroken slaap. Maar het belangrijkste is dat de relatie tussen mij en mijn moeder zich langzaam maar zeker lijkt te herstellen.

Altijd als ik een paar dagen – of een paar weken, tijd betekent niet zoveel meer voor me – weg geweest ben, is er slecht nieuws. Dat is deze keer niet anders. Ondanks zijn mooie beloften is het Z niet gelukt het geld voor de huur apart te houden en deze keer is het geduld van de woningbouwvereniging op. We moeten eruit. Het huis wordt leeggehaald. Ik weet niet hoe ik het heb. Ineens komt alles op me af. Weer zwerven, weer geen dak boven mijn hoofd, weer nachtenlang bedelen om een slaapplaats, met alle narigheid van dien. En Z zit daar gewoon, alsof het hem niks kan schelen.

'Ja? En ik dan? Jij gaat lekker terug naar je ouders, maar ik kom op straat! Je denkt ook altijd alleen maar aan jezelf.'

'Dat is niet waar,' protesteert Z zwakjes. 'Jij bent alles voor me.'

'O ja? Zeg je dat ook tegen die meiden, waar je gezellig mee zit te gebruiken terwijl ik moet werken? Moet ik daarom met andere kerels neuken in ons eigen huis, omdat jij zoveel om me geeft? Het gaat alleen maar om de dope, Z. Alles wat wij samen hebben gaat om dope.'

Z weet voor het eerst niet wat hij zeggen moet. Hij heeft geen excuus, geen mooie woorden, hij wordt niet eens agressief. En dan zeg ik iets waarvan ik nooit had gedacht dat ik het over m'n lippen zou kunnen krijgen.

'Weet je wat, bekijk het ook maar. Ik ben jou zo zat! Ik ga wel.'

Dat doe ik ook. Ik ga de straat op, in een roes. Ik kom terecht bij Rinus, die zo 'lief' is om dope voor me te kopen. Onze vaste dealer komt nu ook bij hem aan huis. Rinus neemt af per tien tot vijftien gram wit en dezelfde hoeveelheid bruin. Grootverbruik, dat drukt de kosten. Algauw ben ik achter de plek waar hij het verstopt en het hek is van de dam. Ik ben nog nooit zo verslaafd geweest, als ik bij hem blijf rook ik me letterlijk dood. Maar hij doet alles om me bij zich te houden. Ik zou niet hoeven werken als ik niet wilde, maar ik ga toch. Ik zeg dat ik niet altijd op zijn zak wil teren, maar in feite wil ik eruit, want ik voel dat hij niet goed voor me is. En gek genoeg hoop ik dat ik Z zal treffen op de Baan. Dat gebeurt ook, maar niet voordat ik zijn broertje daar ontmoet. Ik schrik als ik zie hoe ver hij heen is. Hij brengt Z en mij weer samen en het hele spel begint opnieuw.

'Ik heb er zo'n spijt van, Es. Jij bent de enige van wie ik hou, ik wil overnieuw beginnen. We kunnen het oplossen. Echt...'

Utrecht, 1997

Het is te laat. De werkelijkheid heeft me ingehaald. Ik hoor dat de wijkagent naar me op zoek is en ik ontmoet hem in de bus. Als ik binnenkom valt me op dat de stemming bedrukt is. De radio staat zacht en de medewerkers en de paar meiden die binnen zijn staren voor zich uit. De wijkagent is een grote man die, zeker in zijn uniform, met gemak de hele bus vult. Maar deze keer nog meer dan anders. Hij kijkt me ernstig aan en ik word ongerust van zijn blik.

'Esther,' zegt hij. Er is altijd een mengeling van afkeer en medeleven in zijn stem en zijn ogen als hij met me praat, maar dit keer hoor ik nog iets anders. Iets waarvan ik nog ongeruster word.

'Ik heb getwijfeld of ik je dit zeggen moet,' begint hij aarzelend, 'maar ik vind wel dat je het moet weten.'

'Wat is er?' vraag ik, om me heen kijkend. Ik vind geen steun en zal moeten wachten totdat de politieman het me vertelt.

'Mientje is dood, Esther. Vermoord.'

Mijn mond valt open, ik moet gaan zitten. 'Maar dat kan niet. Ik heb haar, vanmiddag... nee, wanneer was het nou?'

Hij legt een grote hand op mijn schouder en komt naast me zitten.

'Het is echt waar. Ze is...' Ik kijk hem aan en ondanks de warboel van gedachten in mijn hoofd, zie ik dat hij het moeilijk heeft. 'Ze is vanmorgen gevonden. Misbruikt en vermoord op een afschuwelijke manier.'

Mijn hersenen weigeren dienst.

'Esther?'

Ik hoor wel wat hij zegt, maar het komt niet binnen.

'Maar... waar dan? Hoe... En wie...'

'Dat is het juist,' vervolgt de wijkagent, 'de dader is nog niet gepakt. Hij kan hier weer rondrijden. Dus wees in godsnaam voorzichtig.'

Mijn hersenen doen het weer, maar niet zoals ik wil. Ze gaan hun eigen weg, rond één afschrikwekkende gedachte die ik niet meer wegkrijg. Dit had ik kunnen zijn. Ik had ergens kunnen liggen, vies, weggegooid. O, het had zo makkelijk gekund. Het is gewoon niet eerlijk dat zij het is. Lieve, kleine Mientje... Ik ken haar goed, ze was mijn vriendin. En nu kan ik niet eens afscheid nemen. Maar de angst laat niet veel ruimte voor verdriet of medelijden. Ik zie het ernstige, vriendelijke gezicht van de wijkagent in een waas, veraf, dan weer dichtbij. De hele bus draait. Ik moet hier weg, eruit. Veel te plotseling spring ik op. Ik struikel over zijn benen op weg naar de deur en ik vlucht weg, de donkere nacht in.

Ik ren. Ogenschijnlijk doelloos, maar toch met een bestemming. Ik kan nooit hard genoeg rennen om mijn angst voor te blijven, maar ik moet weg van de Baan, dat in elk geval. Er is maar één plaats waar ik op dit moment veilig ben, of tenminste, zo'n beetje.

Buiten adem en lijkbleek bel ik aan bij Theo. Hoe vaak ik wel niet voor zijn deur gestaan heb, ik weet het niet meer. Theo heeft mij al in alle staten gezien maar kennelijk nog nooit in deze, want ik zie hem schrikken.

'Kind, wat is er?' brengt hij uit, als hij me snel naar binnen trekt.

'Mientje is vermoord, Theo. Ik ben zo bang. Straks komt-ie achter mij aan...'

'Kom maar, kom maar.' Hij zet me neer in de keuken. 'Je moet wat eten.'

'Nee, ik wil niet eten. Heb je niet wat te roken?'

'Eerst eten.' Het gas floept aan, boter sist in de pan, terwijl ik zit te rillen op de keukenstoel en met mijn trillende handen een sigaret probeer aan te krijgen. Even later staat een bordje met boterhammen en een dampend spiegelei voor m'n neus.

Ik eet. En dan ben ik moe, oneindig moe. Moeizaam stommel ik naar boven, naar de slaapkamer en plof op bed. Theo loopt handenwringend achter me aan.

'Doe wat je wilt, Theo,' zeg ik, 'maar ik slaap.'

Uren later liggen we samen in bed. Ik ben in een soort half

slapende toestand. Ik ben te moe om wakker te blijven, maar durf niet te gaan slapen uit angst. Gelukkig laat Theo me met rust. Dan ineens wordt er keihard op de deur gebonkt. Theo zit in één klap rechtop in bed. Ik hoor een vrouwenstem krijsen. Weer gebonk, harder deze keer, alsof de deur eruit gaat.

'Theo, vuile klerelijer, ik weet dat ze bij je is!'

Deze keer kan ik het verstaan maar ik ken de stem niet. De angst vliegt me naar de keel. Wie het ook is, ze heeft het niet op hem voorzien, maar op mij! 'Wat is dit?' vraag ik, doodsbang.

Theo gaat het bed uit.

'Nee,' zeg ik, 'doe niet. Niet opendoen.'

'Straks is de hele straat wakker,' moppert Theo.

Ik hoor hem naar beneden gaan, terwijl ik bibberend van angst verder onder de dekens kruip. Het lawaai gaat onverminderd door. De deur gaat piepend open. Theo zegt iets, maar hij krijgt de kans niet. Hij schreeuwt, dan een bons. Voetstappen op de trap. O shit, ik zit in de val. Zo snel ik kan schiet ik in mijn spijkerbroek. Waar kan ik heen? Dat had ik eerder moeten bedenken want op hetzelfde moment staat de vrouw al in de slaapkamer. Een furie, met verwarde haren, een verwarde blik en, veel erger, een heggenschaar. Daarmee komt ze op me af!

'Ik vermoord je, vuil secreet! Theo is van mij!'

Ik deins achteruit, maar waar moet ik heen, in het kleine slaapkamertje? Ze sluit me in, de scherpe punten van de heggenschaar steken gevaarlijk vooruit.

'Wat wil je van me?' gil ik. 'Ik ken je niet eens!'

'Je pikt mijn klanten niet van me af, hoor je?'

Ik ben me van geen kwaad bewust, maar aan haar ogen te zien heeft het weinig zin om daarover in discussie te gaan. Dit mens is volkomen gestoord! Theo, een klant van mij?

Voor mijn gevoel hebben we al eeuwen een band en komt hij al heel lang niet meer als klant voor in mijn adressenboekje. Ik weet zeker dat hij, als ik weer eens een tijdje opgenomen ben, een ander zoekt voor zijn eenzame momenten. Kennelijk heeft hij de verkeerde uitgezocht, de arme schat.

Ik deins verder achteruit, maar mijn bewegingsvrijheid is beperkt, terwijl zij nog steeds dichterbij komt. Inmiddels sta ik klem tegen de vensterbank. Er blijft me niks anders over. Haar aanvallen staat gelijk aan zelfmoord, blijven staan ook. Theo staat achter haar, maait wanhopig met zijn armen en roept van alles wat ik niet kan verstaan, maar hij is een oude man, machteloos tegen deze dolgedraaide heks.

Met mijn hand tast ik achter me, naar de sluiting van het raam. Ik vind hem, nu nog open, en snel! Het ijskoude metaal flitst vlak langs mijn gezicht en ik kan nog maar net wegduiken. Het raam zwaait open. Een golf koude lucht komt binnen. Ik ril, maar ik heb geen keus. Zo snel ik kan werk ik mezelf op de vensterbank. Ze probeert me te grijpen, maar ik ruk me los. Het is hoger dan ik dacht! Ik knijp mijn ogen dicht en laat me vallen.

Het duurt even voor ik weer bij mijn positieven kom. Mijn val is gebroken door de struiken, maar toch doet alles zeer. Mijn benen zijn geschaafd, mijn pols is blauw. Uit de slaapkamer, schuin boven me, komen nog steeds ruziënde stemmen. Het spijt me voor Theo maar ik kan hem niet helpen. Ik moet maken dat ik wegkom.

Ik ren aan één stuk door, tot ik bij Rinus terechtkom. Het is dan al bijna ochtend, maar hij laat me liggen als hij naar zijn werk gaat. Ik blus mijn angst met bier uit het kratje naast zijn bed en kruip diep weg onder de dekens. Als ik wakker word in een leeg huis drink ik nog meer.

Ook in dit huis is van alles met me gebeurd. Er is geen plek meer zonder herinneringen. Waar kan ik nog heen? Uiteindelijk bel ik mijn moeder, dronken, bang en te verward om een zinnig woord te kunnen zeggen.

'Het gaat niet meer, mam.' Maar wat ik wel wil, weet ik ook niet.

Bij Rinus kan ik niet eindeloos blijven, naar Theo durf ik niet terug, dus blijft me weinig anders over dan terug te gaan naar de Europalaan. Op de Baan heerst een angstige stemming. De moord op Mientje is het gesprek van de dag en zolang de moordenaar nog niet gepakt is, is iedereen extra op zijn qui-vive. Net wat voor mij, ook zonder psychopatische moordenaar ben ik al angstig genoeg.

Aan alle kanten zoek ik iets van rust en veiligheid, zonder het te vinden. Ik ben veel op Hoog Catharijne, waar ik Z weer ontmoet, en in het Inloopcentrum, waar we onze gepikte diepvriesmaaltijden in de magnetron opwarmen. Mijn moeder en stiefvader zoeken me daar wel eens op, mijn moeder lijkt echt van plan het prille contact niet meer te verbreken en Gerard speelt tafeltennis met Z, maar ik ben te ver heen om hun gebaar te waarderen.

'Mm,' vertrouwt een mede-inloper mijn moeder toe, 'als u er ben eten ze ineens netjes van twee borden.'

Het is waar, ik eet anders nauwelijks meer. Ik weeg nog 48 kilo en aan mijn aftakeling lijkt geen einde te komen. M'n lieve, lieve lichaam, verworden tot niets anders dan mijn enige bron van inkomsten. Ik wil slapen, maar ik kan niet slapen. Ik wil dood, ja, het liefst wil ik dood, tot de dood zich opdringt in de vorm van een psychopaat met een mes, dan toch weer niet. Want ondanks alles ben ik nog steeds blij met elke nieuwe dag.

Het is ook de tijd van de tunnel; die stinkende halfduistere spelonk onder de betonkolos, tegenover de halte van de sneltram. Het afvoerputje van de stad, waar alle junks, dealers, psychopaten, smeerlappen en overige gestoorden zich verzamelen. Op mijn zoektocht naar veiligheid kom ik uitgerekend daar terecht, waar, zonder enig toezicht van wie ook, alles kan gebeuren en alles gebeurt. Alles wordt gejat, niet alleen dope maar gewoon alles, en om het minste of geringste wordt gestoken, geschoten.

Ik loop een oude bekende tegen het lijf: de fotograaf. Hij is een tijdlang vaste klant geweest en ik heb hem een poos niet meer gezien. Hij wil foto's van me maken, andere dan sommige andere klanten van me verlangen, maar mooie, echte, zodat ik me later, als ik clean ben, kan herinneren hoe het was. Ik? Clean? Ik ben zo moe dat ik er niet van kan slapen, mensen die me kennen schrikken van mijn uiterlijk, maar kennelijk ziet hij nog steeds toekomst in me. Misschien is het wel omdat mijn ogen sprekend lijken op die van zijn overleden vrouw. Hoe dan ook, hij is het die het kleine sprankje hoop dat diep binnen in me ergens nog leeft wakker weet te houden. Lange tijd is hij mijn enige verbinding met iets wat ik in de verte herken als de normale wereld. Ik woon een tijdje bij hem in huis. Natuurlijk, hij blijft een klant dus vermoeiend is-ie ook, maar toch is er meer tussen ons. Ik leer zelfs zijn oude moeder kennen en af en toe gaat hij mee naar de tunnel. Hij praat met iedereen, is oprecht geïnteresseerd en komt er, als een van de weinige buitenstaanders, steeds weer ongeschonden uit.

Intussen ben ik weer min of meer terug bij Z, zij het dan dat we geen vast onderkomen hebben, maar we zien elkaar in de stad en op de Baan, en natuurlijk voorzie ik hem weer van dope. We hebben heftige ruzies, om geld, om dope, omdat we allebei jaloers zijn op alles en iedereen. Hij slaat me, want de coke maakt ontzettend agressief. Maar ondanks alles is de gedachte dat hij ziek achterblijft voor mij onverdraaglijk. Dus zorg ik weer voor hem. Mijn moeder, die me niet meer loslaat, ziet het allemaal gebeuren en probeert het leven voor mij zo aangenaam mogelijk te maken, op een originele manier soms. Ze komt op de Baan met kaartjes voor het ballet, waar ik als kind al gek op ben, en nog steeds.

'Wil je mee?'

Jeetje, weer zo'n beslissing. Natuurlijk wil ik mee, maar hoe moet dat dan? Wat moet ik met Z? Hij is nog steeds een baasje, stelt eisen. Ik mag mee, als ik eerst nog even twee klantjes pak. En dus wachten mijn moeder en stiefvader geduldig, terwijl hun dochter nog even twee klanten afwerkt. Op dat moment doet het me weinig, het is mijn leven, zo zit het nu eenmaal in elkaar en zij kiest er immers zelf voor om te komen. Maar nu, nuchter terugkijkend, lijkt het meer dan een moeder aankan.

En wat ben ik blij dat ze het gedaan heeft. Want dankzij haar is *Romeo en Julia* in de Stopera – ik zag er niet uit natuurlijk, maar toch namen ze me mee – een van mijn dierbaarste herinneringen uit die tijd.

20

Ik ben een schim in een schimmenwereld. In het duister loert gevaar, maar het daglicht kan ik niet verdragen. De dood ligt letterlijk op de loer, maar ik zie geen uitweg. Dat gevoel, die voortdurende, aan krankzinnigheid grenzende angst, zal ik nooit meer vergeten. Maar wat nu precies wanneer gebeurde en wie erbij waren? Geen idee. Ik praat, nu ik bezig ben mijn verhaal te vertellen, veel met mensen die er in die tijd bij waren. Mijn ouders, de wijkagent die me steeds maar weer oppakt en probeert me op andere gedachten te brengen. Aan de hand van hun herinneringen en al dan niet ambtshalve gemaakte aantekeningen, lukt het me om de grote lijnen te reconstrueren. Wat daaruit steeds weer naar voren komt, is dat ik in deze fase het meest naar mijn moeder toe trek. Zij is het dan ook die, als ik haar weer eens in paniek opbel, de beslissing neemt om in de auto te stappen en me te komen halen. Daarmee zet ze in feite de eerste stap op weg naar mijn herstel. Dat besef ik op dat moment natuurlijk niet, laat staan hoe zwaar en lang die weg zal worden.

Ik ben alleen in het huis van Rinus, als ik de auto voor de deur zie stoppen. In het kratje naast zijn bed staan alleen nog lege flesjes en ik ben te moe en te dronken om opgelucht te zijn als ik mijn moeder en stiefvader zie. Amper in staat om overeind te blijven doe ik de deur voor ze open. Wat ik wil, vragen ze. Weg, dat is het enige wat ik weet. Weg uit het geweld, de angst, de ellende. Mens worden, als dat nog kan. Aan afkicken denk ik nog niet eens, als alleen de onrust maar kan stoppen, want daar ga ik aan kapot.

Ze nemen me mee naar huis, zonder dat Z het weet, en voor het eerst sta ik zelfs daar niet bij stil. Ik vind het goed. Ik vind alles goed, als ik maar kan slapen. Ze regelt voor me dat ik in het methadonprogramma van de Jellinek in Hilversum kom en via de dokter krijg ik antabus, een ontwenningsmiddel voor alcoholverslaafden. Dat werkt. Heel voorzichtig begin ik de wereld weer in de juiste proporties te zien. Ik ben er weer, ik ben weer mens. En dat wilde ik.

Toch?

Ja, natuurlijk, maar is dit de manier waarop ik het wil? Mijn moeder is een schat, maar hier, in haar huis, gelden haar regels, haar wetten. En als ik denk dat ik de enige ben met een verhaal, dan kom ik bedrogen uit. Zodra ik mijn ogen weer open kan houden, moet ik luisteren naar hoe het vroeger was. Hoe het nu echt zat tussen haar en mijn vader. Moeder, lieve moeder, daar ben ik nog niet aan toe. Hoe blij ik ook ben dat ik weg ben van de straat en met alles wat ze voor me doet, mijn dankbaarheid is niet genoeg om te voorkomen dat ik al vrij snel dezelfde spanning en beklemming voel die me jaren geleden als puber de deur uitjoeg. Net als toen, moet ook nu alles op haar manier. Ook herstellen, ook afkicken. Ze praten over me, zo dat ik het horen kan, maar net alsof ik er niet ben. Nemen beslissingen voor me, natuurlijk, iemand moet het doen, maar moet het helemaal zonder mij erin te kennen? Ik krijg klusjes in huis, ik moet de tuin bijhouden, maar wel precies zoals zij het wil.

Ze neemt beslissingen voor me, over me, zodat ik het kleine beetje regie dat ik net weer probeer terug te winnen, even hard kwijtraak. Nog erger is, dat ik mijn gevoel met niemand kan delen. Er wordt zo over me geoordeeld, dat ik alleen nog maar agressief en onredelijk kan reageren. Onterecht, naar haar toe, maar de interactie waar ik zo naar verlang is niet mogelijk.

Natuurlijk is ze ook een enorme steun voor me. Zij doet de dingen die ik niet kan en dat zijn er veel. Samen met mijn moeder lever ik bijvoorbeeld een gevecht met de bureaucratie om weer een paspoort te bemachtigen. Dat heb ik al jaren niet meer, ik sta nergens ingeschreven. Als het lukt ben ik blij, want nu kan ik een uitkering aanvragen en heb ik weer iets van mezelf. Maar zodra ik dat voor elkaar heb, verlangt ze wel dat ik huur betaal. Het zijn allemaal kleine dingen en het is allemaal goed bedoeld, maar het is te veel en te vroeg. Ik ben nog te veel patiënt en, laat ik eerlijk zijn, ik hang nog te veel aan mijn oude leven. Dat verander je niet in een paar weken.

'Ja kind, je bent natuurlijk gewoon een verslaafde.'

Zo'n opmerking komt aan, maar het is wel de kern van het probleem. Ik ben het en ik weet het, maar dit is niet de plek om van mijn verslaving af te komen.

Al snel besef ik dat ik hier weg moet, maar dat zal niet zomaar gaan, want vrijheid heb ik niet. Mijn moeder gaat al met me mee naar de Jellinek, omdat ik daar anders de verkeerde mensen tegenkom en misschien met iets anders thuiskom dan alleen een mond vol methadon, tot ze besluit dat de begeleiding die ik daar krijg niet is wat zij voor ogen had. Misschien heeft ze gelijk en is de begeleiding daar ook niet wat ik op dat moment nodig heb. Ik begrijp haar nu wel, al dat shoppen tussen hulpverleners had ook waarschijnlijk tot niks geleid. Waar het om gaat is dat ze weer, net als vroeger, alle beslissingen voor mij neemt zonder mij erin te betrekken en dat ondermijnt mijn laatste restje zelfvertrouwen. Ik sta machteloos, ben niet assertief en doortastend genoeg om mijn eigen zin door te drijven, dus is het exit Jellinek en het einde van mijn enige kans om buiten te komen.

Zo gaat het met alles. We staan lijnrecht tegenover elkaar, mijn moeder en ik. We maken ruzie, dagelijks en steeds heftiger, ruzies die steevast op een scheldpartij uitlopen en die ik altijd verlies. Ze bedoelt het goed, maar wat moet ik doen, om haar mijn kant van het verhaal te vertellen? Ik weet het niet meer. Ik verlang terug naar vroeger, ik zoek naar middelen. Ik drink stiekem, ondanks de antabus, en neem de misselijkheid die daar onherroepelijk op volgt voor lief. Het kan me niet meer schelen.

Tweeënhalve maand ben ik hier nu en ik word gek. Ik moet hier weg voor ik uit het raam spring of iets anders drastisch doe waar ik spijt van krijg. Ze voelen het, mijn moeder en stiefvader, dat moet wel, want mijn bewegingsvrijheid wordt steeds kleiner. Het is te gek voor woorden, maar ik moet ontsnappen aan mijn ouders. Terwijl ik alsmaar onrustiger word en de muren op me af komen, kan ik niets anders doen dan afwachten tot zich een kans voordoet. En die komt. Natuurlijk komt-ie, ik heb een leven lang ervaring met het zoeken naar ontsnappingsmogelijkheden.

Ik kan niet zonder methadon en nu ik die niet meer van de Jellinek krijg, moet ik ervoor naar de dokter. Dat is mijn kans. Natuurlijk gaan ze allebei mee, maar dat zal niet helpen. Mijn besluit staat vast. Ik weet ook al waar en hoe. Het is een meter of dertig lopen, van de plaats waar de auto geparkeerd staat naar de ingang van de praktijk. Voor de zoveelste keer is het hoog opgelopen tussen mijn moeder en mij. Ik loop met een stuurs gezicht tussen mijn moeder en stiefvader naar de deur. Maar intussen zijn al mijn zenuwen gespannen als een snaar. Een paar stappen nog, dan zijn we er. Mijn moeder strekt haar hand uit om de deur open te doen. Dan zet ik het op een lopen, op het moment dat ze er het minst op bedacht zijn. Mijn stiefvader grijpt me nog vast, hij is sneller dan ik verwacht had. Met alle macht houdt hij zich vast aan mijn winterjas. Het is koud maar ik moet doorzetten. Ik had er rekening mee gehouden en mijn jas niet dichtgeknoopt. Bliksemsnel wurm ik me eruit en ren. Terwijl mijn stiefvader verbouwereerd met de lege, nutteloze jas achterblijft, maak ik dat ik wegkom. Een hoek om, nog een hoek. Buiten adem blijf ik rennen tot ik zeker weet dat ze niet achter me aan komen. Eindelijk durf ik wat rustiger aan te doen. Ze zijn weg, ik ben weg.

Mijn eerste doel is De Vluchtheuvel, het opvanghuis waar ook Chris heeft gezeten en waar ik Carlin heb ontmoet. Daar ken ik het, daar voel ik me veilig en ik weet dat ze me daar ook niet zomaar vandaan kunnen halen. Ik word opgenomen in de crisisopvang, gelukkig. Maar het feit dat ik niet meer gebruik, althans, vergeleken bij wat ik vroeger gebruikte is het te verwaarlozen, betekent niet dat ik clean ben, of afgekickt. Verre van dat. Ik zweef tussen twee werelden, de nieuwe en de oude, en ik heb geen benul van wat ik aanmoet met mijn nieuw verworven vrijheid, hoe beperkt ook. Binnen de kortst mogelijke tijd heb ik weer contact met Z. Hij komt zelfs op bezoek. Z op bezoek, dat betekent verdovende middelen.

Maar gebruiken is niet zonder risico, want ik zit wel in een afkickprogramma. Officieel heb ik alleen methadon en er wordt streng gecontroleerd. Liters citroensap werk ik naar binnen, omdat de dope dan niet ontdekt wordt. Tenminste, dat is me verteld, maar ik had me de moeite en de maagpijn kunnen besparen. Ik val toch door de mand en moet De Vluchtheuvel uit. Het volgende station is Utrecht Centraal. Ik weet het ook niet, het gaat vanzelf. Ik ben zo gek als een deur als ik bij Rinus aanklop, die me liefdevol opneemt.

Mijn oude leven begint weer, ik ga weer gebruiken, ik ga weer werken. Maar niet voor lang. Gelukkig maar. Mijn moeder is ook niet gek, ze weet waar ze moet zoeken. Al na drie dagen heeft ze me gevonden. Ze belt met Rinus en zet hem voor het blok.

'Luister, jij brengt haar binnen twee uur thuis. Anders trek ik mij terug en neem jij alle verantwoordelijkheid voor haar van mij over!'

'Maar ze moet steeds overgeven,' hoor ik Rinus zwak protesteren.

'Dan zet je maar een emmer naast haar in de auto. Binnen twee uur, denk erom.'

Dat is te veel voor de beste man. Of ik wil of niet, hij zet me in de auto en brengt me terug naar huis. Dat van die emmer is niet doorgegaan, dus hang ik de hele rit met mijn hoofd uit het raampje. Kots- en kotsmisselijk ben ik.

Mijn moeder staat in de deuropening als ik aankom. Ik heb me nog geen moment beziggehouden met de vraag wat ik tegen haar zal zeggen. Het hoeft ook niet. Zodra ik haar zie komt alles vanzelf. Huilend val ik in haar armen.

'Mam, ik wil er ook wel uit. Dit is het niet, dat zie ik nu wel in. Z en ik houden niet meer van elkaar, maar ik kan het niet zoals jij wil. Echt niet. Ik moet het zelf doen!'

Het zijn geen zinnen, het is een stroom emoties, die naar buiten geperst wordt door een waterval van tranen. Alles komt eruit, in één woordenvloed. Mijn moeder laat me praten en pas als ik helemaal leeg ben, letterlijk opgedroogd, vraagt ze: 'Maar wat wil je dan?'

Ik weet wat ik niet wil, niet wat ik wel wil. Wat ik niet wil, is weer mijn hele verhaal moeten vertellen in een groep mannen. Dat lukt me toch niet, dan sla ik dicht, die ervaring heb ik al.

'De Jellinek in Amsterdam heeft een vrouwenkliniek,' probeer ik voorzichtig. Dat weet ik, omdat ik het er wel eens over gehad heb bij de Jellinek in Hilversum. Het idee is altijd blijven hangen, maar ik ben er haast van overtuigd dat mijn moeder wel weer duizend bezwaren zal hebben. Tot mijn verbazing heeft ze die niet.

'Dat is misschien wel een goed idee,' zegt ze. Als ik al blij ben, dan ben ik te ver heen om het te laten zien. Wat er gebeurt, gebeurt. Voorlopig ben ik alleen maar misselijk.

We maken een afspraak voor de intake, al de volgende dag. Maar het duurt nog twee maanden voor ik kan worden geplaatst. Die maanden zijn een hel. Ik sta op methadon, die ik van mijn moeder krijg, en probeer te overleven tot ik weg kan naar Amsterdam.

Mijn dagen vul ik met...? Wist ik het maar. We gaan veel naar Friesland, dat weet ik nog. Het maakt me overigens niet veel uit waar ik ben. Ik beweeg, maar ik leef niet. Die hele periode is een wazige vlek, waarin mijn moeder altijd over me moedert en me met de beste bedoelingen en heel veel dagjes uit tot waanzin drijft.

Daardoor ben ik, als ik op 24 maart 1998 eindelijk word opgenomen in de vrouwenkliniek van de Jellinek, nog gekker dan toen ik net was gestopt met gebruiken.

Het gaat eigenlijk wel goed met me, in de vrouwenkliniek. Ik vind er aansluiting, het is zo'n opluchting om alleen onder vrouwen te zijn, maar ik ben veel gestoorder dan ik zelf besef. Uiteindelijk kunnen ze ook daar niks met me. Hoe langer ik er zit, hoe meer ik begin terug te verlangen naar Utrecht, naar Z, ja eigenlijk naar mijn oude leven. Het is een kwestie van tijd, een maand om precies te zijn, voor ik de kuierlatten neem. Op 22 april pak ik mijn spullen en ga zonder een woord te zeggen naar Utrecht.

21

Utrecht, 1998

Geen woord van Z over mijn maandenlange afwezigheid. Voor hem is het business as usual, alsof ik niet weg geweest ben. Zou hij me dan helemaal niet gemist hebben? Wat doet hij al die tijd, als ik er niet ben? En met wie? Ik krijg geen antwoord op mijn vragen. Dat gaat me niet aan, zegt hij, als ik er niet ben doet hij wat hij wil. Ja, dat is natuurlijk zijn goed recht, maar voor iemand die de hele tijd aan hem gedacht heeft, is het wel een koude douche. Waarom verlang ik toch zo naar hem, als dat verlangen zo duidelijk van één kant komt? We slapen samen en de volgende dag eindigt in slaande ruzie.

Het is dan 23 april, een donderdag en het begin van een reeks fouten die er uiteindelijk toe zullen leiden dat ik meer dood dan levend in het ziekenhuis beland.

Ik vertrek naar Theo, besluit dat ik daar ook niet wil blijven en beproef mijn geluk op de Baan. Ik pak een paar klantjes, gebruik en zoek contact met Frans, de fotograaf. Hij vraagt wat ik wil. Ik ben rusteloos, ik wil niks. Ja, ik wil gebruiken, maar Utrecht en vooral het weerzien met Z heeft me zo teleurgesteld, dat ik liever terugga naar Amsterdam. Desnoods ga ik daar werken, achter het Centraal Station. Dat kan de hele dag en ik ben daar nieuw, dus...

Dat is fout nummer één.

Frans is ertegen, maar ik luister niet. Er is geen land met me te bezeilen. Met tegenzin brengt hij me. Wat ik daar dan ga doen, vraagt hij. Weet ik veel, ik wil niet veel gebruiken, ik zit tenslotte in een programma, maar dat is ook wel alles wat ik kan bedenken. Misschien dat ik met valium rustig word. Frans koopt een potje voor me.

Ik kijk hem aan en zeg: 'Frans, één potje? Daar heb ik echt niet genoeg aan hoor.'

Ik sla het achterover, werk alles weg en we kopen er nog een. Ik krijg gigantische maagpijn, het is vreselijk, vooral omdat de valium voor geen meter helpt. In Amsterdam koop ik bij de eerste de beste winkel een flesje jenever en sla dat achterover. Dat helpt.

Samen gaan we op zoek naar een dealer. Die zijn niet moeilijk te vinden op de Prins Hendrikkade. De dope is onverwacht sterk. Veel sterker dan ik gewend ben. Al na twee trekjes ben ik volkomen van de wereld, weet ik niet meer hoe ik mijn eigen naam moet schrijven. De valium kots ik eruit, dat scheelt in de maagpijn, maar stoned en dronken ben ik des te meer. Ik verlies de redelijkheid uit het oog en maak ruzie met Frans, die probeert me weer mee te krijgen, om me vanavond voor zichzelf te hebben. Terwijl hij weet hoe ik eraan toe ben! Onze ruzie loopt helemaal uit de hand en ik schop tegen zijn auto.

Dat is fout nummer twee.

Frans gaat ervandoor. Daar sta ik, achter het station. Alleen, stoned, dronken en met het geld dat ik nog over heb van de laatste klantjes uit Utrecht in mijn zak. Plotseling word ik bang. Ik ken Amsterdam niet goed, de dope is er gevaarlijk sterk en ik wil hier helemaal niet werken. Ik wil hier niet eens blijven. Ik ben doodmoe, het liefst wil ik slapen, maar ik zou niet weten waar. Ik durf niet terug naar de Jellinek, want daar ben ik immers weggelopen. Waar moet ik heen? Auto's rijden langs, mannen kijken, stoppen, rijden weer door als ik hun geen aandacht geef. Ik wil hier weg. Wispelturig als ik ben, word ik ineens overvallen door heimwee naar Utrecht. Nog liever ga ik terug naar Z, die is altijd nog veiliger dan dit hier.

Ik zie een auto staan, met een man achter het stuur. Hij staat er al een hele tijd. Het kan een man zijn die op zoek is naar een meisje, maar net zo goed een snorder. Ik loop eropaf.

Fout nummer drie.

De man draait zijn raampje open, hij heeft een buitenlands uiterlijk. Turks, naar snel zal blijken.

'Ben jij een snorder?' vraag ik.

Hij knikt.

'Kun jij me naar Utrecht brengen?'

'Heb je geld?'

Nu is het mijn beurt om te knikken.

'Ik kan je 35 gulden geven,' zeg ik. Ik laat hem het geld zien.

'Oké, stap maar in.'

Opgelucht loop ik om en laat me naast hem in de auto vallen.

'Moe?' vraagt hij.

'Ja man, ik ben kapot.'

'Luister,' zegt hij, 'voor ik je naar Utrecht breng, moet ik eerst nog even langs mijn huis, in Osdorp, maar dat duurt niet lang.'

Ik haal mijn schouders op. Ik heb geen haast om in Utrecht te komen.

We rijden door Amsterdam, richting West. Hij is geen prater en ik ben er te moe voor, dus we wisselen maar een paar woorden, tot we in Osdorp aankomen en stoppen in een straatje waarvan ik de naam niet meer weet. Misschien maar beter ook, want als ik het wel zou weten, zou ik waarschijnlijk weer niet weten wat ik daarmee zou doen.

'Kom maar even mee naar boven,' zegt hij. 'Het is zo koud in de auto.'

Eigenlijk heeft hij wel gelijk, ik heb het niet echt warm, maar dat kan ook de heroïne zijn die uitgewerkt raakt.

'Goed,' zeg ik. Ik stap uit en loop achter hem aan de trap op.

En dat is fout nummer vier.

De man geeft me een stoel. 'Wil je iets drinken?' vraagt hij.

Dat wil ik eigenlijk wel, want m'n mond is droog van al die pillen en die halve liter jenever heeft het laatste vocht uit mijn lichaam opgezogen. Hij geeft me iets, ik weet niet meer wat, en ik drink.

Fout nummer vijf.

Wat hij doet weet ik niet, maar hij blijft zo lang weg dat ik op een gegeven moment denk: kom, we moesten maar weer eens gaan. Met die onschuldige gedachte sta ik op uit mijn stoel. Althans, dat wil ik, maar hoe ik het ook probeer, ik kom niet overeind. Mijn benen hebben geen kracht, het is of ik in een diepe kuil stap die alleen maar dieper wordt. Eerst ben ik alleen maar verbaasd. Ik begrijp niet wat er met me is, ik voel me raar, ik kan niks. Maar ik heb bij hem toch niet meer gebruikt? Ik kon toch ook gewoon de trap oplopen?

Dat is het laatste wat ik denk. De Turk trekt me overeind en sleept me achter zich aan naar de aangrenzende slaapkamer en laat me op het bed vallen. Hij rukt mijn kleren van mijn lijf, want mezelf uitkleden kan ik niet meer. Al mijn spieren zijn slap. Half huilend protesteer ik nog: 'Je zou me toch brengen naar Utrecht? Ik heb geld, toe nou. Wat heb je nou aan mij, man?'

Als ik probeer te praten lijkt het alsof ik als een vis naar adem hap en er geen woord uitkomt. Het is zo eng...

De rest laat zich raden. Als de Turk met me klaar is blijkt een tweede man binnengekomen te zijn. Die moet ook, en een derde. En dan is de eerste weer aan de beurt. Ik kan er niets tegen doen, maar ik maak het allemaal bewust mee, dat is het ergste. Als ik een keer protesteer springt hij op en houdt een enorm mes tegen mijn keel.

'Luister,' zegt hij, 'als ik wil kan ik je zo vermoorden. Niemand die het weet.'

Hij loopt naar de wand, waar een schuifdeur is van zeker twee meter breed. Die trekt hij open. Tot mijn stomme verbazing zie ik alleen maar medicijnflesjes. De hele wand vol. 'Dit hebben ze me allemaal voorgeschreven, de psychiaters. Zo gek ben ik! Dus bedenk goed waar je aan begint, als je tegenstribbelt.'

Dat is genoeg om mijn verzet te breken. Ik laat hen begaan. Het duurt de hele nacht. Af en toe laten ze me even met rust, dan dommel ik soms zelfs even weg. Op een gegeven moment word ik wakker van de lichaamsgeur van de Turk, die doodgemoedereerd naast me ligt te snurken. Het is weerzinwekkend.

Het wordt vrijdag de 24e. Hij laat me niet gaan. Hij laat me nooit meer gaan. Dit is waar het allemaal eindigt, ik weet het zeker. Nu heb ik het te ver laten komen. De Turk vermaakt zich met me. De andere twee komen ook weer langs.

Het wordt zaterdag de 25e. Achteraf weet ik dat mijn moeder inmiddels contact heeft gehad met de Jellinek, waar ze haar verteld hebben dat ik al sinds woensdag onvindbaar ben. Ze is woedend dat ze het nu pas weet en is in alle staten. Ze zet een zoekactie op touw. Ze belt met de politie in Amsterdam, geeft me op als vermist. Maar omdat ze niet zeker weet of ik nog in Amsterdam ben, belt ze ook met Jan, de wijkagent in Utrecht. Ze zoekt contact met Z, die geen idee heeft waar ik ben, maar wel ruzie met haar maakt en haar verwijt dat ze mij gevangen houdt. Ze rijdt rondjes op de Baan, tot Frans de fotograaf haar aandacht trekt. Hij vertelt wat er gebeurd is en zet haar weer op het spoor naar Amsterdam.

Dat doet ze allemaal voor mij, maar ik heb daar in mijn gevangenis allemaal geen weet van. Ik heb geen andere keus dan hen te laten doen wat ze willen, met steeds meer pijn en steeds meer walging.

En zo wordt het zondag 26 april. Als het aan de Turk ligt kan dit eeuwig zo doorgaan, tot hij genoeg van me krijgt en me ombrengt. Dat kan toch niet? Het kan toch zo niet aflopen? Waar ik het vandaan haal weet ik niet, maar ik begin op hem in te praten.

'Luister nou,' zeg ik, 'ik zit in een programma, een afkickprogramma. Ze gaan me zoeken. Mijn moeder gaat me zeker zoeken, ik ben jarig, man... Misschien heeft iemand je nummer wel opgeschreven, bij het station. Ja, kan toch?'

Hij kijkt me aan. Ik moet nu doorzetten.

'Weet je wat, als jij me nou laat gaan, dan vergeet ik alles. Ik zeg niks, als jij ook niks zegt.'

De Turk antwoordt niet. Zenuwslopende seconden tikken weg. Wat zal hij doen? Er zijn meer meisjes verdwenen en nooit gevonden. En dat mes kan ik me nog goed herinneren. Maar ja, ik moet iets zeggen, ik kan niet anders. Hij is gek, dat weet ik, gekker dan alle anderen die ik ooit ontmoet heb. Gekker dan de Egyptenaar, gekker dan de dealer die me opsloot...

Hij komt op me af, dreigend. Mijn adem stokt, ik wil wegkruipen maar ik weet niet waarheen. Dan lacht hij ineens, de lach van een waanzinnige. Ik sta doodsangsten uit.

'Waarom weet ik niet, maar ik mag jou, weet je. Daarom laat ik je gaan. Alleen daarom.'

Lopen kan ik niet, alleen schuifelen. Elke beweging doet afschuwelijk zeer. De Turk ziet dat en zegt: 'Ik ga je brengen.'

Ik kan niet geloven wat ik hoor. 'Doe je dat echt? Mij brengen?'

'Waar moet je heen?'

'S... S... Sarphatistraat,' stamel ik. Ik zeg maar wat. Het is de eerste straat die me te binnen schiet.

Hij gooit mijn kleren op het bed en wacht geduldig tot ik aangekleed ben. Dat duurt een tijd, want ze hebben me nog een paar keer spierverslappers gegeven en die werken nog steeds.

Als ik na een eeuwigheid zover ben loopt hij voor me uit naar de auto. We stappen in en rijden zwijgend. Het is zondagochtend, stil op straat. Halverwege de Sarphatistraat laat hij me eruit. De auto rijdt weg. Ik kijk hem niet na, ben me er niet eens van bewust dat ik het kenteken moet onthouden. Hij is er kennelijk zo van overtuigd dat ik niet naar de politie ga, dat hij niet eens moeite doet om zijn identiteit te verbergen.

Hij heeft het mis. Ik ga wel. Moeizaam lopend, strompelend meer, sleep ik me naar het dichtstbijzijnde politiebureau. De dienstdoende agent achter de balie bekijkt me van top tot teen, hoort me wartaal stamelen – mijn tong wil ook nog niet zo best als gevolg van de spierverslappers – en zegt: 'Ja. Kom nog maar eens terug als je nuchter bent, hè?'

Ik doe niet eens moeite, strompel weer naar buiten en steek de straat over naar het Onze Lieve Vrouwe Gasthuis. Aan de balie vertel ik mijn verhaal. Ik mag in de wachtkamer gaan zitten. Vanuit het ziekenhuis bel ik mijn moeder, vlak voor ik op het houten stoeltje bijna van m'n stokje ga.

Mijn eerstvolgende herinnering is het meest bizarre beeld dat je je voor kunt stellen, zeker als je net hebt meegemaakt wat mij is overkomen. Ik zie Gerard en mijn moeder, die de hal van het ziekenhuis komen binnengestormd, om zich heen kijkend waar ik zit. Mijn moeder heeft een taart in beide handen. Ja, dat is ook zo. Ik ben jarig. Vierendertig ben ik geworden, en zie me hier nu eens zitten...

Als mijn moeder even later begrijpt wat er gebeurd is neemt ze het heft in handen. Ze gaat naar de balie en ik word ineens verbazend snel geholpen. Later heeft ze me verteld dat ik voortdurend naar één vast punt zat te staren en nergens op reageerde. Waarschijnlijk heb ik ook nooit een afspraak gemaakt bij de balie. Geen wonder dat er niets met me gedaan werd.

Nu dus wel. Ik heb een lieve vrouwelijke dokter, maar ik weiger elk onderzoek. De gedachte dat iemand nog aan mijn lichaam zit is simpelweg ondraaglijk. De dokter en mijn moeder weten me ervan te overtuigen dat ik wel aangifte moet doen. Goed dan. Mijn moeder maakt een afspraak voor de volgende dag bij de Jeugd- en Zedenpolitie op het hoofdbureau. Ik ben zo ver heen dat ze niet eens probeert of ik thuis wil slapen. Ik word opgenomen in het crisiscentrum van de Riagg in Amsterdam, waar ik half verdoofd, warrig en getraumatiseerd de nacht doorbreng.

De rechercheur bij wie ik de volgende dag aangifte doe is begripvol, rustig en heel ervaren, maar de Turk heeft toch gelijk gehad. Als het van mijn verklaring afhangt, dan heeft hij inderdaad niets te vrezen. Ik weet me gewoon niets meer te herinneren waar de politie iets aan heeft.

Dezelfde dag word ik onderzocht op hiv. In al mijn jaren in de prostitutie heb ik nooit iets opgelopen en nu... Wie weet wat voor liefdevol aandenken ze hebben achtergelaten. Enfin, over drie maanden zullen we het weten. Drie zenuwslopende maanden duurt het, voor de uitslag bekend is. Mijn verkrachters hoeven zich nergens zorgen over te maken, maar ik zit drie maanden in de zenuwen.

22

Daar zit ik weer. Bij m'n moeder thuis. Eigenlijk is er niks veranderd, behalve dan dat ik door de verkrachting nog krankzinniger ben geworden dan ik al was, maar nog steeds denkt zij dat een paar dagen naar Friesland, een uitstapje hier en daar en voldoende methadon genoeg zijn om me er weer bovenop te helpen. Maar noch Gerard noch zij, weet hoe totaal verloren en ellendig ik me voel. Ik heb geen negatief zelfbeeld, ik heb helemaal geen zelfbeeld meer. De dagen gaan langs me heen, als ze ergens naartoe willen met me laat ik me gewillig in de auto zetten, maar ik heb geen idee waar we heen gaan. Laat staan waarom. Ik heb geen uitzicht, ik word lichamelijk in leven gehouden, dat is alles.

Daar ben ik dankbaar voor, zoals voor alles wat ze voor me hebben gedaan, echt, maar het werkt gewoon niet tussen ons. Ik heb meer nodig dan moederliefde alleen, zij zijn geen therapeuten. Ik ben contactgestoord, zeker na mijn uitstapje naar Amsterdam, en zij is dominant. En dan is er nog het eeuwige wachten op de uitslag van de hiv-test. Heb ik het wel, of heb ik het niet? We spreken er niet over, maar het hangt als een donkere wolk over ons heen.

Mijn lotgevallen laten ook bij mijn moeder hun sporen na. Natuurlijk, doodsangsten heeft ze om me uitgestaan, ze heeft naar mij, haar eigen dochter, moeten zoeken op plekken waar een normaal mens nooit komt en nu ze me gevonden heeft wil ze voor me zorgen. Logisch. Maar ze wil meer. Ze wil me met alle geweld helpen en ze wil voor me denken. De frustratie als van die drie alleen het eerste een beetje lukt, loopt van beide kanten zo hoog op dat we dingen zeggen die we niet menen en binnen enkele weken weer ruzie hebben.

'Hoezo weg?! Waar wil jij nu in hemelsnaam naartoe?'

Ik kijk haar aan, betraand en wel, en zeg: 'Ik wil naar Arta, mam. Ik heb therapie nodig.'

Ze begint te lachen: 'Ja ja, jij naar Arta. Lekker ver weg. Dat smoesje ken ik intussen. En dan zeker weer gaan gebruiken, als ik het niet zie!'

'Nee, mam, dat is niet waar! Ik moet therapie hebben, zonder kan ik het niet.'

Kennelijk ben ik overtuigend genoeg want na wat gesputter slikt ze ten slotte haar bezwaren in.

'Nou goed, als jij dat wilt...'

'We gaan samen, mam, ik wil wel dat je meegaat. Dan kun je het zien. Het is echt goed voor me.'

'Dan maken we wel een afspraak.'

Ik ben zo blij als een kind. Als ik het ergens kan, dan is het daar en mijn moeder loopt weliswaar niet over van enthousiasme, maar ze vindt het goed!

Een paar dagen later zie ik Hamingen, mijn geliefde Hamingen, weer terug. Ik ruik het platteland en mijn hart gaat open. Hoe vaak heb ik hier wel niet naar verlangd? En nu ben ik er weer! Deze keer ga ik het afmaken, ik weet het zeker. Want wat er in Amsterdam gebeurd is, wat ik heb láten gebeuren omdat ik zo ver van de wereld was, dat nooit meer.

Alleen, bij het intakegesprek gaat het al mis. Hoe het gebeurt weet ik nog niet, maar mijn moeder en stiefvader zien kans om het gesprek, mijn intakegesprek, volledig over te nemen. Ik zit erbij als een dood vogeltje terwijl ze over me praten. Het is altijd en overal hetzelfde liedje.

Als we eenmaal in de auto zitten krijg ik de wind van voren.

'Heb je gehoord hoe streng het daar is? Dat ga jij nooit redden, Esther Schenk.'

Dat is pas goed voor de motivatie.

'En denk erom, je moet binnenkomen zonder methadon.'

Alsof ik dat niet weet.

'Je hebt gehoord wat de psychiater gezegd heeft: jij kunt niet zonder methadon. Als jij ooit zonder methadon moet, kom je in een inrichting.'

'Ja maar mam...'

'En anders moet je in elk geval eerst afbouwen. Haal je maar niks in je hoofd, het wordt sowieso een veel latere datum dat je kunt beginnen.'

De rit naar huis is lang genoeg om me weer aan het twijfelen te brengen. Zonder methadon, mijn hemel. Hoe ga ik dat doen? Want mijn moeder zorgt voor mijn methadon en in haar bijzijn neem ik het in. Dus als zij Arta niet ziet zitten, kan ze het op die manier eindeloos rekken.

En ik weet dat ze er faliekant tegen is. Ze vertrouwt me niet en als ik afkick, moet dat op haar voorwaarden, onder haar regie. Niet op een boerderij ver van huis, zonder dat ze me in het oog kan houden. Bovendien zit de schrik van het gesprek met de psychiater er nog goed in.

Nu, terugkijkend, kan ik haar wel begrijpen. Ik heb dan al te veel vertrouwen van te veel mensen beschaamd, met verschrikkelijke gevolgen. Mij moest je inderdaad niet te veel vrijheid geven, daar had ze groot gelijk in. Maar voor mij is zij op dat moment een barrière tussen mij en mijn nieuwe leven. Mijn nieuwe leven, waar ik weer even van geproefd heb, voor ik er zelf voor koos om het oude weer op te zoeken. Maar nu wil ik normale mensen, dingen om te doen en voor mij is er maar één plek om te beginnen.

Want ik heb immers ook Hamingen weer gezien, het vee, mijn tuin... Het voorjaar komt eraan, ik voel dat het moment gekomen is om de stap te maken. O, het wordt moeilijk, dat besef ik. Als je afkickt, komt alles extra hard binnen. Alle emoties, alle spanningen beuken op je kale ziel als nooit tevoren. Er is nog veel meer bij gekomen, waar ik niet over wil praten en zeker niet in een groep mannen, dus als ik eraan begin kan ik alle steun gebruiken die ik krijgen kan. Ook die van mijn moeder, juist die van mijn moeder. Maar als het moet, doe ik het zonder.

Negen juni. De uitslag van de hiv-test is binnen. Ik heb het niet. Dat wordt gevierd. Eerlijk is eerlijk, als er wat te vieren is doet mijn moeder er ook alles aan om er een feest van te maken. Maar mijn opluchting is van korte duur. Met de test achter de rug lijkt het of er weer een barrière weggenomen is. Stiekem bel ik naar Hamingen. 'Wanneer kon ik ook alweer opgenomen worden?'

Eenentwintig juni. Pff, dan pas. Aan één kant is dat wel prettig, want het geeft me de kans om echt mijn methadon af te bouwen, maar tegelijk zie ik als een berg op tegen de schier eindeloze periode die ik nog in het huis van mijn moeder zal moeten doorbrengen, met steeds minder methadon. Maar als ik het echt wil, zal ik ook dit moeten doorzetten en de situatie thuis heeft in elk geval één voordeel. Elke dag groeit mijn motivatie. Op eenentwintig juni ga ik naar Hamingen. Wat er ook gebeurt.

Maar mijn vrees wordt waarheid. Het lukt me niet om snel genoeg af te bouwen. Als ik nog maar een paar dagen verwijderd ben van de deadline, sta ik nog steeds op methadon. En met methadon kom ik er in Hamingen niet in. Zo simpel is het.

'Zie je wel, ik heb het toch gezegd, jij gaat het nooit redden.'

Nee, zo niet nee. Het wordt tijd voor een plan, want ik ben vastbesloten. Ik ga naar Hamingen, dat staat vast. De vraag is alleen hoe. Ik mag bijna niet alleen de deur uit en ik kan nog niet eens een kaartje naar Meppel kopen, aangezien ze me na mijn laatste uitstapje het beheer over mijn eigen geld ook niet meer toevertrouwen. Dat is niet helemaal onlogisch, gezien de omstandigheden, maar lastig is het wel.

Gelukkig heb ik één vriendin waar ik af en toe heen mag. Als zij me helpt, moet het lukken. Ik neem haar in vertrouwen en overtuig haar ervan dat ik gewoonweg moet gaan, wil ik overleven. Ze vindt het net als ik een vervelend avontuur, aangezien ik mijn moeder zo moet verraden. Toch helpt ze me en we bedenken een slim plan, om mij met genoeg spullen uit huis te smokkelen.

Af en toe heb ik contact met mijn vader, eigenlijk heb ik hem net zo nodig als mijn moeder. Ik ben altijd bezig niet te kiezen omdat ik het hun allebei niet lastig wil maken. Ik voel me schuldig als ik bij hem ben geweest. Het is alsof ze dat ruikt, maar goed, nu heb ik mijn vader echt even nodig. Via mijn broer peuter ik bij hem het geld voor een treinkaartje los. Ook dat lukt.

Nog een paar dagen, dan is het zover. Als ik me niet zo ongelofelijk schuldig en rot voelde, zou het bijna spannend zijn. Maar dat is niet het gevoel dat overheerst. Hier sta ik, op het punt om een stap te zetten in mijn leven, een belangrijke stap de goede kant op, en ik kan het met niemand delen. Sterker nog, ik moet liegen tegen mijn moeder om het voor elkaar te krijgen.

Het plan werkt. Ongezien verdwijnt de weekendtas in de auto van mijn vriendin en de volgende dag moet ik zogenaamd even naar de dokter, waar zij op me wacht. Een klein uur later zit ik in de trein, op weg naar het noorden. Voor mij geen trein naar Utrecht meer, alsjeblieft niet.

De zon schijnt, maar ik geniet deze keer niet van het landschap. Ik staar wezenloos voor me uit in de coupé en probeer niet te huilen als ik aan mijn moeder denk. Ze zal er nu wel achter zijn dat ik weg ben. Het spijt me, het spijt me verschrikkelijk, mam, dat ik als een dief in de nacht weg moest sluipen om aan een nieuw hoofdstuk in mijn leven te beginnen. Maar het moet. Hoeveel je ook voor me doet, dat wat ik nodig heb om echt opnieuw te beginnen, kun jij me nu eenmaal niet geven.

Maar er is nog iets dat op mijn gemoed drukt als een loden bal. Ergens in die weekendtas, die zachtjes deinend boven me in het bagagerek ligt, zitten twee doorzichtige potjes met oranjeachtige vloeistof. Het laatste methadon dat ik heb meegekregen. Ik moet mezelf bedwingen om niet steeds naar boven te kijken, want als ik dat doe kan ik ze haast zien zitten, door de stof van de tas heen. Twee potjes, vijfentwintig milligram per stuk. Het is bijna niks, gewoon een klein steuntje in de rug voor de eerste moeilijke dagen. Eerst vijfentwintig, dan nog twee keer tien en één keer vijf. Als je met zo'n rotgevoel aan het programma gaat beginnen, en ik voel me rot, vies, een verrader, dan heb je dat gewoon nodig.

Goedpraten, dat is waar ik goed in ben. Jarenlang heb ik alles rechtgepraat waarvan ik wist dat het krom was. Maar hoe dichter ik bij mijn bestemming kom, hoe moeilijker ik het ermee krijg. Mijn hele leven is al een leugen geworden. Ik ben toch van plan om te stoppen? Moet ik nu ook een nieuw leven beginnen met een leugen? De mensen in Hamingen zijn zo goed, zo puur en zo eerlijk, moet ik dan met een dubbele agenda binnenkomen? Ik walg van mezelf.

Dat doe ik nog steeds als ik in Meppel uitstap. Besluiteloos drentel ik heen en weer over het perron, de tas sleept achter me aan. Hij is er net zo moe van als ik, lijkt het wel. Wat moet ik? Stemmen en gedachten buitelen door elkaar. 'Jij gaat het toch niet redden, Esther Schenk.' 'Als jij zonder methadon moet, kom je in een inrichting!'

Ik sta stil, kijk om me heen. De laatste passagiers hebben het perron allang verlaten. Zij weten waar ze heen moeten, en ik... Ik ook, denk ik plotseling zelfbewust. Ik weet het ook. Ik wil er gewoon van af, van die tering-, tering-, teringtroep! Ik sleep mijn tas naar het stationsgebouw, naar de toiletten. De deur klapt achter me dicht. Ik rits de tas open en vind de twee potjes methadon op de tast. De dekseltjes klikken open, ik hou de open potjes naast elkaar boven de wc-pot en keer ze tegelijk om. Het is een raar gezicht als het gif in het toilet verdwijnt en zich vermengt met het water. Als ik op de doorspoelknop druk, trek ik letterlijk mijn oude leven door. De potjes gooi ik met een zwierig gebaar in de afvalbak. Het voelt onbeschrijfelijk goed. Nu ben ik er klaar voor.

Voor het station staat nog één taxi.

'Naar Hamingen graag,' zeg ik.

De chauffeur draait zich half om op zijn stoel.

'Jij toch niet? Zeg me nou niet dat jij daarheen moet om af te kicken.'

'Wat dacht u anders? Op bezoek bij m'n vriendje?'

Hij haalt zijn schouders op.

'Het is echt waar,' zeg ik.

Hoofdschuddend start hij de motor.

'Je weet niet hoe zwaar het is,' zegt hij. 'Ik moet er zoveel weer terugbrengen naar het station...'

'Maar daar kijken we nu niet naar,' zeg ik opgewekt.

De taxi rijdt weg. Nu pas zie ik wat voor een prachtige dag het is.

23

Hamingen (Overijssel), 1998

Ik hoor vogels zingen, als ik uit de taxi stap. De boerderij ligt er prachtig bij. Maar de rust en kalmte, die altijd als vanzelf over me komen als ik hier in Hamingen aankom, blijven vreemd genoeg weg. Ik ben onzeker, bang, als de deur opengaat. Ik word verwelkomd met thee, krijg een bed toegewezen en een plek voor m'n spullen. Ik weet het nog. Dat is allemaal hetzelfde, het is allemaal bekend. Maar toch is het niet vertrouwd. Logisch, achteraf. Hier is niets veranderd, maar ik ben intussen een ander geworden.

Ik maak kennis met de groep. Het is een grote groep, met bijna geen vrouwen, en ze zijn allemaal veel verder. Ze zijn sterker dan ik, goedgebekt, ze kennen elkaar. Ze hebben een probleem met cocaïne, pillen, alcohol. Als heroïneverslaafde sta ik onder aan de hiërarchische ladder. Heroïne is al niet populair meer. Heroïnejunks zijn losers. En het ergste is, zij zijn clean. Ik niet.

'Waar ben je dan bang voor?' vraagt m'n begeleider in het eerste gesprek.

'Ik ben ontzettend bang om af te kicken,' zeg ik schoor-voetend.

'Af te kicken?'

'Ja, ik moet iets vertellen. Ik sta nog op 25 milligram me-thadon.'

'Aha.'

'Dus het ziek worden, dat krijg ik allemaal nog. En hoe moet dat dan in de groep? Kan ik wel af en toe alleen zijn?'

Dat kan, wordt me verzekerd. Meteen voel ik me een stuk-je beter en het weer doet de rest. Het is heerlijk buiten, de groep valt best mee en zolang het methadon nog werkt, voel ik me eigenlijk best lekker. Ik ga schrijven, een lange brief aan mijn moeder, waarin ik haar alles probeer uit te leggen. Het doet me goed.

Op de derde dag krijg ik de eerste signalen dat het metha-don aan het eind van z'n kracht is. Ik krijg het koud, rillin-gen, spierpijn, de voortekenen van een flinke griep. Wat la-ter komen de hoofdpijn en de misselijkheid. Dat gaat een dag of vier zo door. Ik voel me als een dweil, weet niet waar ik het zoeken moet van pijn en ellende.

Jimmy, een jongen uit de groep, leeft erg met me mee. Hij is ook niet clean binnengekomen en heeft het net achter de rug.

'Hoe gaat het nou, ik vind het zo dapper van je.'

'Ja, ik ben pas vier dagen bezig. Ik moet nog zo lang.'

'Echt, je moet even flink doorbijten. Het duurt wat langer door het methadon, maar na een week of drie voel je je wat beter.'

Een week of drie? Als hij dat tegen me zegt lijkt het wel een jaar. Ik slaap niet of nauwelijks, want alles doet me zeer. De pijn trekt van mijn schedel naar mijn tenen en slaat onderweg geen botje over. Ik zie mijn bed vanuit alle hoeken, maar welke houding ik ook kies, ik hou het nooit langer dan een paar minuten vol. Gek word ik ervan. Ik kan niet zitten, niet liggen en niet staan. Een extra kopje koffie, daar begin ik niet meer aan, maar in mijn wanhoop pluk ik valeriaan uit de tuin en eet het op. Ik had het kunnen weten. Het regime in Hamingen is nog altijd even streng; mijn paar takjes valeriaan komen me onmiddellijk op een extra groepsgesprek te staan. Ook valeriaan uit de tuin is een vorm van medicatie en dat is nu eenmaal verboden. Voor zieken en zwakken wordt geen uitzondering gemaakt. Uiteindelijk ziet ook de leiding de grap van mijn creatieve oplossing wel in en blijft het zonder gevolgen. Als ik er voortaan maar afblijf. Dat beloof ik.

Zo sukkel ik de dagen door. Met dat alleen zijn, af en toe, valt het een beetje tegen. Op bed blijven liggen is er niet bij. Ondanks mijn spierpijn moet ik mee wandelen. Ik sleep me voort, achter aan de groep, zonder oog voor de omgeving. Ik word in het strijkhok geplaatst, wat overigens een fijne plek is. Hele bergen overhemden, dekbedovertrekken en zelfs ondergoed strijk ik weg. Zo ontstaat er ten minste één dagdeel waarin ik me weer een beetje mens begin te voelen. Verder duren de dagen vaak eindeloos, en hoewel ik toch de hele dag bezig ben kan mijn lichaam door de afkickverschijnselen niet rusten, terwijl ik wel moe ben. Het middel zit zo diep in mijn cellen, dat het constant blijft protesteren.

Maar elke dag is er één. Tijdens de groepsgesprekken hou ik me op de achtergrond. Alleen als ik er echt niet onderuit kan zeg ik iets, maar liever kruip ik weg. Ik ben bang en mijn ziekte maakt het niet beter. Soms, met iemand apart, kan ik er wel weer over praten en dan merk ik dat heel langzaam mijn krachten terugkeren. Ik schrijf veel, om mijn gedachten te verzetten. Andere afleiding is er immers niet. Geen sigaretje, geen tv. Volhouden is het enige dat erop zit. En dat doe ik, dag na dag. Ik ben inmiddels twee weken verder en nog steeds ziek. Maar vastbesloten als ik ben om het deze keer wel te redden, hou ik me voor dat het de volgende dag weer een stukje beter zal gaan en de dag daarna, en daarna...

Ik benijd de jongens uit de groep, die 's avonds na een dag hard werken op het land, lekker onderuitzakken op de bank, gapend. Ik gaap ook, maar van ziekte. Zij kunnen straks tenminste slapen, ik niet. Gedurende de dag gaat het echt wel wat beter met me, ik kan weer intens genieten van het ene kopje koffie in de ochtend en ik eet er weer snel wat kilo's aan, maar de nachten blijven een hel.

Mijn geduld wordt eindeloos op de proef gesteld, ik word er wanhopig van. Soms denk ik dat ik deze keer echt te ver gegaan ben en voor straf nooit meer beter zal worden.

Maar dan, op de kop af eenentwintig dagen nadat ik ziek werd, voltrekt zich een wonder. Halverwege de nacht val ik in slaap en ik slaap twee uur aan één stuk. Twee uur! Die twee uur worden er drie, vier, tot ik weer hele nachten slaap. Dat doet wonderen voor mijn uitgeholde, uitgeputte lichaam. Nu kan ik echt beginnen met beter worden.

Dat wil zeggen, lichamelijk. Geestelijk schiet ik niet zo heel veel op. Ik besef dat mijn trauma's groter zijn en dieper zitten dan ik voor mogelijk had gehouden. Eigenlijk, diep in mijn hart, ben ik nog steeds bang voor de groep. Tegenover al die grote kerels kan ik echt niet vertellen wat mij is gebeurd, waar ik die angsten aan overgehouden heb. Ik zie als een berg op tegen de gesprekken en hou me vast aan het werk dat gedaan moet worden. Dat geeft zekerheid, dat kan ik zelf.

Het is juli, ik sta weer in de tuin. Mijn ziekte is nog steeds niet helemaal weg, maar ik kan ermee leven. Zeker hier. Hier, in mijn paradijsje, is de wereld zoals-ie hoort te zijn. Tegenover de plantjes en de insecten kan ik me wel uiten. Hier ben ik op m'n best. Natuurlijk valt het de leiding ook wel op dat ik me het liefst terugtrek in mijn eigen wereldje, maar dat is niet de bedoeling. Ik krijg verantwoordelijkheden, net als iedereen. Er zijn twee nieuwe jongens gekomen en het is mijn taak om ze wegwijs te maken in de tuin. Het zijn aardige jongens, van Poolse afkomst, maar de ene heb ik al een paar keer op een bepaalde manier naar me zien kijken. Ik voel me niet op mijn gemak in zijn aanwezigheid. Op een gegeven moment, als ik op mijn knieën tussen de slaplantjes zit, komt hij vlak naast me zitten. Hij kijkt even om zich heen of er niemand meeluistert en zegt: 'Hé, jij bent ziek hè?'

'Nou ja, het gaat wel beter met me, maar ik voel me nog niet helemaal happy. Dat is zo.'

'Jouw probleem is heroïne hè?'

'Ja, dat klopt ja.'

Hij kijkt nog een keer om zich heen.

'Ik eh, ik heb wel methadon.'

Heel even verstijf ik. Heb ik dit goed gehoord?

'Kun je wel krijgen van me...'

Ik spring op.

'Oké,' zeg ik. Mijn ogen schieten vuur. Hij schrikt ervan. Ineens ben ik niet meer zo'n lief meisje als hij dacht. 'Dan zijn er twee mogelijkheden. Ik ben geen verrader, dus jij gaat zelf naar de leiding om te vertellen wat je net tegen mij verteld hebt. Maar als jij het niet doet, doe ik het.'

Hij begrijpt het niet, of wil het niet begrijpen. 'Ik bied je alleen maar...'

'Luister. Mijn leven staat op het spel. Ik ben nu drieënen-halve week verder, ik begin me net ietsje beter te voelen, en jij komt met die teringzooi aanzetten? Hoe haal je het in je hoofd!'

Zonder een woord te zeggen staat hij op en loopt weg. Ik blijf achter met tranen in mijn ogen. Ik tril over mijn hele lijf. Kom ik er nou nooit van af? Zal dit me altijd blijven achtervolgen?

Nog geen twintig minuten later zie ik de twee Poolse jongens met hun bagage het terrein af sjokken. Ze kijken niet meer om.

Nu de ziekte me niet meer in beslag neemt, komt er ruimte voor andere dingen, voor datgene waar ik hier eigenlijk voor ben. Om aan mezelf te werken. In de gesprekken komt van alles boven, maar ik durf het niet te delen. Niet in deze groep, met al die mannen. Ik schaam me verschrikkelijk. Voor mijn prostitutieverleden, voor alles wat er met mij gebeurd is, voor m'n lichaam. Voor geen goud ga ik mee zwemmen. Op het laatst vragen ze het maar niet eens meer. Ik zit klem, in mijn lijf en in mijn verleden. Allerhande gevoelens en emoties, waar ik niet meer mee om kan gaan, komen tegelijk naar boven. Wat moet ik ermee? Wandelen, fietsen, mijn kamer schoonmaken in het weekend, dat zijn de dingen die ik leuk vind. Zolang ik me maar niet hoef bloot te geven voel ik me goed. Bij Jimmy, die me tijdens mijn afkick al waarschuw-de voor de impact van methadon, voel ik me wel veilig. Met hem kan ik praten, zo'n beetje. Hij is iets eerder gekomen dan ik, ook ziek, en gaat iets eerder weg, naar De Witte Hull, waar ik ook heb gezeten. De klap is enorm als we op een ochtend te horen krijgen dat hij zelfmoord gepleegd heeft. Ik realiseer me dat ook hij klem zat, nog erger dan ik.

Toch komt ook voor mij, na zeven weken, het moment om Hamingen te verlaten. Net als de eerste keer heb ik daar moeite mee. Ik hou van Hamingen en ik hou van de veiligheid, maar ik moet door.

Eens per week is er teamvergadering, waarin telkens twee mensen besproken worden die eraan toe lijken om verder te gaan. Sneller dan me lief is ben ik een van die twee. Natuurlijk, daar heb ik me op voorbereid en op zich ben ik ook wel gemotiveerd, maar de gedachte dat ik in De Witte Hull weer binnenstebuiten gekeerd word, vliegt me naar de keel. Als ik hier al niet kan praten, hoe moet het dan daar?

Gelukkig durf ik dat wel te zeggen en de leiding belooft het mee te zullen nemen in de vergadering.

De dag van de teamvergadering voelt aan als wachten op de uitslag van een examen. Ik voel me dan wel beter, maar zien zij dat ook? En wordt het niet toch De Witte Hull?

'Esther, we willen even met je praten.'

We zitten in het vergaderzaaltje op de eerste verdieping, onder de hanenbalken. Er is geen plekje meer in de boerderij dat ik niet ken.

'Hoe voel je je?'

'Nou, ja, het gaat wel beter met me. Nog niet optimaal, maar...'

'Nee, dat hebben we gezien. Maar we hebben ook gezien dat je ontzettend vooruitgegaan bent. Je bent niet meer ziek, je durft meer voor jezelf op te komen en daarom denken we dat je wel toe bent aan een volgende stap. Als je het ermee eens bent, willen we je doorsturen naar Aanzet in Austerlitz.'

Ik veer op. Daar hebben we het over gehad. Aanzet is ook van Arta en ze hebben me verteld dat de aanpak daar anders is. Opener, minder gericht op de trauma's, maar meer op terugkeer in de maatschappij. Aanzet spreekt me wel aan. Ik ben dolgelukkig. Dit is waar ik op gehoopt had. Die avond vieren we feest, dat is gebruikelijk als iemand verderop gaat, maar het gevoel is zo dubbel. Ik wil verder, maar ik wil Hamingen niet kwijt. Na een slapeloze nacht wordt het zondag en iedereen zwaait me uit als het busje me naar Austerlitz brengt. Ik probeer niet achterom te kijken, want ik wil niet dat ze me zien huilen.

In grote lijnen werkt Aanzet op dezelfde manier als de andere therapeutische leefgemeenschappen van Arta. Je krijgt een kamer, je krijgt elke week een taak en je krijgt begeleiding om te werken aan je doelen. Maar één ding is anders. Van het begin af aan word je als een zelfstandig wezen beschouwd, met een eigen verantwoordelijkheid. Niet alleen voor jezelf zorgen, maar ook voor anderen. Zorgen dat de tent draait, dat de tafel gedekt is, dat iedereen die buiten werkt op tijd op z'n stage is. Het lijken simpele klusjes, een fluitje van een cent voor iedereen die gewend is z'n leven te organiseren. Maar dat ben ik, net als de andere bewoners, nu juist niet. Alle structuur moet opnieuw worden aangebracht en aangeleerd.

Ik krijg na korte tijd de leiding over de keukenploeg. Nou, dat heb ik geweten, want als ik iets moeilijk vind, dan is het leiding geven. Ik durf het ook niet, ik durf geen stelling te nemen, mensen niet te zeggen wat ze moeten doen, en helemaal mannen niet. Resultaat: de keuken is een puinzooi, maar we lachen wat af. Ik leer weer genieten, mijn ogen gaan weer stralen. Ik zie weer de kleuren aan de bomen, voel de kracht van de zon en kan intens genieten van het feit dat ik alleen door het bos fiets. Ik hoef nergens heen, nergens te zijn, maar alleen al het feit dat ik daar fiets maakt me intens bewust van mezelf en van het feit dat ik er nog ben. Voor het eerst in jaren ben ik iets wat je zou kunnen omschrijven als gelukkig. Oké, misschien ben ik nog wat voorzichtig met dat soort uitdrukkingen, want ik heb het vaker gedacht, maar het staat als een paal boven water dat ik op de goede weg ben.

Ik ben niet de enige die dat doorheeft. Het duurt nog geen zeven weken, voor ik te horen krijg dat het tijd wordt om stage te gaan lopen buiten de deur.

'Jij móét naar buiten, Esther,' zeggen ze letterlijk. Het is even slikken, maar het klopt wel. Iets te doen hebben, mijn horizon verbreden, werkt bij mij veel beter dan dat naar binnen gekeerde, dat gewroet in mijn ziel, waar ik alleen maar bang van word.

Het is haast niet bij te houden hoe snel mijn wereld groter wordt. Er wordt een stageplek voor me gevonden in een verzorgingshuis in Driebergen. Waar anders? Esther gaat natuurlijk in de verzorging. Een baan, werk! Het is haast niet te geloven. Ik heb te zorgen dat ik mijn witte uniform op tijd aanheb, dat het ook inderdaad wit en gestreken is, en dat ik er op tijd ben. Dat lukt, want ik doe mijn werk graag, ook al heb ik niet echt moeilijke of verantwoordelijke taken. De instelling waar ik werk is een huis voor bejaarde nonnen en ik heb het er erg naar mijn zin. Het geeft me zo'n goed gevoel om te merken dat er mensen zijn die op me zitten te wachten, die blij zijn als ik kom.

's Middags, het werk duurt tot halfeen, zijn er ook hier, in Aanzet, de therapieën en groepsgesprekken. Groepsgesprekken, een gruwel...

Het is donderdag, halftwee, tijd voor het groepsgesprek, onder leiding van een psycholoog en een begeleider. Zoals altijd ben ik nerveus. 's Morgens, op mijn stageadres, ben ik er al mee bezig. Wie zou er nu weer onder vuur worden genomen? We zitten met acht mannen en drie vrouwen, aan de lange tafel waar we ook eten. Sigrid en ik zitten naast elkaar, altijd, met de begeleider naast ons. Non-verbaal spelen we lijkje, haren bedekken ons gezicht. Vooral niet opvallen.

'Heeft er vandaag iemand iets in te brengen?'

Ik hoop dat iemand z'n vinger opsteekt, want anders gaat de begeleidster iemand aanwijzen.

Gelukkig heeft Danny iets, Danny die altijd alles telt, zelfs de balken in het plafond of de stippeltjes op het zeil, omdat hij bang is de controle te verliezen.

'Oké,' zegt de begeleidster, 'begin maar.'

Danny is moeilijk te verstaan omdat hij stottert.

'Ik ben de fout in gegaan, ik heb gegokt.'

'Hoe is dat zo gekomen?' vraagt de psycholoog.

'Eigenlijk zat ik er zomaar achter, achter de kast. Ik weet niet wat er gebeurd is.'

Tegenover ons zit Ronald, een macho. Hij stuift op en zegt: 'Nou, lekker veilig zo. Als het zo doorgaat, ga ik weg.'

Ik denk alleen maar: hoe durf jij dat te zeggen, als er eentje hier voor onveiligheid zorgt ben jij het wel, hufter.

De begeleidster kijkt opzij. Ze ziet dat het lijkje wakker geworden is.

'Esther, wat vind jij hiervan?'

Ik begin te zweten, te trillen. Happend naar adem zeg ik: 'Ik vind het wel knap, dat Danny dit durft te benoemen. Hij moet het niet als fout zien, maar ervan leren.'

Ik kijk Ronald bewust niet aan en vraag: 'Waar ik wel benieuwd naar ben, Danny, is wat eraan voorafgegaan is.'

Danny aarzelt en zegt dan: 'Mijn evaluatiegesprek, op de stage, is niet zo goed gegaan. Ik voelde me afgewezen.'

Er valt een stilte. Ik zak weer terug in mijn toestand van lijk. Gelukkig, ik heb mijn bijdrage geleverd. Maar ik heb te vroeg gejuicht.

'En Esther,' vraagt de begeleidster, 'voel jij je wel eens afgewezen?'

Ik voel een stortvloed van tranen opkomen. Tegenover me zit Ronald zich te verkneukelen. Hij hoopt erop dat ik ga huilen. In plaats van me te concentreren op het gesprek, concentreer ik me op hem. Hij doet me denken aan een klant, die, nadat hij zijn lusten op me had botgevierd, dronken over me heen kotste en me de auto uitschopte. Voel ik me wel eens afgewezen? O, ik herken zo goed wat Danny bedoelt. Maar hoe moet ik het zeggen, hier, nu, in deze groep? Met Ronald tegenover me?

'Gaat het, Esther, ben je er nog?' vraagt de begeleidster.

'Ik blokkeer nu,' zeg ik. 'Ik weet het even niet.' Ik kan haast niet bewegen, voel me net ijs.

Gelukkig neemt ze genoegen met mijn antwoord en richt de aandacht zich weer op Danny. Sigrid slaat een arm om me heen.

'Laat me maar even,' zeg ik.

Gelukkig zijn er ook leuke therapieën, schilderen, muziek, toneel.

Nu ik in Aanzet zit, ligt de wereld voor me open. Ik kan gaan en staan waar ik wil. Wil ik een avond stappen, wat ik niet wil want ik durf het niet, dan kan ik gaan stappen. Zonder alcohol, uiteraard, maar toch, wat een verschil met de instellingen die ik gewend ben. En wat een verantwoordelijkheid om te dragen. Ik doe niet veel. Anderen zijn daar veel ondernemender in dan ik. Ik zit meestal 's avonds binnen. Totdat een van de weinige vrouwen uit mijn groep aan me vraagt: 'Zou je niet eens met mij mee willen naar de sportschool?'

'Sporten? Ik?' Mijn verbazing is niet gespeeld. Sport is het laatste waar ik aan zou denken. Ik heb sinds de middelbare school niet meer gesport en toen had ik er al een hekel aan.

'Maar het is echt leuk,' dringt ze aan. 'En het is goed voor je.'

Ik probeer niet op haar blik te letten, als ze dat zegt. Ik weet het, de spiegel is niet mijn grootste vriend op het ogenblik. Veertien weken gezond eten hebben hun sporen nagelaten; het uitgeteerde spook van een halfjaar geleden, dat nog maar achtenveertig kilo woog, is weer aardig op weg een dragondertje te worden. Maar dat is niet mijn grootste bezwaar. Zwart kleedt af en dat heb ik wel. Nee, ik heb een diepe afkeer van mijn lichaam, dat is veel erger. Als ik naar mezelf kijk, is het net of ik alles wat mijn lichaam heeft doorstaan, alle mishandelingen, klappen, vernederingen en misbruik, als heldere afdrukken op mijn huid zie staan. Ik ben er heilig van overtuigd dat iedereen dat kan zien. En dan zal ik daartussen gaan zitten? Tussen al die gezonde, gelukkige mensen, met strakke lijven die alleen maar in model gehouden hoeven te worden?

'Nee joh, da's niks voor mij.'

'Jawel, toe nou, ik zou het leuk vinden.'

'Met dit dikke lijf? Ze lachen me allemaal uit.'

'Hoe kom je daar nou bij? Niemand lacht je uit. Die mensen gaan daar toch ook niet voor niks heen?'

Nee, denk ik, dat is ook weer waar. En het is weer eens wat

anders. Na veel vijven en zessen laat ik me overhalen. Ik begin met aerobics, bij Better Bodies in Zeist. Ik ben er geen ster in, voel me ook niet prettig in de groep, maar ik zet door. In dit lijf kan ik niet blijven rondlopen. Met behulp van de verpleegkundige van Aanzet ga ik op dieet en ik móét bewegen. Voor mij is het een enorme opgave; ik durf me nog niet eens om te kleden waar andere vrouwen bij zijn, laat staan te douchen. Ik fiets heel wat keren met m'n bezwete lijf, verkouden en wel, terug naar Austerlitz, voor ik het aandurf, heel snel, als er niemand in de buurt is, onder de douche te springen. Maar de kilo's vliegen er wel af en dat is voor mij het enige dat telt.

En dan gebeurt er iets dat mijn leven drastisch zal veranderen. Als ik op een avond wat blijf napraten en een kopje koffie drink met een van de vrouwen uit mijn les, zie ik dat er ook tae bo gegeven wordt. De term zegt me wel wat en heeft op een bepaalde manier een magische klank. Vaag herinner ik me dat ik er wel eens iets over gehoord heb. Een nieuwe manier van work-out, met elementen van oosterse vechtkunst en boksen, ontwikkeld door een Amerikaanse karateka, Billy Blanks. Verder gaat mijn kennis niet. Mijn metgezel weet het ook niet precies en oppert: 'Nou, dan gaan we toch kijken?'

Het is niet lastig te vinden, de muziek wijst ons de weg. Het moment dat ik voor het eerst een tae bo-les zie, vergeet ik nooit meer. Ik moet blijven kijken, of ik wil of niet, en word er stil van. Zoals die mensen bezig zijn met alle spieren in hun lichaam! Dat je dit ook kunt doen met je lijf, flitst door me heen. De strakke, snelle bewegingen, het ritme, de muziek, het is overweldigend. Maar dat is allemaal nog niets vergeleken met de verpletterende energie die uit de groep

recht op me afkomt. Wow, is alles wat ik kan zeggen en denken. Tae bo heeft me in zijn greep en wordt helemaal mijn
sport. Maar voor het zover is, moet er nog een heleboel gebeuren...

24

Goed. Mijn wereld wordt dus in snel tempo groter. Ik heb mijn werk, sport, én ik krijg al snel een vriendje dat begrijpt wat ik heb meegemaakt. Het is een en al euforie, het leven lacht me toe! Ik geniet van alles en speel met mijn nieuwe vrijheid als een kind dat steeds nieuwe mogelijkheden ontdekt van een sinterklaascadeau. 'Kijk papa, dit kan-ie ook!'

Mijn dagen zijn gevuld met dingen die ik aankan, die veilig voelen. Werk, sport, de routine van Aanzet. In de weekenden ben ik bij mijn vriend, die in de nazorg woont. De sportschool is daar vlakbij, hij kent iemand die aan tae-bo doet en dat is het laatste duwtje dat ik nodig heb om eraan te beginnen.

Ik kan er geen hout van. Jarenlang heb ik mijn spieren anders gebruikt, ondanks het feit dat ik me helemaal een versuffing train is mijn conditie nog lang niet op peil en ik ben stram, stijf en absoluut niet lenig. Maar dat deert me niet. Wat ik die eerste keer gezien heb blijkt waar, tae bo is alles wat ik ervan verwacht. Het geeft me energie en ik word er blij van. Het eerste wat ik dus op zaterdagochtend doe, is trainen. Dat moet hij voor lief nemen, de rest van het weekend is voor hem.

We praten ontzettend veel, over mijn verleden en zijn verleden. Zoveel herinneringen die we delen, zoveel gevoelens

die we gemeen hebben, zoveel angsten voor de gewone wereld. Ik ben zo blij dat ik iemand gevonden heb met wie ik
daarover kan praten, en vooral, durf te praten. Want in de
groep kan ik dat niet. Nog steeds niet.

Hij voelt me aan, hij is veilig. Voor mij is hij de enige die
me begrijpt, hij is de enige man die ik iets durf te vertellen,
al is het lang niet alles. Elk vrij ogenblik brengen we samen
door. Alles is leuk en daardoor heb ik niet door dat het allemaal veel te snel gaat. Dat al die afleiding niet meer dan een
uitvlucht is, om juist aan die delen van mezelf waar ik aan
zou moeten werken, geen aandacht te besteden.

Wat ik ook veel te laat doorheb, is dat mijn vriendje een
veel te groot beslag op me legt. Emotioneel, als we samen
zijn hebben we het altijd over ons verleden waardoor ik er
nooit van los kom, maar ook op andere manieren. Hij con-
troleert me, haalt me op vrijdagavond af en verwacht dat ik
het hele weekend bij hem ben. Maar ik wil ook wel eens een
weekendje naar mijn moeder, met wie ik weer voorzichtig
contact heb. Nou, vooruit, maar ik moet bijna op m'n knieën
om dat voor elkaar te krijgen. En als hij me dan na een halve dag opbelt, ga ik braaf weer naar hem terug. Want Esther
kan nog steeds geen nee zeggen...

Langzaam maar zeker begint de relatie me te benauwen. Ik
vind hem lief, ik vind hem aardig, ik heb veel aan hem te
danken, maar ik kan op deze manier geen kant op. Helaas
heb ik de moed niet om het er met hem over te hebben. In
de groep praat ik niet, en nu ook al niet meer tegen hem. Ik
wil weg, ik wil vrijheid, ik wil... Mezelf zijn, want dat kan ik
nu weer, maar ik voel me gevangen. Diep in mij begint het
te gisten en te borrelen, als een vat vol chemicaliën dat wacht
op het moment om te ontploffen.

Was dat maar het enige, dan was alles misschien anders gelopen. Maar er is nog iets dat me vierentwintig uur per dag bezighoudt. De tijd is snel gegaan in Aanzet en kennelijk gaat het zo goed met me, dat ik rijp geacht word voor de grote wereld. Binnen twee weken zal mijn afscheid zijn. Nog veertien dagen, dan ben ik vrij, moet ik het zelf uitzoeken. Nu het zo dichtbij komt merk ik pas hoe bang ik ben. Ik ben er nog lang niet klaar voor, echt niet. Waar moet ik heen, wat moet ik doen? Ik weet het werkelijk niet.

Van de gewone wereld krijg ik hartkloppingen. Iedereen zegt dat ik het aankan, dat ik het programma heb doorlopen, maar dat is onzin! Ik voel het toch zeker zelf wel of ik er klaar voor ben of niet? Maar dat zeg ik allemaal niet, want straks zijn ze het nog met me eens ook en word ik teruggeplaatst. Van alle opties die ik heb, kies ik de meest logische niet, namelijk praten.

Dat is erg, maar nog erger is het afscheid zelf, dat als een zwaard van Damocles boven mijn hoofd hangt. Het afscheid is altijd groot feest, de ouders worden uitgenodigd, vrienden... Fantastisch, maar niet voor mij, want dat betekent dat ik weer moet kiezen tussen mijn vader en mijn moeder. Alweer! Ik hou van hen allebei, ik wil niet kiezen. Ze zijn even belangrijk voor me, waarom kan de een er niet bij zijn als de ander komt? Dat is wat ik het liefst wil, maar allebei in deze kleine ruimte is de beste instantmix voor een Derde Wereldoorlog. Met mij in het midden, nee, dank je wel.

En ook dit dilemma hou ik voor mezelf. Was ik maar naar mijn begeleidster gegaan, had ik maar...

Maar dat doe ik niet. Ik praat met niemand over wat me werkelijk bezighoudt. Stapje voor stapje, in het begin nog onbewust, zoek ik naar vluchtwegen. Vluchten voor de moeilijkheden is zo lang mijn tweede natuur geweest, die is er heus nog niet uit. En als ik vlucht, is het naar het bekende, het oude, dat nu ineens zo veilig lijkt.

Eén ding heb ik nog niet verteld. Ik mag nog niet drinken, maar mijn vriend, die in de nazorg woont, al wel. Er is dus drank in huis. En ik, die krampachtig op zoek ben naar een nooduitgang, ik ben er ook. Drank en Esther, dat is geen gelukkige combinatie. Er zijn ook pillen, seresta's. Waar die vandaan komen? Geen flauw idee, maar ik vind ze.

Het is zaterdagavond, laat. Mijn vriendje en ik maken ruzie, ik weet niet meer waarover. Ik heb te veel gedronken, ik heb de pillen naar binnen gewerkt, ik ben agressief, onredelijk, volkomen de weg kwijt.

'Ik ga weg, de groeten. Het is genoeg geweest. Ik ga. Nu.'

Ik ruk mijn jas van de kapstok. Verder neem ik niks mee. Weg hier, is het enige dat ik denk. Mijn vriend is in alle staten, hij weet niet wat hem overkomt. Paniek staat op zijn gezicht, hij probeert me tegen te houden, maar zonder resultaat. Ik ben niet meer te houden. Ik trek de deur dicht en ik ga. Het is laat, koud en er is geen mens op straat. Er gaat nog één bus vanuit Zeist. De bus naar Utrecht.

Utrecht, 1999

Als een magneet trekt mijn oude leven me aan. Dat, en die ene man, die daarin zo'n allesoverheersende rol speelt. De man die ik al die tijd nooit vergeten ben, zelfs als ik niet aan hem dacht. Z. Een adembenemende stortvloed van gevoelens jaagt, suist en bruist door me heen als ik hem weer zie, kort na middernacht, bij de flat. Ik ben alles tegelijk. Blij, bang voor wat hij zal zeggen, boos op mezelf en ik heb spijt. O, wat heb ik een spijt. Ik haat mezelf, kan mezelf wel voor m'n kop slaan. Wat doe ik hier? Gooi ik echt alles weg? Alle kansen, de weg naar het nieuwe leven die voor me open lag... Waarom geef ik iedereen die zegt dat ik het toch niet red, alweer gelijk? Nu al besef ik dat ik de verkeerde keus gemaakt heb, nog voor hij iets zegt. Maar ik kan niet meer terug. Niet nu ik iedereen teleurgesteld heb die iets voor me heeft gedaan, niet met de schaamte die ik met me meedraag. In hemelsnaam dan maar, dan stort ik me er ook maar in.

Z reageert alsof ik even boodschappen ben wezen halen. 'Ik wist dat je terug zou komen.' Meer zegt hij niet.

Ontluisterend, misschien wel ja, maar op dat moment is het precies wat ik wil horen. Hij is niet boos, niet verbaasd. Meer dan anderhalf jaar geleden heb ik hem zonder een woord te zeggen in de steek gelaten, en al die tijd heeft hij geweten dat ik terug zou komen. Z regelt een snorder en haalt nog diezelfde nacht mijn spullen op uit Zeist.

Het is misschien wel het meest dramatische moment uit mijn hele leven, zo dicht bij de eindstreep ga ik alsnog op een verschrikkelijke manier onderuit, maar zelf maak ik dat nauwelijks bewust mee. Ik ben zo dronken dat het een wonder mag heten dat ik de flat überhaupt heb kunnen vinden, en zwaar onder invloed van de pillen. Mijn lichaam is niks meer gewend en zowel de alcohol als de medicijnen vallen op me als een blok.

Z gebruikt nog en stevig ook. Hij is in anderhalf jaar erg achteruitgegaan, dat is het eerste wat me opvalt. Bij hem heb ik niks meer te zoeken, maar toch ben ik hier. Dit is zo fout, ik voel het. Want met mij is van alles gebeurd in dat jaar, ik heb een ontwikkeling doorgemaakt, maar hij is op dezelfde voet verder gegaan.

Er is maar één manier om dat verschil te overbruggen. Als hij naar Zeist is om mijn spullen te halen, koop ik bij de dichtstbijzijnde dealer een pakje, om tenminste op zijn niveau te komen. Er zijn dan iets meer dan tweeënhalf uur verstreken sinds ik in Zeist de deur dichttrok. Veertien maanden heeft het me gekost om zover te komen, en in minder dan drie uur breek ik het allemaal weer af.

De vlag kan uit. Esther is weer terug.

25

Nog nooit heeft mijn lichaam zo heftig geprotesteerd tegen heroïne. Mijn lichaam is de enige van ons tweeën die verstandig is. Het is clean, het wil clean blijven. Maar ik niet. Ik ben te ver gegaan om mezelf nuchter onder ogen te komen. Ik voel me ellendig, ik wil dit gevoel kwijt, koste wat het kost. Maar dankzij Arta heb ik geleerd om zo naar mezelf te kijken, dat het haast onmogelijk wordt om weer te gaan gebruiken. Met alles wat ik weet, besef ik dat er geen mogelijkheid is om dit gevoel te ontlopen.

Toch probeer ik het. Kotsbuien en verschrikkelijke maagkrampen trotseer ik, maar ik moet en zal gebruiken. Als het om heroïne gaat ben ik een doorzetter.

Z komt terug met mijn spullen en schrikt zich kapot als hij ziet dat ik in de tussentijd gebruikt heb.

'Dat moet je niet doen, je hebt zo lang niet gebruikt, je kan er wel dood aan gaan.'

Ja, hij heeft altijd goeie tips, mijn Z. Ik trek me er niks van aan. Misschien is het maar beter ook als ik doodga, voor iedereen. Hij neemt me mee naar het kamertje waar hij op dat moment woont. Een kamer in het huis van een oude klant van mij, nota bene. Daar gebruiken we, met z'n drieën. Ik ben zo stoned als wat, ik ben een warhoofd, een dweil. We gaan naar bed. Ik doe geen oog dicht. Nu ik naast Z lig, voel ik pas goed hoe ik me in de nesten gewerkt heb. Zo stoned als ik ben, begrijp ik heel goed dat dit nooit meer kan werken. Ik ben een ander geworden, hij niet. Ik wentel me in schuldgevoel en probeer uitvluchten te verzinnen, excuses voor mezelf. Maar tegen de tijd dat het licht wordt heb ik die nog steeds niet. Alleen het verschrikkelijke besef dat er geen excuus te bedenken is. Ik ben een loser, een totale mislukking. Dit komt nooit meer goed en hoeveel ik ook gebruik, ik zal het altijd voelen. Net nu ik zo ver was...

De ochtend breekt aan, ik haat mezelf in het licht nog meer dan in het donker. Er is nog een kans, ik kan altijd Arta bellen en vragen of ik alsjeblieft terug mag komen. Ik durf niet. Snikkend bel ik Frans, de fotograaf.

'Frans, je moet me helpen. We moeten naar Austerlitz, naar Arta, om mijn spullen op te halen. Ik ben teruggevallen.'

Aan zijn stem hoor ik dat hij ervan ondersteboven is.

'Waarom ga je dan niet terug?'

'Dat kan ik niet. Dat kan ik niet maken joh, ik ben aan het gebruiken. Ik moet de straat weer op.'

Ik huil onafgebroken en het is dat ik stoned ben, anders had ik die woorden niet eens uit mijn mond kunnen krijgen.

Frans komt. We rijden met z'n drieën naar Aanzet, Frans, Z en ik. Het is de moeilijkste tocht die ik ooit gemaakt heb. Daar, in Aanzet, liggen mijn hoop en dromen. Gisteren waren ze nog heel. Nu liggen ze aan diggelen en moet ik daar naar binnen, moet ik al die lieve mensen onder ogen komen, met wie ik maanden ben opgetrokken, met wie ik samen gevochten heb, die voor mij gevochten hebben. De mannen blijven in de auto, ik zal het zelf moeten doen. Met knikkende knieën bel ik aan. Uitgerekend een van mijn liefste vriendinnen uit de groep doet open en zodra we elkaar zien barsten we samen in huilen uit. Het liefst zou ik weer naar binnen gegaan zijn en gesmeekt hebben om terug te mogen komen, maar ik kan het niet. Als er al een weg terug is, dan zie ik hem niet. Ik haal mijn spullen in een waas van tranen, vlucht terug de auto in en kijk niet meer om. Ik heb me nog nooit zo shit gevoeld. Ik heb iedereen in de steek gelaten.

Het lieve leven begint weer van voren af aan. Binnen een dag sta ik weer op de Baan. Niemand kijkt er gek van op, op de Baan is alles normaal. Je kan voor altijd wegblijven, je kan ineens weer terugkomen, dat maakt allemaal niks uit. Zo ben ik ook Therza kwijtgeraakt. Gewoon nooit meer gezien en ik weet ook vandaag nog niet waar ze is. Zo gaat dat in de scene.

Sommige meiden zeggen dat ze het wel gedacht hadden, als ze me weer zien, de meesten zeggen niets. Ik drink me half blind, neem handenvol pillen, alles door elkaar, en gebruik me helemaal suf, met het vaste voornemen om mezelf van kant te maken. Dat lukt niet, ik word steeds weer wakker. Mijn lichaam is te gezond, dat krijg je nou van al dat sporten.

Bij Z wil ik niet blijven, ik ga naar Frans, de fotograaf. Ik mag een paar nachten bij zijn oude moeder in huis. Ze heeft medelijden met me en tegen haar durf ik toe te geven dat ik er bijna was, toen ik terugviel. Slechts een paar dagen kan ik bij haar blijven. Ik zwerf, slaap een paar nachten op Hoog Catharijne, ik slaap bij Theo, overal en nergens. Intussen probeer ik meer geld bij elkaar te tippelen dan ooit, want ik gebruik ook meer dan ooit.

Toch is er iets anders dan alle vorige keren. Ik ben te dicht bij een nieuw leven geweest, ik heb eraan geroken, was er zelfs al een beetje aan begonnen. Daarom voel ik me nu ook zo door en door verrot. Mijn vriendje uit Austerlitz zoekt me op, op de Baan. We hebben het vaak genoeg over mijn verleden gehad, hij weet feilloos waar hij me zoeken moet. Hij schrikt zich wezenloos als hij me ziet. Hij komt er immers vandaan, hij weet wat hij ziet en wat het betekent. 'Geef jezelf nou toch een kans, Esther, kom op...' Maar ik luister niet. Als een gebroken man verlaat hij de Baan. Zelfs Z zegt dat ik zo niet door kan gaan. Waarom zegt iedereen dat? Ik weet het, ik wil niks liever dan eruit. Maar wie wil me nu nog helpen? Ik voel me verscheurd, mislukt, het laatste restje liefde voor mezelf is verdwenen. Het enige wat ik kan doen is zorgen dat ik het niet meer voel, maar mijn ellende, mijn fout, is niet meer weg te gebruiken, al neem ik elk halfuur. Wat ik dan ook doe.

Zelf heb ik geen idee hoe snel ik bergafwaarts ga, maar het is angstaanjagend. Drie weken ben ik weg uit Austerlitz en ik ben er erger aan toe dan ooit. Als je clean geweest bent heb je niet veel tijd nodig om jezelf volledig te gronde te richten. Mijn ogen staan star, ik praat wartaal, beweeg me haastig en ongecontroleerd. Ik huil ontzettend veel, om alles en niks, en ik heb het koud, altijd. Overal. De fles azijn van vroeger is een gebroken fles azijn geworden. Af en toe zie ik wel hoe mensen geschrokken naar me kijken en dan gauw in een boog om me heen lopen, maar dat betrek ik nooit op mezelf.

Ik spreek Jan, de wijkagent, in de bus. Ik heb hem sinds mijn terugval nog niet gezien en ik schaam me kapot. Ik durf hem haast niet onder ogen te komen, maar ik kan letterlijk niet om hem heen. Ik barst in janken uit als ik hem vertel dat het vreselijk is misgegaan.

'Meisje, meisje, wat is er nou toch weer gebeurd met je?' vraagt hij.

Al vergeef ik mezelf de terugval nooit, ik heb de staat waarin ik me bevind al haast geaccepteerd als een feit. Pas als ik zie hoe Jan van me schrikt, schrik ik zelf ook.

'Ach Jan, ik weet het niet. Sluit me maar op in een inrichting, ik ben gewoon gek geworden.'

'Hé, niet de moed opgeven nu.'

'Ik moet gewoon hulp hebben, Jan, ik moet opgesloten worden.'

Jan belooft dat hij contact op zal nemen met Kees Komduur en morgen zal ik hem weer ontmoeten in de bus.

Die afspraak kom ik niet na. Ik heb net een klant, of ik moet net scoren of allebei en dat gaat nu eenmaal voor. Op het moment zelf heb ik daar geen moeite mee, maar het feit dat ik hem in de steek heb gelaten blijft toch knagen. Dus zorg ik er wel voor dat ik Jan de avond daarna niet misloop. In twee dagen ben ik merkbaar verslechterd, ik ben een wrak. Tot op de dag van vandaag vind ik het een wonder dat ik, met de hoeveelheden die ik toen gebruikte, geen dodelijke overdosis heb gehad. Het was echt een kwestie van dagen.

Ik zit, nee, ik hang op de bank, als de wijkagent zijn grote schaduw over me werpt. Breed en onverzettelijk blijft hij voor me staan.

'Zo. Ik ga je nu aanhouden.'

'Aanhouden?' stamel ik. 'Hoezo dan?' Voor zover ik weet is er nog nooit iemand aangehouden in de bus.

'Ja, je weet wat er gebeurd is. Je bent je afspraak niet nagekomen en...' Even weet hij het ook niet meer. 'Dan moet ik m'n handen van je aftrekken. Je krijgt nog één kans. Morgen om twaalf uur meld jij je bij Kees Komduur op het hoofdbureau aan het Paardenveld. Hij heeft een plek voor je waar je kan afkicken. Ik kan zelf niet mee, anders bracht ik je er persoonlijk heen.'

'Ja maar, Jan...'

'Niks te maren. Je hebt twee mogelijkheden, je gaat of je gaat. Als je er niet bent om twaalf uur, kan ik niks meer voor je doen en hij ook niet. Dan geven wij het op en dan vind ik je hier vandaag of morgen hartstikke dood in de bosjes. Je moet nu kiezen.'

En dan zie ik zijn ogen vochtig worden. Hij zegt niets meer, draait zich om en loopt haastig weg, een gespannen stilte achterlatend in de bus.

Die nacht werk ik niet meer. Ik ga naar het Inloopcentrum, waar ik Z ontmoet.

'Nee, ik moet gewoon gaan, Z. Kees en Jan, al die mensen... iedereen heeft zoveel voor me gedaan, ik kan ze nu niet weer in de steek laten. Ik moet die afspraak nakomen.'

'Je laat me nu dus echt in de steek.' Het is meer een constatering dan een verwijt.

'Jongen,' zeg ik, 'ik weet het niet. Ik weet niet eens meer wie ik zelf ben. Wat is dat? "In de steek laten"? Wie laat wat in de steek?'

We praten lang, Z gaat weg. Het is de laatste keer dat ik hem zie.

Slapen doe ik die nacht niet, maar toch red ik het niet om op tijd bij Kees te zijn. Vlak voor twaalf uur bel ik hem op, om hem te zeggen dat ik eraan kom. Het laatste wat ik wil, is dat hij denkt dat ik hem weer laat zitten.

Ik ben behoorlijk stoned als ik bij Kees arriveer. Hij heeft me al een hele tijd niet meer gezien, niet clean en niet na mijn terugval. Hij kijkt ook geschrokken als-ie me ziet en zegt iets in de trant van: 'Tjonge, wat gaat het snel.' Het gaat langs me heen. Ik ben al blij dat ik er ben, ongeveer op de afgesproken tijd.

Er is nog iemand in de kamer, een hulpverleenster van het methadonteam die ik al jaren ken. Zij gaat me wegbrengen, begrijp ik.

'Kom,' zegt Kees. 'We hebben weinig tijd meer.'

We lopen naar buiten, waar haar auto staat. Ik neem afscheid van Kees en stap bij haar in. Dan zijn we weg. Op weg naar een vrouwenopvang, op een geheime locatie. Ver weg van Utrecht, ver weg van alles, ver weg van Z.

26

Time Out heet het opvanghuis waar ze me heen brengt en dat is ook precies wat het is. Of liever gezegd, wat het biedt. Geen afdoende hulp, geen afkickprogramma, behalve als je dat echt graag wilt, maar een dak boven het hoofd van vrouwen die anders op straat leven. De heftigste gevallen, de junkies. De vrouwen waar ik naar mijn idee nog steeds niet tussen hoor. Maar nu, nu ik in mijn terugval tekeergegaan ben als een beest, heb gebalanceerd op het randje van de dood, is het eigenlijk de enige plek waar ze me onder kunnen brengen. Je wordt in leven gehouden, dat is alles. Wat je met dat leven doet, is je eigen zaak. Je mag naar buiten, als je dat wilt, je mag tippelen in de naburige grote stad...

Wát?

Ja, echt. Alleen als je niet thuiskomt, moet je weer opnieuw aangemeld worden. In Time Out is het voornamelijk leven en laten leven. Er geldt eigenlijk maar één regel: binnenshuis wordt niet gebruikt. Wie dat doet wordt eruit gegooid. En zelfs dat blijkt niet helemaal waar te zijn, maar dat weet ik nog niet als ik net binnenkom.

Ik weet niet wat ik hier moet. Ik besef dat ik nergens anders heen kan, maar ook dat dit niet de plek is waar ik beter ga worden. Alle meiden om me heen in Time Out gebruiken nog stevig. Ze gaan bijna allemaal tippelen en proberen mij mee te krijgen. Een nieuw gezicht betekent nieuwe kansen tenslotte, niet alleen voor mij maar ook voor hen. Het is verleidelijk, maar ik doe het niet. Waarom eigenlijk niet? Hier hoef ik niet op straat te leven, 's nachts niet met klanten mee en ik kan toch gebruiken. Ik was alweer een aardig eind op weg, die laatste drie weken. Maar ik wil niet. Iets houdt me tegen. Wat weet ik niet. Ik zou ook niet kunnen zeggen wat ik nu wel wil, maar ik besef dat ik hier niet naartoe gekomen ben om op dezelfde voet verder te gaan.

Tot mijn verbazing zie ik een bekend gezicht, een meisje dat ik voor het laatst gezien heb in Hilversum, toen we allebei een jaar of vijftien waren. Ik schrik als ik haar zie en nog meer als ik bedenk dat zij niet de enige van ons tweeën is die zo achteruitgegaan is. We praten met elkaar, maar ik merk dat we eigenlijk niet veel gemeen hebben. Onze jeugd is halverwege de middelbare school abrupt gestopt en daarna hebben we, onafhankelijk van elkaar, zo'n beetje hetzelfde leven geleid, een leven waar we allebei liever niet over praten. Dat schept ook geen band. Ze gebruikt nog, ze tippelt.

En ik?

Ik probeer de dagen door te komen. Ik hoef niet echt af te kicken, mijn terugval heeft immers niet lang geduurd, maar ik ben in die korte periode wel behoorlijk tekeergegaan en ver weg geweest. Voor de zekerheid word ik daarom toch maar ingesteld op 10 milligram methadon, een minimale dosis. Ik wil liever niet, ik heb mijn buik vol van methadon, maar de leiding weet me te overtuigen.

Het is volop zomer, het leven speelt zich buiten af, op het gras onder de grote bomen. Ik kijk naar de andere vrouwen, die geen drugsprobleem hebben en in de 'normale' opvang zitten. Ik zie ook hoe ze naar mij kijken, naar ons, de meiden van Time Out, als ze lekker in de zon zitten en met hun kinderen spelen. Er zijn veel kinderen in de opvang. Natuurlijk hebben die vrouwen problemen, anders zaten ze hier niet, maar ze hoeven niet af te rekenen met drugs.

Stel je toch voor, geen drugs, geen methadon. Ik merk dat ik steeds langer naar hen kijk, met iets van jaloezie. Dat wil ik ook, een normaal leven, clean, zonder die rotverslaving. En ik weet nog wat dat is. Ik was er immers zo dichtbij. Als ik naar hen kijk voel ik het gewoon kriebelen aan de binnenkant van mijn huid. Het is er nog, het gewone leven, het leuke leven, zo dicht aan de oppervlakte.

Langzaam voel ik hoe mijn jaloezie wordt omgezet in energie. Aan de ene kant zie ik die vrouwen in fase één, de niet-verslaafde vrouwen, die over gewone dingen praten, tijdschriften lezen, voor de kinderen zorgen. Aan de andere kant, aan mijn kant, zitten de junkies, de losers. Te lang ben ik een van hen geweest, te veel van mijn leven heb ik weggegooid. Ik wil naar de andere kant, naar de vrouwen in de zon. Heel af en toe heb ik contact met hen, in de ruimtes die we gemeenschappelijk gebruiken. Vaak probeer ik dat uit de weg te gaan, ik schaam me voor mijn verleden. Maar het doet me ook goed om bevestigd te krijgen dat er nog normale vrouwen bestaan. En beetje bij beetje vormt zich een doel in mijn hoofd. Ik ga naar fase één.

'O nee,' zegt de begeleiding stellig. 'Dat is nog nooit iemand gelukt, van Time Out naar fase één. Het is een mooi streven, maar zet dat maar uit je hoofd.'

Dat is het zetje dat ik nodig heb. Ik weet niet waar het vandaan komt, zo'n doorzetter was ik nooit; ja, als het om dope ging, anders niet. Maar nu? Nog nooit heb ik iets zo graag gewild. Dan ben ik maar de eerste die het voor elkaar krijgt, maar het zal me lukken! Fase één, zeg ik telkens tegen mezelf, fase één.

Vanaf dat moment lijkt het wel alsof alles tegenzit. Het is weliswaar verboden om binnen te gebruiken, maar daar blijkt niemand zich aan te houden. Als ik 's avonds in mijn bed lig, op de slaapzaal, hoor ik overal om me heen de overbekende geluiden. Alles komt tevoorschijn, pijpjes, cocaïne... Folie knispert, aanstekers floepen aan, gesnotter, gekuch, gekreun... En dan komt de geur... Ik druk mijn kussen tegen mijn oren en neus, probeer me af te sluiten voor mijn omgeving, maar ik slaap niet. De dope roept me, probeert me terug te halen, en het is zo makkelijk. Ik hoef alleen maar op te staan, naar het andere bed te lopen en erbij te gaan zitten. Nu gebruiken en morgen pak ik wel een paar klantjes om het terug te verdienen. Kan ik hen trakteren.

De strijd in mij is een hel! Het is zo verleidelijk om er weer bij te horen. Nu ben ik alleen, hoor ik nergens bij, ik ben die stijve trut die niet eens mee wil tippelen.

Nee, nee, nee! Ik doe het niet. Ik wil eraf, eens en voor altijd. Fase één, fase één, fase één! Ik herhaal het in mijn hoofd, als een mantra.

De volgende dag blijkt dat ik de juiste beslissing heb genomen. Het meisje uit mijn jeugd, uit Hilversum, is niet teruggekomen van tippelen. Ze is dood gevonden. Als ik het hoor sterf ik zelf ook een beetje. De ellende houdt nooit op. Een paar dagen later is de begrafenis. Ik sta een hele tijd bij haar open kist. Haar daar te zien liggen, is een nog grotere schok dan het nieuws van haar dood. Ze lijkt zo klein, zo nietig, zo opgebruikt. Er past er met gemak nog eentje bij in de kist. Ik praat tegen haar. 'Shit meid, is dit nu ons leven? Dit wilden we allebei niet, vroeger, in Hilversum, en kijk nou wat ervan terechtgekomen is.'

Dat lichaampje, dat had ik kunnen zijn. Zo vaak heb ik risico's genomen, gespeeld met m'n leven. Maar ik sta hier nog. Dat moet een reden hebben, ik moet kennelijk nog iets doen op deze aarde. 'Jij kan het niet meer,' fluister ik tegen haar, 'maar als ik heel erg mijn best doe kan ik er misschien nog wat van maken. Voor ons allebei.'

Na de begrafenis weet ik het helemaal zeker. Ik ben er klaar mee. Ik wil van de drugs af, voorgoed. Drie weken terugval is niet lang, ik moet het nog kunnen, maar niet alleen, niet met die hele snoepwinkel naast mijn bed. Ik vraag meteen een gesprek aan met de leiding. Zonder iemand te verraden, dat zal ik nooit doen, weten ze meteen waar ik het over heb. Het is vrijheid blijheid in Time Out, maar als ik het echt wil kunnen ze voor mij het regime wel wat strenger maken. Nou, graag. Ik gebruik geen korrel, niet binnen en niet buiten, maar ik wil dat ze me controleren. Ik wil die stok achter de deur. Ik wil naar fase één. Vanaf dat moment krijg ik dagelijks urinecontrole.

Ik begrijp er geen snars van. Het gaat veel beter met me, ik krijg steeds meer leuke contacten met andere vrouwen. Ik heb een leuke vriendin, met wie ik heel veel praat en naar de sportschool ga. Ze geven er tae bo! Mijn hemel, nu pas realiseer ik me hoe ik dát gemist heb. Het hele leven, het goede leven, komt weer terug. De andere vrouwen doen niks in het huis, ze laten alles achter zich op de grond vallen, en ik ruim het op. Ik maak schoon. Niet om in een goed blaadje te komen, maar gewoon omdat ik er de energie voor heb. Ik wil iets doen. Ik heb een drive om door te gaan die ik nog nooit eerder ervaren heb. Fase één komt dichterbij, ik ben absoluut op de goede weg.

Maar hoe kan het dan dat mijn zelf opgelegde antidrugsbeleid averechts werkt? Want ik voel me elke dag stoneder worden en dat op bijna geen methadon. Tien milligram, twee pillen per dag, wat is dat nou helemaal?

Mijn begeleidster snapt het ook niet.

'Ik ben zo stoned als een kanarie, man.'

'Tja,' zegt ze, 'je lichaam is het niet meer gewend joh, probeer het nog even. Ik zal uitzoeken of dat kan, wat jij voelt bij deze dosis.'

'Ja, als je dat wil doen, graag.'

Maar ik weet dat ze de oplossing niet zal vinden. Er is iets anders aan de hand. Ik heb pupillen als speldenknoppen en ik heb weer dat oude, vertrouwde plasticachtige gevoel. Zij gelooft het niet, maar wie is hier nu eigenlijk de deskundige als het om methadon gaat?

Na twee dagen zijn ze erachter. Ik zie het aan de gezichten, als ik voor mijn dagelijkse controle kom. De ga-even-zitten-we-moeten-je-iets-vertellen-gezichten. Met gemengde gevoelens doe ik wat ze vragen en luister met ongeloof als de waarheid eruit komt. Ik sta helemaal niet op 10 milligram. Per ongeluk hebben ze me 25 gegeven. Nou, da's lekker. Daar gaat mijn plan. Ik baal als een stekker, ik ben kwaad, verdrietig. Zo goed als clean kwam ik binnen en nu moet ik echt afkicken, door een fout van de instelling. Om het allemaal nog een beetje moeilijker te maken, hebben ze besloten dat ik dat beter niet hier kan doen, in Time Out, maar in een ontwenningskliniek in de naburige stad.

Ik kan daar wel met voorrang geplaatst worden, ik hoef maar twee weken te wachten. Ja, daar schiet ik wat mee op. Twee kloteweken en als die voorbij zijn mag ik weg. Maar ik wil helemaal niet weg! Hier heb ik het net naar m'n zin, ben ik net contacten aan het opbouwen. Waarom ik nu weer? Omdat het echt beter is voor me. Nee, denk ik, omdat jullie het niet meer aandurven. En wat nu als ik niet meer terug mag? Maar er is een cadeautje. Ik krijg de verzekering dat ik, als ik er clean uitkom, terug mag komen in fase één. *Yes!* Misschien is het allemaal toch ergens goed voor geweest.

Van 25 milligram, naar 20, 15, 10, en 0. De detox valt best mee. Ik kan er wel over blijven zeuren, dat het hun fout is en niet de mijne, maar daar heb ik alleen mezelf mee. En bovendien, ik ben al een keer cold turkey afgekickt, daarbij vergeleken is dit best te doen. Daarom stel ik me zo positief mogelijk op. Ik doe aan alles mee, alle programmaonderdelen, en ik durf zelfs te praten.

Oude liefde roest niet. Tegen het eind van mijn ontwenning neem ik contact op met Arta, om te kijken of ik daar misschien geplaatst kan worden, maar Arta zit vol. Zo erg is het ook niet, ik mag immers terugkomen in fase één, maar toch weet ik dat ik er daarmee nog niet ben. Ik heb meer nodig, een programma. Een goed programma bovendien, wil ik tenminste aan al die onderdelen gaan werken die tot nu toe steeds niet aan bod gekomen zijn en die keer op keer de oorzaak waren van een terugval.

Voor ik het weet ben ik terug. In fase één. Ik heb het gered en ik ben inderdaad de eerste die de sprong gemaakt heeft.

De eerste ochtend in de rookruimte op de eerste verdieping zit er een vrouw op me te wachten.

'Volgens mij ben ik gebombardeerd tot jouw maatje.'

'O,' zeg ik. 'Dat kan, ik weet het niet. Ik ben Esther.'

'Wees maar blij dat je hier zit,' zegt ze, als we kennisgemaakt hebben. Ze maakt een gebaar naar de begane grond waar Time Out gevestigd is. 'Die beneden, die groep, als je daar toch terechtkomt! Ik hoor verhalen...' De vrouw bekijkt me aandachtig. 'Je komt me zo bekend voor. Ben je hier al eerder geweest?'

Ik slik en ik voel het bloed uit mijn gezicht wegtrekken. Net nu ik zo trots ben dat ik hier zit en niet beneden, moet ik aan haar gaan vertellen dat ik daarvandaan kom. Twee dagen lukt het me om mijn kaken op elkaar te houden en alle vragen te ontwijken. Tot we op de ochtend van de derde dag weer in hetzelfde rookhok zitten.

'Ik eh, ik zal het maar vertellen. Het kan best zijn dat je me gezien hebt, want ik heb beneden gezeten.' Van het een komt het ander en ik vertel haar mijn hele verhaal. 'Ik ben die dope zo zat,' besluit ik. 'Ik wil eruit, ik wil een ander leven. Ik ben een verschrikkelijk gevecht aan het voeren, maar het zal me lukken.'

Ze is even stil. Dan zegt ze: 'Nou ja, ik merk wel aan je dat je anders bent dan andere vrouwen. Jij bent de hele dag bezig, je doet van alles, je wil wel.'

'O, zeker weten!'

Vanaf dat moment hebben we een heel goed contact. Maatjes zijn we nog steeds, tot op de dag van vandaag.

Maar dat is niet alles. Opnieuw is het geluk aan mijn zijde. Als ik wil mag ik deelnemen aan een nieuwe vorm van therapie. Vrouwendeeltijd. Vanuit fase één, waar ik kan blijven wonen, kan ik drie dagen in de week therapie volgen met alleen vrouwen. Dat van die vrouwen spreekt me meteen erg aan, maar jeetje, deeltijd? Is dat niet wat weinig voor iemand die zo verknipt is als ik?

Ik probeer het en al snel blijken die drie dagen in de week ook meer dan genoeg te zijn, want het is heel intensief. Een programma met individuele en groepsgesprekken, afgewisseld met activiteiten en kunstzinnige therapieën. Ik krijg les in djembé, schilder en klei dat het een lieve lust is en ik vind alles even leuk. Het is zo'n bevrijding dat er alleen vrouwen zijn. Voor het eerst durf ik zonder schaamte te praten over wat mij is overkomen, over mijn trauma's, mijn littekens, mijn angsten, en er is begrip. Alleen al het feit dat er vrouwen zijn die zeggen: 'O, maar dat heb ik ook,' doet me zoveel goed.

Ik kom erachter dat ik beslist niet de enige ben met zo'n sterke drang tot zelfvernietiging. Zich dood willen zuipen, dood willen gebruiken, doorgaan tot je in de goot ligt en er niet meer uit kunt komen, het schijnt dat vrouwen dat over het algemeen veel sterker hebben dan mannen. Het is de eerste keer dat ik dat hoor en mijn gevoelens kan delen zonder veroordeeld te worden.

's Avonds, na de therapie, fiets ik op m'n gemak terug naar de opvang. Soms ga ik eten bij een vrouw die ik heb leren kennen, of we gaan samen zwemmen. Mijn leven begint zich te vullen met mooie dingen, met leuke dingen. Nergens kom ik nog dope tegen, ik heb er ook geen moment behoefte aan. Het is fantastisch, het leven is fantastisch. De combinatie van de opvang, waar ik mijn eigen kamer heb en me helemaal thuis voel en de therapie, is precies wat ik nodig heb. Maar aan alles komt een eind. Zes maanden duurt de vrouwendeeltijd en veel langer kan ik ook niet in de opvang blijven. Langzaam kruipt de angst weer naar boven, naar mijn keel. Alweer een datum, alweer een deadline, zonder dat ik weet wat daarachter ligt.

De meest logische volgende stap is die naar begeleid wonen. Maar dan moet er wel plek zijn. Drie maanden wachttijd is het minimum, maar hoe ik ook smeek, hier kan ik niet blijven.

'Esther, we moeten dan maar een plek in de crisisopvang voor je zoeken, tot je in begeleid wonen terechtkan.'

'Crisisopvang? Wat moet ik daar nog?'

'Ja, dat weten we ook niet, maar het is de enige mogelijkheid.'

Er helpt geen lieve moeder aan. Het wordt crisisopvang, in Afferden, bij Nijmegen. Volkomen verkeerd voor mij, maar dat wist iedereen van tevoren. Ik kom terecht tussen een bonte verzameling ernstige en minder ernstige psychiatrische patiënten, de een met nog meer pillen op zak dan de ander. Ik vind het verschrikkelijk en voel meteen weer de angst. Als er ooit nog een kans is om terug te vallen, dan is het daar. Hier hadden ze me echt nooit heen mogen sturen. Gelukkig ben ik mijn drive, mijn wil om door te zetten nog niet kwijt. Ik hou vol en krijg een goede tip.

'Waarom bel je niet met de nazorg van Arta?'

'Tja, nooit aan gedacht.'

Dat is niet helemaal waar. Ik heb er vaak aan gedacht, maar sinds ik er zo ben weggelopen durf ik eigenlijk niet zo goed. Ik zet me over mijn angst heen en bel toch. Het hoofd van de nazorg nodigt me uit voor een gesprek in Zeist. Hij is onder de indruk van mijn motivatie en gaat zijn best voor me doen om me in een nieuw huis te krijgen. O, als dat toch eens zou lukken. Met tegenzin reis ik terug naar Afferden. Ik beleef een paar spannende dagen, vlak bij de telefoon. Tot dat ene telefoontje komt. Er is plaats. Ik kan komen. Ik krijg een woning, ik krijg begeleiding. Zeventien jaar na mijn eerste kennismaking met harddrugs, zeventien jaar waarin ik wanhopig op zoek ben geweest naar iets wat er niet is, kan ik eindelijk op zoek gaan naar mezelf.

27

In mijn gedachten houdt het zomerweer aan, het ís ook zomer en prachtig weer als ik verhuis naar mijn eerste eigen woning. 2000, begin van het nieuwe millennium, begin van mijn leven. Een stukje muziek, de geur van pasgemaaid gras of de warmte van de zon op mijn huid is al genoeg om me terug te voeren naar die tijd en naar het geluk dat ik toen voelde.

Geen wonder dat het even duurt voor ik me realiseer dat die grijze lucht, die ik door het raam zie, de werkelijkheid is. Het nu, waar zesenveertig leerlingen me aankijken en zich zichtbaar afvragen wat ze nu nog moeten, na mijn verhaal. Langzaam komt er beweging in de groep, het lijkt wel of ze ontwaken uit een trance. Ik kuch, drink het laatste slokje uit mijn glas en zeg: 'Dat was het dus. Mijn levensverhaal. Wie heeft er een vraag?'

Een paar leerlingen kijken elkaar aan. Judith, met het rode haar, steekt als eerste aarzelend haar hand op.

'Toe maar hoor,' moedig ik haar aan.

'Heb je nog steeds hulp?' Ze kijkt onzeker om zich heen, bang dat ze een domme vraag stelt. Dat is het niet. Het is juist een heel goede vraag.

'Hulp? Of bedoel je begeleiding?'

'Ja, dat eigenlijk.'

'Nee, ik heb nu niks meer. Hoewel ik het af en toe best zou kunnen gebruiken hoor. Kijk, ik ben niet meer verslaafd, gelukkig niet, maar dat is voor de hulpverlening een probleem. In het begin kon ik nog gewoon terecht bij de verslavingszorg, maar naarmate ik langer clean was, gebeurde er steeds meer in me, vanbinnen, omdat ik zo aan het veranderen was. Eigenlijk ging ik steeds een laagje dieper. En dan kom je op het terrein van de psychotherapie. Dat heb ik ook jaren gehad. Hoe heftiger de ervaringen waren, de stukken waar je aan moet werken, hoe langer je moet wachten om daarmee aan de slag te gaan. En dan is het lastig om de juiste hulp te vinden. Het klinkt misschien gek, maar ik denk dat er eigenlijk te veel hulp is. Psychische hulp, sociale hulp, traumaverwerking, noem maar op. Voor elk wat wils. Maar je moet zelf het initiatief nemen om met iemand te gaan praten en dan ook nog zelf uitzoeken bij wie je moet zijn. Maar ja, dan moet je wel eerst weten wat er met je aan de hand is, en dat weten de meeste verslaafden of ex-verslaafden niet. Ik niet tenminste.'

Tersluiks kijk ik even opzij naar het meisje met de koffiebruine huid. Ze kijkt naar buiten, niet in gedachten verzonken maar ingespannen turend, of ze iemand verwacht. Dat verrast me. Ik wil onmiddellijk weten wie. Maar ik mag me niet laten afleiden, niet nu ik aan het belangrijkste deel van de voorlichting ben toegekomen.

'Weet je,' zeg ik, 'op het moment dat je niet meer gebruikt begint het pas. Een verslaafde heeft vaak twee problemen, een dubbele diagnose: de verslaving en de oorzaak van de verslaving. Na de verslaving kun je pas gaan werken aan de oorzaak. Daar heb je die andere hulp voor nodig, die je dan vaak zelf moet zoeken. In het algemeen vinden verslaafden dat moeilijk, je zoekt tenslotte niet voor niks je heil in het middel. Ik weet hoe moeilijk ik het vond om te praten over mezelf, toen ik nog in het traject zat. Daardoor ben ik twee keer teruggevallen en ik weet dat het ook bij anderen de belangrijkste oorzaak is van terugvallen. Niet kunnen praten, niet weten bij wie. De hulpverlening heeft het er zelf ook moeilijk mee. "Wat zegt u? U hebt af en toe een terugval in alcohol? Maar niet in heroïne? Nou, wat is dan het probleem?" Ik heb het uit eigen ervaring. Daar komt bij, dat je natuurlijk ook een heleboel praktische problemen tegenkomt. Therapie is duur, wordt het vergoed, niet vergoed? Hoe zit dat met verzekeringen? Dat zijn allemaal dingen die je leren moet.'

'Hoe zou het volgens jou dan moeten?' vraagt de docent.

'Ik vraag me af of je in dit geval wel onderscheid kunt maken tussen verslavingszorg en psychiatrie. Ik denk, als je terugvallen wilt voorkomen, dat ex-verslaafden levenslang begeleid zouden moeten worden. Door iemand die ze kent, ook heel belangrijk. Want instellingen worden steeds groter en logger, gaan fuseren en voor je het weet word je vier keer doorverwezen, zonder dat je dossier fatsoenlijk overgedragen wordt. In negen van de tien gevallen weet de therapeut niet wie hij voor zich heeft, wat de andere therapeuten gedaan hebben en verwacht hij van jou dat je onder woorden kunt brengen waar je voor komt.'

Ik besef dat het voor deze klas te ver voert, maar ik zou er nog zoveel meer over kunnen zeggen, honderdduizend eigen ervaringen uit een lange geschiedenis in de hulpverlening.

Over geldgebrek en tijdsdruk, over therapeuten die tijdens een gesprek van een uur al na vijfentwintig minuten op hun horloge kijken en gaan zitten gapen, waardoor je niet echt het gevoel hebt dat je hebt kunnen praten over datgene waar je voor kwam. Geen lijken in de kast laten liggen, zeggen ze dan. Alles bespreken, ja graag, maar niet tegen een gapende psychiater.

Over wachtlijsten met dodelijke afloop. Dodelijk in elk geval voor een vrouw die ik kende, die na negen jaar opnieuw psychotisch werd, drie keer aangaf dat ze zelfmoord wilde plegen en toch op de wachtlijst werd geplaatst, waarna ze de daad bij het woord voegde en drie jonge kinderen achterliet.

Niet weten waar je met een patiënt heen moet, is trouwens geen probleem van vandaag of gisteren. Jan, de wijkagent, heeft vaak genoeg geprobeerd me ergens onder te brengen als ik er weer eens vreselijk aan toe was, zonder resultaat.

'Heb je nog wel eens zin in heroïne?' vraagt een jongen.

Ik schud mijn hoofd. 'Nee. Niet in het middel. Weet je waar ik af en toe wel eens naar verlang? Naar de toestand als ik net gebruikt had. Even rust, even, zoals ik het noem, vakantie van mijn gevoel. Maar het middel zal me nooit helemaal verlaten. Nu ik tien jaar clean ben slijt het wel, hoor. Maar ik mag nooit overmoedig worden. Ik heb ooit eens, omdat iemand het mij vroeg, voorgedaan hoe ik gebruikte. Met een folietje, een buisje... En hoewel er helemaal geen dope was, kreeg ik afkickverschijnselen, alleen doordat ik al die handelingen uitvoerde om een chineesje te nemen. Er is onderzoek naar gedaan, gelijk wordt dat deel van je hersenen geactiveerd dat door het middel wordt beïnvloed. Dat gaat nooit meer helemaal over.

Ik moet dus blijven opletten, spanning en druk zijn voor mij gevaarlijk. Als je clean bent moet je constant met jezelf in gesprek blijven, op de signalen letten, gevaarlijke situaties proberen te vermijden. Dat betekent ook bepaalde mensen mijden. Het is heel hard, maar de vrienden met wie je vroeger hebt gebruikt kun je niet meer zien. Zeker niet als ze zelf nog gebruiken. En je moet weten wat je moet doen als het toch mis dreigt te gaan, wie je moet bellen, wie je kunt bellen. En dat dan ook echt doen. Heel belangrijk is ook dat je iets vindt om het gat op te vullen dat de dope achterlaat. Een nieuwe levensvervulling, om het zo maar te zeggen. Bij mij zijn dat sport, muziek en werk.'

'Je zei dat je bang was voor de maatschappij, nadat je afgekickt was,' zegt de jongen die twee uur geleden nog als eerste weg wilde en nu het aandachtigst luistert van allemaal. 'Is het je meegevallen?'

Wat zal ik hierop antwoorden, het succesverhaal of de werkelijkheid?

Ik glimlach en kies voor het laatste. 'Nee. Het is me vies tegengevallen. Alleen die vrije tijd al! Je staat 's morgens op en je denkt: wat moet ik de hele dag? Er is een gat van bijna twintig jaar in mijn leven geslagen. Twintig jaar waarin ik eigenlijk geen ontwikkeling doorgemaakt heb. Mijn zelfvertrouwen was enorm beschadigd en dat heb je in deze maatschappij zo nodig. Bij alles. Ik moest weer helemaal leren weerbaar te worden, mijn mening te geven. Nu, na tien jaar, ben ik zover dat ik mijn verhaal aan jullie durf te vertellen. Daarvoor durfde ik er niet over te praten. Al die tijd zijn er dus mensen geweest die op een bepaalde manier met me omgingen of dingen tegen me zeiden, in het werk of tijdens een opleiding, waar ik niet mee om kon gaan. Vaak ging het dan om dominante mensen die me claimden, of zoveel druk op me legden dat ik bang werd, onzeker en alles mislukte. Nog steeds kan ik daar slecht tegen, maar nu herken ik het tenminste en probeer ik het uit te spreken.'

Ik kijk even de klas in en haal diep adem.

'In mijn ogen is de maatschappij echt een jungle, zeker

voor een ex-verslaafde. In de drugswereld, moet je weten, zijn de regels heel duidelijk. Niks voor niks, niks is van jou en iedereen kan je belazeren. In de "gewone" maatschappij kijkt iedereen je glimlachend aan, geeft je complimentjes in je gezicht, doet beloftes en steekt je vervolgens een mes in je rug. Figuurlijk dan, meestal tenminste, maar toch. Ik heb heel erg moeten leren om met dubbele agenda's en een dubbele moraal om te gaan. Nog steeds duurt het bij mij lang voor ik iemand vertrouw.'

Judith kijkt me onderzoekend aan. 'Waarom liep je in een djellaba?'

'Dat vond ik prettig.'

'Hoe kan dat nou prettig zijn? Zo'n vormeloos ding...'

'Ik kan me voorstellen dat jij dat zegt, maar ik zat in een andere situatie. Ik vond het veilig dat niet iedereen me kon zien. Bovendien, je hoort in een groep met eigen normen, daar hoef je dus niet over na te denken, en dat is ook veilig. Nou ja, en mijn lichaam, al na een paar keer tippelen vond ik mezelf vies. Ik kon mijn lichaam niet uitstaan en ik wilde al helemaal niet bekeken worden. Later, toen ik langer in de prostitutie werkte en mijn lichaam niks anders was dan handelswaar, werd dat alleen maar erger. Strakke kleding vond ik doodeng, dat heeft nog heel lang geduurd trouwens. Zes jaar heb ik niet in bikini durven lopen. Dankzij mijn tae bo-instructrice, een fantastisch mens, ben ik daar overheen gekomen. Ik weet niet of ze dat bewust heeft gedaan, maar zonder woorden heeft ze me geholpen de haat die ik voelde voor mijn lichaam, te veranderen. Vaak vroeg ze me op het podium en dan moest ik trainen voor twee grote spiegels, voor de hele groep. Daardoor durfde ik steeds meer mezelf te zijn en daar heb ik ook in het dagelijks leven iets aan.'

'Ik vind vrouwen in zo'n jurk dus echt helemaal niks.'

'Als het hun vrije keuze is, waarom niet? Dan is traditionele kleding zelfs mooi.'

'En zo'n boerka dan?' vraagt een jongen smalend. Een andere jongen reageert onmiddellijk door er een boer-geluid bij te maken. Er wordt gelachen. Eindelijk even kans om stoom af te blazen na mijn verhaal, denk ik. Of vindt de klas het moeilijk om hier normaal mee om te gaan, zoals een groot deel van de maatschappij?

'Boerka's, moet ik je heel eerlijk zeggen, vind ik een beetje angstig, omdat je vaak aan de ogen van vrouwen die zo'n ding dragen kunt zien dat ze niet gelukkig zijn. En dat is voor mij de grens. Vrije wil. Ik heb zo vaak iets tegen mijn wil moeten doen dat ik dat het allerbelangrijkste vind. Maar ook van boerka's vind ik, als ze dat willen dragen, waarom zou ik er dan tegen zijn?'

Ineens kijkt het meisje met de koffiebruine huid me recht aan. Haar blik houdt de mijne gevangen. Heel even lijkt de rest van de klas verdwenen en bestaat de wereld alleen uit haar en mij, als ze heel serieus vraagt: 'Als je zo'n moeite met je lichaam hebt, hoe ga je dan om met relaties?'

Boem. Zo. Ik slik. De vraag is me eerder gesteld tijdens een voorlichting maar het feit dat juist zij hem nu stelt maakt het niet makkelijker.

'Niet,' zeg ik. Het is eruit voor ik er erg in heb. Ik schrik van mijn impulsieve antwoord, maar het is wel de waarheid.

'Dat moet ik waarschijnlijk uitleggen,' zeg ik. 'Na de nazorg kwam ik alleen te wonen en ik ontdekte dat ik dat heel prettig vond. Maar het was ook eng, want ik had het nooit eerder gedaan. Je krijgt, als je eenmaal vrij van drugs bent, weer ruimte om te kiezen. Ik weet niet hoe dat met andere ex-verslaafden is, maar ik trek bijna automatisch weer naar dezelfde soort mensen toe. In mijn geval dominant. En dan verval ik ook nog in mijn oude gedrag, zorgen voor iedereen. Je zorgen maken of hij het wel naar z'n zin heeft, niet durven afbellen terwijl je eigenlijk geen zin hebt, dat is geen gezonde basis voor een relatie.' Ik kijk haar aan en haal mijn schouders op. 'Die relaties van mij, het is en blijft een lang proces om daarin goeie keuzes te maken.'

De leraar kijkt op de klok. 'Eh, Esther, we moeten nu toch echt gaan afsluiten. Mag ik tot slot nog één vraag stellen?'

'Natuurlijk.'

'Jouw verhaal speelt zich een hele tijd geleden af. Jij gebruikte heroïne, ik ken onder de jeugd van tegenwoordig niemand die heroïne gebruikt. Waarom is wat jij vertelt voor hen toch interessant?'

'Omdat,' zeg ik nadenkend, 'het niet uitmaakt welk middel je gebruikt. Waar het om gaat is waarom iemand op een gegeven moment ergens in wil vluchten. Wat de reden dan ook is; angst om alleen te zijn, om niet bij de groep te horen...' Ik draai me om naar het bord, waar ik aan het begin van de voorlichting de verslavingen op geschreven heb. 'Alcohol en pillen staan er niet bij, maar ik kan me niet voorstellen dat niemand van jullie die gebruikt. Je maakt mij niet wijs dat jullie niet naar feesten gaan. Vooral met partydrugs en alcohol is groepsdruk een heel groot risico. Het is gezellig, je wil geen spelbreker zijn... Je vrienden nemen een pilletje en natuurlijk wil je erbij horen, of tenminste ook weten wat het is, dat snap ik. Dat wou ik ook, zo ben ik begonnen. Maar je moet zelf blijven denken, dat is veel belangrijker. Als je het niet wil, moet je het niet doen. Maar ook op andere gebieden legt de maatschappij een enorme druk op je, vind ik wel tenminste. Er zijn zoveel prikkels, zoveel indrukken, zoveel dingen waar je volgens het ideaalbeeld aan moet voldoen. Als je gevoelig bent, zoals ik, loop je een extra risico. Of als je voelt dat je moet presteren, voor je ouders of op school... Iedereen heeft wel een gevoel waar hij vakantie van wil nemen. Jullie ook.'

'Van jou mag ik dus niks meer nemen.' De jongen lijkt beledigd en bereid het gevecht aan te gaan. Kennelijk zijn echt niet alle verslavingen eerlijk opgegeven, aan het begin van de les. Maar dat had ik ook niet verwacht.

'Dat zeg ik niet. Maar denk er alsjeblieft bij na. Wat wil je bereiken met het middel? Wil je plezier, een lekker gevoel, geluk? Het werd bij mij uiteindelijk het tegenovergestelde. Er is geen einde als je eenmaal begint. Als iemand nu, 's morgens om halftien, een half glaasje beerenburg in mijn koffie doet tegen de kou, dan loop ik de kans dat ik vanavond om halftien ineens ga drinken. Als ik nu heroïne zou gebruiken, zou ik binnen drie dagen weer op hetzelfde niveau zitten als tien jaar geleden. Een overdosis is nu heel dichtbij.' Ik zwijg en laat die woorden bezinken. Ik zie geschrokken gezichten.

'Elk middel laat iets achter in je systeem. Er gaat iets stuk. Nogmaals, van mij mag je best iets nemen, maar juist als je niet goed in je vel zit, is het gevaarlijk. Veel middelen, waaronder hasj, versterken je gevoel. Als je al onzeker was, word je nog onzekerder. En je gaat ermee door, juist omdat je het effect niet krijgt wat je wilt. Je wil wat elke verslaafde wil, als een verwend kind. Je wilt nú de oplossing voor je probleem en dat geeft het middel je niet. Het is geen medicijn tegen onzekerheid, het is geen wondermiddel voor opwindende seks. Dat zegt iedereen van coke, nou, bij mij werkte het averechts. Niemand mocht meer aan me komen. Geloof dus niet alles wat je hoort, maar volg je gevoel.'

'Ja, coke,' zegt dezelfde jongen opstandig, 'dat is link, dat weet iedereen.' Hij wil gelijk hebben, of nee, hij heeft liever niet dat ik gelijk heb. 'Maar een blowtje, of een pilletje, wat kan dat nou voor kwaad?'

'Ze lijken onschuldig, maar pas op. Alle middelen beïnvloeden je bewustzijn. Je komt in een fakewereld terecht. Dan wordt het moeilijker om echt van nep te onderscheiden en helemaal als je al onzeker bent. Ze heten niet voor niks verdovende middelen. Je kunt psychisch helemaal in de war raken. Angststoornissen krijgen. De THC in hallucinerende middelen zoals hasj en paddo's, kan maanden in je bloed blijven zitten. Oké, je ziet geen uitgeteerde paddogebruikers in de straten, zoals het schrikbeeld van de junk van vroeger. Maar wel in de hulpverlening. In Arta bijvoorbeeld, waar ik heb gezeten, zitten nu heel jonge mensen die uitgeflipt zijn op hasj, op paddo's, natuurlijk de coke en zelfs gokkers die er op eigen kracht niet meer uitkomen. Je weet ook vaak niet wat je koopt. Er wordt onder de naam xtc verschrikkelijk veel rotzooi verkocht waar je gek van kunt worden of zelfs dood aan kan gaan. Als je dan toch wil gebruiken, ga dan naar een smartshop of koop een testertje, dan speel je in elk geval op safe.

En coke, tot slot, is bij uitstek het middel waar je nooit genoeg van hebt. Daarom is de dosis methadon die nu wordt voorgeschreven ook zo hoog, juist omdat het zo vaak de coke is waar ze van moeten afkicken. En methadon is misschien nog wel het ergste van allemaal. Dat echt nooit meer, jongens.'

'Dat lijkt me een mooi slotwoord.' De docent staat op. 'Esther, ontzettend bedankt. We hebben nog een kleinigheidje voor je...' Hij kijkt rond. 'Eh Gloria, wil jij...'

Ik volg zijn blik om te zien wie Gloria is. Heb ik haar al gezien? Ja, natuurlijk heb ik haar gezien. Het meisje met de koffiebruine huid kijkt verdwaasd op, haast alsof de docent haar wakker gemaakt heeft. Gloria past bij haar, vind ik.

'Gloria? De bloemen? Hiernaast in de emmer?'

Ik zie dat ze het verzoek vervelend vindt, maar ze zegt niks en haast zich het lokaal uit, zorgvuldig mijn blik ontwijkend. In de klas komen de gesprekken los. Tassen worden op tafel gehesen, mobieltjes gecheckt. De docent worstelt zich tussen de stoelen door naar voren.

'Zo. Viel het mee?'

Ik wis het zweet van mijn voorhoofd. 'Het valt nooit mee,' zeg ik. 'Maar ik vind dat ik het verhaal moet vertellen en ik hoop dat ze er iets uit oppikken. Dat ze niet dezelfde keuzes maken die ik heb gemaakt.'

'Waar heb je nou het meeste spijt van?'

Ik kijk hem aan. 'Het meest van alles? Dat ik heb toegelaten dat ik volledig de regie over mijn eigen leven kwijtraakte.'

Hij knikt en kijkt om naar de deur.

'Waar blijft ze?'

Ik sta op het punt om de docent te vragen wie Gloria is, en waarom ze is zoals ze is, maar het is beter als ik haar dat zelf vraag.

Een hand op mijn schouder. 'Ik ga even kijken waar ze blijft.'

Leerlingen komen op me af, ik raak aan de praat. Daardoor heb ik niet meteen in de gaten dat de docent alweer terug is, met een bos bloemen in zijn hand.

'Het spijt me, Esther,' zegt hij. 'Gloria is spoorloos, maar de bloemen gelukkig niet. Alsjeblieft.'

'Mooi! Dank je wel.' Ik laat niet merken dat ik geschrokken ben. Jolig steek ik de bos omhoog. 'Jongens, allemaal bedankt en vooral bedankt voor het luisteren.'

'Drink je nog even koffie in de docentenkamer?'

Ik schud mijn hoofd. 'Nee, ik moet echt weg. Ik ben al zo lang aan het woord geweest. Bedankt. En als je weer een groep hebt...'

'Nou graag, ze hangen aan je lippen, dat zie je.'

28

Haastig trek ik mijn jas aan en loop het lokaal uit voor ik weer aan de praat gehouden word. Waarom weet ik niet maar ik voel dat ik voort moet maken. Op een holletje doorkruis ik de grote hal. De o zo vriendelijke receptioniste is er niet. Mijn fiets nog wel. Ik zet de bos rechtop in de fietstas en fiets, ongetwijfeld tegen alle regels in, in de druilerige regen dwars over het plein. Rechtsaf of linksaf? Om naar huis te gaan moet ik naar rechts, maar intuïtief kies ik links. De lange laan in de nieuwbouwwijk is leeg. Shit, ik wist toch zeker dat... Dan valt mijn oog op een in elkaar gedoken gedaante, op het bankje van de bushalte schuin tegenover me. Ik slaak een zucht van verlichting. De fietstassen slaan tegen het frame als ik iets te hard van de stoeprand afrij. Ik stop voor haar op de rijbaan en hijs mijn fiets de stoep op. Ze trekt aan haar sigaret en kijkt niet naar me. Ik zet mijn fiets tegen de zijkant van het bushokje, diep mijn sigaretten op uit mijn jaszak en vraag. 'Heb je een vuurtje voor me?'

Zwijgend steekt ze me een aansteker toe.

'Hé,' zeg ik zogenaamd verrast, 'jij zat net in de klas. Gloria, zo heet je toch?'

Ik geef haar de aansteker terug. 'Wat vond je ervan? Je was

ineens weg. Ik kreeg de bloemen van je docent,' zeg ik lachend. 'Hij weet niet waar je bent.'

'Hij weet niks van me.'

Naast haar is nog een halve plek op het bankje, te klein, maar ik wurm me ertussen, zodat ze weinig andere keus heeft dan op te schuiven. Een tijdje roken we zwijgend, tot Gloria met een fel gebaar haar sigaret weggooit en opstaat.

'En de klas?' vraag ik.

'Hoezo "de klas"?'

'Nou ja, heb je vrienden, vriendinnen?'

'Die kleuters? Alsjeblieft zeg.'

Ze staat voor me, met haar rug naar me toe, maar ze loopt niet weg.

'Volgens mij vond je het moeilijk, mijn verhaal.'

'Hè hè, wat een psycholoog.'

'Nee, dat ben ik niet, maar ik heb er genoeg gezien. Genoeg in elk geval om me zorgen te maken over jou.'

'Dank je wel, maar dat is niet nodig.'

Nu sta ik ook op en hou haar mijn pakje voor. 'Echt niet?' vraag ik.

Gloria aarzelt. Dan pakt ze een sigaret. Het ritueel van aansteken levert haar weer een paar seconden bedenktijd op.

'Toen ik jou zag zitten, daar in de klas, was het net of ik naar mezelf keek vroeger,' zeg ik. 'Ik herken de signalen, Gloria. Ik ben niet een van die kleuters, ik wil naar je luisteren.'

Ze haalt diep adem, met horten en stoten. Dan komen de eerste tranen. 'Het is... het is net of je mijn verhaal vertelt,' zegt ze.

'Kom op,' zeg ik, 'daar komt de bus aan en we willen toch niet mee. Ga mee koffiedrinken.'

Ze kijkt op haar horloge.

'Moet je terug naar school?'

Een verachtelijk gebaar in de richting van de school zegt me genoeg. Maar waarom kijkt ze dan op haar horloge, om dezelfde reden dat ze net zo ingespannen naar buiten keek? Samen lopen we de wijk in. Aan de andere kant heb ik op de heenweg een snackbar gezien, die vooral door bouwvakkers wordt bezocht.

Even later zitten we tegenover elkaar aan een formica tafeltje. Ik wacht geduldig tot ze gaat praten. Ze verrast me door haar portemonnee tevoorschijn te halen. Ze klapt hem open. Van achter plastic lacht een lichtbruin meisje, met grote donkere ogen en eigenwijze vlechtjes, me toe.

'Toen jij vertelde, over je eerste relatie met die...'

'Chris...'

'Ja, die.' Ze zucht diep en tikt met een lange gelakte nagel op het plastic. 'Als Samantha er niet was had ik er al een eind aan gemaakt.'

'Mooi meisje. Waar is ze nu?'

'Mijn moeder past op haar.'

'En de vader?'

'Ik mag' – in de lucht maakt Gloria aanhalingstekens met haar vingers – 'van hem naar school toe. Zo kan hij laten zien hoe goed hij voor me zorgt. Maar na school moet ik voor hem werken.'

'Gebruikt hij?'

Gloria knikt.

'En jij?'

Ze haalt haar schouders op. 'Af en toe. Als ik het niet meer aankan.'

'Kun je niet weglopen?'

'Ja, hoe? Hij houdt me constant in de gaten. Hij brengt me, hij haalt me op, hij checkt mijn telefoon... En als ik wegloop doet hij Samantha iets aan. En mij.'

Nu ben ik even stil.

'Bovendien, hij is ook heel lief voor me en voor zijn dochter.'

'Heb je al eens met iemand gepraat?'

Ze kijkt me vragend aan. 'Zoals?'

'Iemand op school, je mentor?'

'Die vertrouw ik niet.'

'Je kunt met een instelling bellen.'

Weer een diepe zucht.

'Niet om er voor altijd heen te gaan,' hou ik aan. 'Maar je moet even rust hebben, even eruit, nadenken over wat je wilt.'

'Weet je, ik wil hem ook niet in de steek laten. Als hij eenmaal is afgekickt zal hij wel veranderen.'

Gloria snikt onderdrukt.

'Ik wil je niet bemoederen, heus niet, en ik weet het ook niet beter. Maar je moet wat met je leven doen, Gloria. Het is jouw leven, niet het zijne. Ik heb te lang gewacht tot ze zouden veranderen en ik ben zeventien jaar kwijt. Jij hebt nog een kans. Weglopen is doodeng, ik weet het. Wat je kent is vertrouwd en veilig, maar hoe langer je wacht, hoe moeilijker het wordt. Er zijn adressen waar je met Samantha naartoe kunt. Ik heb wel nummers voor je, ik kan voor je bellen, ik...'

Gloria staat op en veegt met een vinger onder langs haar ogen.

'Ik moet terug naar school. Bedankt voor de koffie. Dag.'

'Gloria!'

Maar het meisje met de koffiebruine huid begraaft haar handen diep in de zakken van haar jack en loopt resoluut de straat op. Twee bouwvakkers die net naar binnen willen, kijken tegelijk om en becommentariëren goedkeurend wat ze zien. Onwillekeurig voel ik mijn maag samentrekken. Even, in een flits, zie ik mezelf weer staan, langs de kant, bekeken, gekeurd. Een nieuw gezicht, denk ik bitter. Een nieuw gezicht betekent veel klanten. Ik kan alleen maar hopen dat Gloria op tijd aan mijn verhaal terugdenkt. Gloria, en al die anderen.

Informatie:

Arta verslavingszorg

Voor informatie, consultatie en aanmelding kan men op werkdagen tussen 9.00 en 16.00 uur contact opnemen met 030 694 55 76.
Mailen kan ook: intake@lievegoedzorggroep.nl
Zie verder www.lievegoedzorggroep.nl

Stichting HERA

Informatie, aanmelding en advies:
026 389 49 45
info@hera.nl

Hera biedt hulp vanuit vier locaties:

Apeldoorn	(055) 368 92 10
Ede	(0318) 672 670
Nijmegen	(024) 322 00 84
Oosterbeek	(026) 334 00 41

Centraal Bureau
Jansbuitensingel 20
6811 AD Arnhem
(026) 352 58 10
fax: (026) 352 58 11
arnhem@hera.nl

Iriszorg is een instelling voor verslavingszorg en maatschappelijke opvang en is in januari 2007 ontstaan uit een fusie tussen Arcuris, De Grift en Passade maatschappelijke opvang.
Bezoekadres:
Kronenburgsingel 545-547
6831 GM Arnhem
(026) 845 11 00
www.iriszorg.nl